BREVE HISTORIA DE

LA CARRERA ESPACIAL

Alberto Martos

nowtilus

Colección: Breve Historia
www.brevehistoria.com

Título: Breve Historia de la carrera espacial
Autor: © Alberto Martos

Copyright de la presente edición: © 2009 Ediciones Nowtilus, S.L.
Doña Juana I de Castilla 44, 3º C, 28027 Madrid
www.nowtilus.com

Editor: Santos Rodríguez
Coordinador editorial: José Luis Torres Vitolas

Diseño y realización de cubiertas: Estudio de diseño nicandwill
Diseño del interior de la colección: JLTV
Maquetación: Javier Benavente y María Fernández

ISBN-13: 978-84-9763-765-7
Fecha de edición: Septiembre 2009

Printed in Spain
Imprime: Graphycems
Depósito legal: NA-2122-09

A Alberto y a Daniel,
a quienes la urdimbre espacial
aún no les ha cautivado el notocordio.

Jamás trabajé para perfeccionar
los modos de hacer la guerra...
Al trabajar en aparatos de reacción
yo me proponía objetivos pacíficos y sublimes:
conquistar el Universo para el bien
de la Humanidad, conquistar el espacio
y la energía que irradia el Sol.

KONSTANTIN EDVARDOVICH TSIOLKOVSKI
a un redactor del periódico *Illustrirovannie birzhevie
vedomosti* ("Noticias Ilustradas de la Bolsa"), 1905.

Agradecimientos

El autor expresa su gratitud a Elena Agüero, ex directora de edición del Círculo Internacional del Libro, por su amable permiso para reproducir algunos textos de *La Conquista de la Luna*, publicado por esa editorial en 1992, dentro de su *Gran Historia Universal*, vol. 12.

También, a Igor Selivanov, Agregado Cultural de la Embajada de la antigua Unión Soviética en Madrid en 1992, por su permiso para reproducir material gráfico de la Agencia Tass.

Advertencia
al lector suspicaz

A lo largo de las páginas de este libro el lector descubrirá que hemos prescindido de las palabras alunizar y alunizaje, en beneficio de las que nos parecen más correctas, aterrizar y aterrizaje, pues, desde nuestro punto de vista, las primeras son equívocas. Aquéllas proceden del error que hemos cometido degradando a nuestro planeta, al escribir "la tierra" con minúscula, cuando como nombre propio, le corresponde una inicial mayúscula. Recapacitemos que la palabra aterrizar no significa tomar la Tierra, sino tomar tierra (el suelo), que es lo que hacen los aviones cuando aterrizan, tomar tierra y no la Tierra, ya que nunca salieron de ella. Por la misma razón, los aviones anfibios "amaran" y la aviación embarcada "anavea", ya que no toman tierra (con minúscula), sino agua o cubierta. En suma, aterrizar significa posarse en tierra (en el suelo), dondequiera que sea, no necesariamente en la Tierra. Por otra parte, si adoptamos la palabra alunizaje nos veremos envueltos en un delirio sin fin de designaciones terminológicas absurdas, como amartización, avenerización y atitanizacición y peor aún, cuando futuras sondas interplanetarias aplutonicen, aeuropeicen, aioicen, aganimedicen, acalisticen, etc. Así que aterricemos en la Luna.

ÍNDICE

Prólogo

Conocí a Alberto allá por los años 60, en los comienzos de la era espacial y debo decir que además de ser un buen amigo, es un escritor empedernido y lo hace muy bien. Se entiende fácilmente todo lo que escribe, virtud que no es común en todos los escritores.

Hablando en concreto de este libro, comenzaré por resaltar que entre los muchos que se han escrito sobre este tema, este se caracteriza por analizar con mucha más profundidad que los demás y con un exhaustivo alarde de documentación la enorme influencia que tuvieron los grandes condicionamientos impuestos por los *lobbys* militares en los comienzos de la era espacial.

El libro está bien estructurado: primero expone cómo se concebía la noción del espacio exterior en la Antigüedad; a continuación explica el gran cambio que sufrieron esas ideas como consecuencia de la aparición del método científico; seguidamente entra de lleno en la auténtica historia del espacio, entendido como aquél al que solo puede accederse mediante potentes cohetes lanzadores. Evidentemente, como los grandes cohetes empezaron a utilizarse para transportar bombas, en ocasiones convencionales y en otras nucleares, su tecnología estuvo siempre al servicio de las fuerzas armadas de los países más desarrollados. Es decir, los Estados Unidos y la Unión Soviética en los primeros tiempos de la era espacial. De aquí el importantísimo papel que estas fuerzas han tenido, están teniendo y tendrán en el futuro, en la mal llamada "conquista" del espacio.

El libro relata fundamentalmente la aventura espacial llevada a cabo por astronautas, la mayoría de ellos hombres, pero en algunos casos muy contados, también mujeres. Evidentemente para que los seres humanos pudieran acceder al espacio exterior sin demasiado peligro, fue necesario probar primero con otros seres vivos menos evolucionados, así como con algunas sondas automáticas o robóticas que les allanaran el camino.

Algunos pasajes del libro están relatados con gran maestría y con un dramatismo digno de una película moderna de anticipación científica. Un ejemplo claro de esto es aquel en el que se cuenta, con algunos detalles muy interesantes y poco conocidos, el accidente que le costó la vida al astronauta soviético Vladimir Komarov (23 de abril de 1967) en la nave Soyuz 1.

El autor del libro manifiesta en su Introducción que no quiere entrar en la polémica de si está justificado gastar tanto dinero en la investigación espacial, dejando al lector que forme su opinión sobre este delicado tema. Como apasionado lector que he sido del libro de Alberto, voy a aprovechar la ocasión que me brinda, para razonar brevemente sobre este particular. Lo primero que conviene analizar es si es cierto que se gasta mucho en la aventura espacial.

Aunque es un dicho popular que "las comparaciones son odiosas", no tendremos más remedio que hacer algunas porque, de lo contrario, mucho o poco no tienen ningún significado. Citaré tres ejemplos.

En el año 1977 la NASA lanzó al espacio las sondas robóticas Viajero 1 y Viajero 2, que exploraron los planetas exteriores Júpiter, Saturno, Urano y Neptuno, todas sus numerosas lunas y sus muchos anillos. Estas dos largas y complicadas expediciones espaciales terminaron oficialmente en 1989. El coste de estas misiones, acumulado hasta ese año, fue de 600 millones de dólares (valor de 1989). Esta cantidad quizá pueda parecer elevada, sin embargo en aquel año era lo que gastaban los Estados Unidos en un solo día en la Defensa Nacional. Luego, lo que puede considerarse que es mucho, comparándolo con la realidad, es bastante poco.

España gasta actualmente en investigación espacial aproximadamente 206 millones de euros al año. Es una cifra considerablemente elevada, sin embargo es la centésima parte de lo que gastamos al año en juegos de azar (repito, centésima parte). Si en lugar de juegos de azar tomamos como referencia lo que se gasta en tabaco (producto que además de no resolver ningún problema, puede dar origen a enfermedades muy graves como el cáncer), la comparación resultaría aún más esclarecedora. La conclusión es, de nuevo, que lo que algunos consideran como mucho dinero gastado en la exploración espacial en realidad es muy poco.

Veamos un tercer y último ejemplo. La misión espacial tripulada que a finales del año 1993 reparó el Telescopio Espacial Hubble, uno de los aportes más importantes a la investigación científica mundial, costó 800 millones de dólares (valor de aquel año), que es menos de lo que gasta el Departamento de Defensa de los Estados Unidos en dos días. La conclusión vuelve a ser la misma.

Al hilo de este análisis siempre estarán los que argumenten que aunque no sea demasiado lo que se gasta en el espacio, esas cantidades podrían invertirse en algo más beneficioso para la humanidad. Contra este razonamiento creo que la respuesta más apropiada es que los seres humanos han llegado a ser lo que son gracias a un impulso interno que les hace perseguir la belleza y el conocimiento, aunque su adquisición no resuelva problemas urgentes para nuestra sociedad. El conocimiento que adquirimos gracias a la investigación espacial es un nuevo patrimonio de la humanidad que supera con mucho sus costes. Basta con mirar los libros que utilizan los chavales de 10 años en sus colegios, para encontrar en ellos historias y fotografías obtenidas gracias a la aventura espacial.

Pero, volviendo al libro, me gustaría decir que es un detallado relato de la llamada "carrera espacial", en el que se analizan en paralelo todos y cada uno de los pasos que, tanto soviéticos como americanos, daban para poder llegar a la Luna. Muchas veces eran pasos adelante, pero en otras ocasiones fueron tropiezos catastróficos.

En el texto se deja ver, de forma explícita en algunos casos y de manera implícita en otros, que había una gran diferencia entre las dos grandes potencias espaciales. Los soviéticos representaban la fuerza bruta, ejemplarizada en sus potentísimos lanzadores, mientras que los americanos utilizaban una tecnología mucho más avanzada, de la que dan buena fe sus grandes descubrimientos científicos, como los cinturones de radiación de Van Allen, los volcanes de Io, el satélite de Júpiter, o el resplandor fósil de la creación, descubierto por el telescopio COBE.

El libro está notablemente documentado, con amplia bibliografía y un sin fin de notas a pie de página que ayudan mucho al lector. También contiene un buen número de tablas, unas veces simplemente numéricas y otras comparativas. Además se incluyen muchas figuras y fotografías, algunas de ellas con gran valor histórico.

Finalmente quiero señalar que el libro termina con un Apéndice que es delicioso. En pocas páginas se condensan, magníficamente explicados, todos los conceptos fundamentales que gobiernan la navegación espacial. Vale la pena leer el libro para llegar a este apéndice.

Luis Ruiz de Gopegui

Ex director de los programas
de la NASA en España

Introducción

La historia de la carrera a la Luna constituye un episodio apasionante que tuvo lugar al inicio de la segunda mitad del siglo XX. Es decir, de los albores de la andadura espacial de la Humanidad. En la mayoría de los relatos que tenemos a nuestro alcance, esta carrera se nos ha presentado revestida con un cariz afablemente deportivo, por cuanto ambos bandos antagonistas, los Estados Unidos y la Unión Soviética, parecían competir olímpicamente por una corona de laurel representada por la estampación de su huella sobre la superficie de nuestro satélite natural. Esto, sin otro objeto que depositar en ella emotivas estelas en pro de la Ciencia y del progreso de la Humanidad.

Sin embargo, la desclasificación en los Estados Unidos de los documentos político-militares de aquella época y el derrumbamiento del telón de acero ocurrido después de la *perestroika*, con la subsiguiente nueva política de transparencia (*glasnost*) en Rusia, han mostrado que bajo toda esta trama idílica subyacían ciertos designios mucho menos altruistas, tanto en uno como en otro bando. Los antiguos aliados de la Segunda Guerra Mundial, salvaguardias de doctrinas políticas incompatibles, obraron siempre bajo una gran desconfianza mutua que les impidió ponerse de acuerdo a la hora de repartirse el mundo de la posguerra. Ante su incapacidad para entenderse por medios diplomáticos, ambos bandos incurrieron en la torpeza de respaldar sus criterios con amenazas implícitas en la demostración de su superioridad militar y ello desembocó en una delirante carrera armamentista que llevó al mundo al borde de la destrucción total por estupidez. Estupidez, bien atestiguada por los planteamientos entre Kennedy y Krushchev durante la crisis de Cuba: "Nosotros podemos destruir el mundo cinco veces y vosotros solamente tres veces". Trataremos de mostrar al lector que la carrera a la Luna no fue sino el escaparate de tal competencia armamentista.

En los Estados Unidos, el país triunfador de esta carrera, cuyo orgullo había sido herido por los logros iniciales del sistema político antagonista, la motivación principal de la "Conquista de la Luna" obedeció a la "necesidad" de demostrar al mundo la supremacía del desarrollo tecnológico procurado por su sistema político. Aunque se proclamó a todos los vientos el espíritu pacífico y el objetivo científico de sus expediciones *Apollo* a la Luna, justificado por la creación de un organismo no militar (la NASA) para llevar a cabo tamaña empresa, la realidad fue que la casi totalidad de los astronautas que se pasearon por la superficie lunar fueron pilotos militares (con un sola excepción). La Ciencia fue el *leit motiv* que se abanderó para maquillar intereses políticos y militares. Prueba de ello es que cuando los políticos juzgaron reivindicado su orgullo y los militares se convencieron de que la Luna no era la plataforma estratégica adecuada para amenazar a la Unión Soviética, retiraron su apoyo al Proyecto *Apollo* y este se dio por terminado cuando aún faltaban cuatro expediciones para cumplir los objetivos científicos que le habían asignado los selenólogos.

Nosotros nos vamos a contentar con relatar el desarrollo de los acontecimientos más importantes que componen la historia de la carrera a la Luna, dibujados sobre el trasfondo de la posguerra y de los primeros años de la Guerra Fría. Para ello no nos morderemos la lengua ante las arbitrariedades que se cometieron, sino que trataremos de ejercer una crítica constructiva de los acontecimientos que abordemos, desde el punto de vista que nos otorga nuestra posición de observadores cercanos de estos menesteres.

El lector se cerciorará de que existió, existe y desgraciadamente existirá una diferencia marcada entre la actuación de los profesionales que arriesgan su vida ensayando máquinas nuevas en ambientes desconocidos y de quienes administran el dinero público y deciden dónde y cuándo se ha de emplear. Nos esforzaremos por ofrecerle testimonios elocuentes de la existencia de intereses extra-científicos que han condicionado la labor de los investigadores espaciales con cortapisas que en ocasiones rayaron en lo pueril.

Alberto Martos Rubio.
Ingeniero Técnico en las Estaciones
Espaciales de Fresnedillas (NASA) y
Villafranca del Castillo (ESA).
albmartos@gmail.com

1

Idea del espacio
en la Antigüedad

La idea de que existe un espacio que envuelve a la
Tierra, en el que brillan imperturbables las estrellas
fijas y por el que trazan sus complicados cursos los
planetas o estrellas errantes, nació, junto con la
Ciencia, en las escuelas filosóficas de la Grecia clásica. Aunque la ciencia helénica se benefició indudablemente de importaciones conceptuales procedentes de Babilonia (como la cosmología y el cálculo
astronómico) y de Egipto (el calendario lunisolar y
sus cinco días intercalares), la noción de cosmos
(*kosmos*), como región supra-terrena del universo en
la que reina un orden admirable, antítesis del caos
(*jaos*), surgió en la Hélade cuando los filósofos se
ocuparon del mundo físico y trataron de explicarlo
utilizando la razón (*logos*), en busca de una alternativa racional a la explicación quimérica (*mythos*) de
los poetas didácticos como Hesíodo (s. VIII a.C.).
    En realidad, en los mitos cosmológicos pre-helé-
nicos (mesopotámicos o egipcios) que conocemos, no
existe idea de espacio vacío alrededor de la Tierra,

sino que se plantea una dualidad orden-desorden (caos). En este escenario, la labor cosmogónica de los dioses antiguos consistió en crear orden dentro de una región limitada por el cielo, en el centro de la cual supusieron que estaba la Tierra. Es decir, que concebían la creación como un acto de ordenación de una materia que no necesita ser creada porque es eterna.

El mito de la cosmogonía mesopotámica está narrado en el *Poema Babilónico de la Creación* (*Enuma Elish*). En él, el dios benéfico Marduk derrota al dios maléfico Tiamat y utiliza su cadáver, cortado en dos mitades, para formar la Tierra plana y la bóveda celeste que la cubre y las coloca formando una burbuja de aire en el seno de un océano primordial de agua dulce, el *Apsu*, "que llena el abismo". Después pone orden en el cielo de modo que las estrellas señalen los meses y las estaciones del año y formen las vías de tránsito de los dioses del aire, del cielo y del mar.

En el caso del modelo cosmológico egipcio, descrito en el mito de Isis y Osiris que narran los *Textos de las pirámides*, el caos se identifica con las fuerzas del mal. En el relato de estos textos jeroglíficos, la bóveda celeste con sus estrellas está personificada por el cuerpo de la diosa Nut, madre de todos los astros, que se halla arqueada sobre el dios de la Tierra Geb, su esposo, para protegerle de las fuerzas del caos. El dios Sol (Ra) viaja en su barca todos los días a lo largo del cuerpo de Nut, que se halla separada de Geb por el dios del aire Shu. La diosa tiene los brazos orientados hacia el Oeste y las piernas hacia el Este, de modo que al atardecer engulle al Sol cuando se le acerca a la boca al final de su ciclo diario, para que viaje por el interior de su cuerpo durante toda la noche y renazca cada mañana.

La cosmología griega.
El *LOGOS* frente al *MYTHOS*

Las ideas cosmológicas más antiguas que nos han llegado de los filósofos griegos no van más allá del siglo VII a.c., y, en general, brotan del modelo cosmológico babilónico, junto con la idea de que la creación del cosmos consistió en la ordenación del caos (*jaos*) inicial en que estaba sumida la materia (*hyle*), que es eterna. El origen de los elementos se explica mediante un monismo hilemorfista, es decir un fenómeno en virtud del cual todos los elementos aparentemente distintos que componen los seres y los objetos, no son más que meras figuraciones de dicha substancia protógena única, o primer principio (*arje*), capaz de transformarse en todos los demás, pero que no necesita de ellos para existir, puesto que es eterna.

Entre los filósofos milesios, para Tales esta substancia primordial era el agua (*hydor*), para Anaximandro, lo ilimitado (*apeiron*) y para Anaxímenes, el aire (*aer*). Para Heráclito y los efesios fue el fuego (*pyr*), principio del cambio incesante de la materia (formación y destrucción), ya que en la naturaleza "todo fluye" (*panta rhei*). Para Pitágoras y sus discípulos fueron los números (*aritmoi*), expresión de la armonía del Universo por cuanto rigen las cualidades de las esferas celestes que lo componen, de acuerdo con las escalas musicales. Ocho de estas esferas arrastran cada una a un astro errante, incluidos la Tierra (*Jthon*) y el Sol, alrededor de un fuego central. Una novena esfera gira con las estrellas fijas. Como este número de esferas (nueve) es imperfecto, para satisfacer el criterio de armonía con un número perfecto de esferas, la decena[1]

---

[1] Los filósofos pitagóricos consideraban perfecta la decena por ser la suma de los cuatro primeros números naturales.

(*dekas*), el modelo cosmológico de los pitagóricos tuvo que añadir un planeta invisible, la Antitierra (*Antijthon*), oculto por dicho fuego central.

A finales del siglo V a.C. Empédocles convierte el monismo hilemorfista en pluralismo, al asimilar en su doctrina cosmogónica los tres elementos protógenos anteriores, a los que añade la tierra. Así, para este filósofo la materia está compuesta por cuatro raíces (*rizomata*) fundamentales, el fuego (*pyr*), el aire (*aer*), el agua (*hydor*) y la tierra (*ge*), que se combinan o separan bajo la influencia de dos causas antagonistas, amistad (*philia*), que las une y odio (*phobia*), que las separa. En consecuencia, en la materia no existe nacimiento ni muerte, sino unión y separación de raíces.

A principios del siglo IV, Leucipo de Mileto llegó a la conclusión de que es absurdo pensar que un trozo de materia se pueda dividir indefinidamente en dos fragmentos menores. Tenía que existir un límite, más allá del cual fuera imposible continuar dividiéndolo. Él y su discípulo Demócrito, llamaron átomos (*atomoi*) a estas partes más pequeñas en que se puede dividir la materia y les atribuyeron la calidad de imperecederos, ya que no eran susceptibles de descomposición. Los filósofos atomistas postularon que los átomos están en agitación constante, juntándose y separándose para formar los distintos aspectos que presenta la materia. Conforme a este criterio, en la materia viva o inerte no existe formación (nacimiento) ni destrucción (muerte), sino combinación y dispersión de los átomos.

PLATÓN CAE EN LA TRAMPA
DEL KÓSMOS PERFECTO

Platón (427-347 a.c.), que se sintió más atraído por el mundo de las ideas que por el mundo físico, exponía en el Mito de la Caverna que los sentidos corporales solo muestran al hombre la sombra de las realidades. La Verdad Absoluta solo es accesible al intelecto y la única vía de conocimiento es la dialéctica, no la observación. El *Kósmos*, que es perfecto como obra de un ordenador divino, solo es descriptible mediante las matemáticas abstractas. En la doctrina ético-matemática de las Formas Perfectas de Platón, el mundo supraterreno, formado por las Ideas Verdaderas, se rige por tres principios fundamentales: los movimientos perfectos (circulares) de los orbes y el geocentrismo y el geoestatismo de la Tierra.

En su diálogo *La República* (*Ta Politeia*) Platón modificó el esquema cósmico de los pitagóricos de acuerdo con estos tres principios, colocando la Tierra inmóvil en lugar del fuego central, que eliminó, y reduciendo el número de esferas planetarias a ocho, al prescindir también de la Antitierra. El movimiento de rotación a velocidad constante de las esferas, u orbes, alrededor de la Tierra no requería motor, ya que el *Kosmos* era un ser vivo. Y el orden de estas venía determinado por la armonía de los tamaños (brillos) planetarios: la Luna, el Sol, Venus, Mercurio, Marte, Júpiter, Saturno y la esfera que contiene las estrellas fijas.

La materia con que estaba constituido el *Kosmos* constaba de los cuatro elementos de Empédocles, distribuidos de manera que los elementos pesados, la tierra y el agua, estaban en el centro formando la Tierra esférica cubierta en parte por el agua, y los ligeros, el aire en la atmósfera y el fuego en el exterior del orbe lunar. Más allá, en la región supraceleste (*hyperourania*), Platón situó la Morada de los Dioses.

Este modelo, construido bajo precepto perfeccionista y sin base pragmática alguna, ignoraba que el Sol se desplaza más despacio en verano que en invierno, que la Luna gira con velocidad diferente a lo largo del mes y que tres de las estrellas errantes o planetas (*planêtai*), Marte, Júpiter y Saturno, trazan lazos en el cielo porque se mueven en sentido retrógrado (de Este a Oeste) en ciertos tramos de sus trayectorias anuales. Cuando Platón, ya sexagenario, se enfrentó a estos fenómenos, solamente acertó a lanzar una llamada angustiosa de ayuda a los discípulos de la Academia:

"¡Salvad las apariencias!" (*Sozein ta phainomena*).

O sea, tratad de explicar los fenómenos con el modelo perfeccionista. Por suerte, en la Academia había un matemático capaz de realizar tal proeza, satisfaciendo los tres principios fundamentales del maestro: Eudoxo de Knido (408-335 a.C.). Con su modelo de 27 Esferas Homocéntricas (figura 1), Eudoxo consiguió apuntalar el *Kósmos* platónico reproduciendo los lazos retrógrados mediante la rotación combinada de cuatro esferas concéntricas cuyos ejes estaban desviados convenientemente y que giraban uniformemente, de modo que las exteriores arrastraban a las interiores, lo que daba como resultado una trayectoria en forma de ocho, que Eudoxo denominó *hipopéde*[2].

Cuando posteriores observaciones hicieron ver que el modelo de Eudoxo fallaba con la Luna (anoma-

---

[2] Nombre del lazo con el que se trababan las patas de los caballos para que no escaparan.

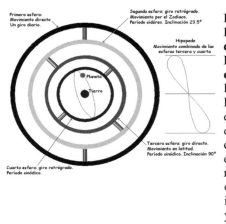

Figura 1. El modelo de las Esferas Homocéntricas de Eudoxo. En el esquema de Eudoxo la esfera exterior reproducía el movimiento diario, la inmediata, el movimiento retrógrado por el zodíaco con la inclinación debida; y las dos interiores, la *hipopede*, o lazo.

lía verdadera), el Sol (desigualdad de las estaciones) y los planetas Mercurio, Venus y Marte, un discípulo de Eudoxo llamado Calipo de Cícico (370-310 a.C.), tomó el relevo y resolvió el conflicto añadiendo siete nuevas esferas que dieron cuenta de dichas "anomalías", al precio de elevar el número de orbes a 34.

LA FÍSICA DE ARISTÓTELES: EL ÉTER, EL VACÍO Y LOS "MOVIMIENTOS NATURALES"

La cosmología de Aristóteles (384-322 a.C.), descrita en su tratado "Sobre el Cielo" (*Peri Ouranou*), adopta las 34 esferas de Calipo, a las que atribuye naturaleza cristalina, y las supone en rotación perpetua alrededor de la Tierra, merced al impulso divino (Primer Motor) que actúa sobre la esfera de las estrellas fijas, o Primer Móvil (*Protos Kinetos*), y que arrastra a todas las demás. Con ello sitúa el Empíreo (*Empyrios*), o morada de los dioses, sobre la esfera de las estrellas fijas, o sea en el pináculo del cosmos, tal como hizo Platón.

En su *Física* (*Physike*), Aristóteles considera que la materia es eterna y está compuesta por los cuatro elementos (*stoijeia*) de Empédokles, formando dos parejas antagonistas (tierra-aire y agua-fuego). Estos elementos protógenos están animados de "movimientos naturales" que tienden a situarlos en los "lugares naturales" que les corresponden en el orden del modelo cosmológico, razón que explica porqué en la Tierra el aire y el fuego (los gases) ascienden, mientras que el agua y la tierra (los graves), descienden (caen). Por otra parte, como los orbes celestes no experimentan movimiento de ascenso ni de descenso, sino de rotación, han de estar constituidos por un quinto elemento, el éter (*aithêr*), muy diferente de los otros cuatro, ya que carece de elemento antagonista.

La aportación más importante de Aristóteles, por su trascendencia, es su teoría física del movimiento, que establece que la velocidad de los movimientos "naturales" solo depende de la resistencia que opone el medio por el que se mueven los elementos. De este postulado deduce Aristóteles que el vacío (*keneon*) no puede existir, porque al ser nula la resistencia que opondría, los elementos lo atravesarían con velocidad infinita, lo que es imposible.

Con la negación del vacío, el cosmos aristotélico sufrió una complicación grave, pues si no existía el vacío entre las esferas de los planetas, entonces habría rozamiento, con lo que las esferas exteriores comunicarían su moción a las interiores, echando a perder el sincronismo del conjunto. Para salvar este escollo, Aristóteles se vio obligado a introducir 21 esferas compensadoras que anularan por contrarrotación ese arrastre, elevando con ello el número total de esferas a 55.

LOS MODELOS MECANICISTAS
DE HIPARCO Y PTOLOMEO

El tambaleante esquema cósmico de Eudoxo-Calipo-Aristóteles se vino abajo definitivamente por su incapacidad de explicar los "cambios de tamaño" (de brillo) que mostraban los planetas Marte y Venus a lo largo de su periodo sinódico. La nueva crisis astronómica necesitó un nuevo salvador, esta vez en la persona de Apolonio de Pérgamo (262-190 a.C.), un geómetra muy bien reputado por sus trabajos sobre las cónicas.

Apolonio diseñó un concepto diferente de mecanismo cósmico, mediante combinación de movimientos circulares a velocidad constante y en sentido directo de dos círculos no concéntricos. Supuso a cada planeta fijo a un círculo menor, llamado epiciclo (*epikyklon*, "el que está sobre el círculo"), que giraba con el periodo sinódico correspondiente. El centro de cada epiciclo estaba fijo a su vez a otro círculo mayor, llamado deferente (*pheron*, "el que arrastra"), que lo transladaba en su giro con el periodo sidéreo de cada planeta. El resultado eran órbitas excéntricas, en las que cada planeta se aproximaba a la Tierra en el perigeo y se alejaba en el apogeo, efectuando el lazo retrógrado una vez al año, entre dos puntos estacionarios en los que parecía estar fijo en el cielo.

Un siglo después, el astrónomo Hiparco de Nicea (190-120 a.C.) comprobó que el modelo de Apolonio resultaba corto para explicar los movimientos excéntricos de algunos planetas. Para ajustarlo a la observación introdujo un nuevo concepto, la excéntrica (*ekkentrikon*), con la cual la Tierra dejó de ocupar el centro del Cosmos. Además, Hiparco estableció el orden de los planetas en relación a su periodo sidéreo, en vez de a su brillo, como había hecho Platón. Tal orden era: la Luna,

Mercurio, Venus, el Sol, Marte, Júpiter, Saturno y la esfera de las estrellas fijas.

Eventualmente, la excéntrica de Hiparco también resultó demasiado pequeña para dar cuenta de los cambios de velocidad ("anomalías") que experimentan los planetas. El remedio tardó tres siglos en llegar, hasta que el astrónomo y filósofo Claudio Ptolomeo (85-165) tuvo la sagacidad de enfocar el problema al revés: en vez de buscar un círculo para el movimiento perfecto, aceptó el movimiento inconstante y buscó un punto, al que llamó ecuante (*exisotés*), desde el que se veía girar al epiciclo con velocidad angular uniforme (figura 2).

Aunque casos de astros pertinaces, como la Luna, complicaron el modelo ptolemaico hasta obligarle a introducir 44 círculos para dar cuenta de todas las anomalías que se observaba, estuvo vigente durante catorce siglos. Se podría pensar que tanta complicación mecánica llegaría a desalentarle; sin embargo Ptolomeo, que adoptó en su *Almagesto (Mathematike Syntaxis*) un punto de vista instrumentalista, jamás dio carta de naturaleza a los círculos, sino que los utilizó como herramienta con la que construir un modelo matemático capaz de predecir posiciones planetarias.

Pero en otra obra titulada *Las Hipótesis de los Planetas* (*Hypotheseis ton planeton*), Ptolomeo muestra su faceta filosófica al sentirse obligado a describir la estructura física de su modelo cosmológico. Lo hace substituyendo los círculos por esferas, o cortes de esfera (*prismata*), que poseen cierto espesor, de modo que el epiciclo resulta embutido dentro de la esfera hueca de la excéntrica y arrastra al planeta situado en la superficie interior.

La tesis de que el vacío no puede existir, por lo que el radio de la esfera mayor de un astro ha de ser igual al radio de la esfera menor del siguiente, le per-

Figura 2. El modelo cosmológico instrumentalista de Ptolomeo en el *Almagesto*. En el *Almagesto* de Ptolomeo, el punto ecuante es el punto O, simétrico del punto T donde se halla la Tierra. La velocidad angular con que gira el planeta en el epiciclo es igual a la del Sol alrededor de la Tierra.

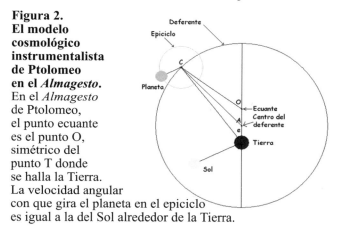

mitió calcular las distancias de los planetas a la Tierra y el tamaño de la esfera de las estrellas fijas, es decir, del cosmos, en 19.865 radios terrestres.

EL ESPACIO EN LA NOVELA GRIEGA: *LA HISTORIA VERDADERA*, DE LUCIANO DE SAMOSATA

Antes de continuar hemos de advertir al lector que el concepto de viaje interplanetario era abstruso en la Hélade. Como hemos indicado más arriba, la idea de planeta significaba "astro errante", diferente de las "estrellas fijas", generalmente con connotaciones divinas, sin idea alguna de astro opaco que refleja la luz del Sol y es susceptible de sustentar vida. Tampoco el concepto de "estrella" tenía que ver con un Sol lejano, sino con luminarias pegadas por el interior de la última bóveda celeste (la esfera de las estrellas fijas), o con orificios sobre esta que dejaban pasar la luz de un fuego exterior.

Por otro lado venimos de comprobar que el espacio supraterrestre helénico estaba ocupado por inmensos orbes rotatorios cristalinos que arrastraban a los planetas y que suponían barreras infranqueables entre ellos. Solo por encima del último cielo, en la región *hyperouania*, había libertad de movimiento para los dioses. Por tanto, la idea cabal de viaje interplanetario no tenía sentido en la Grecia clásica.

No obstante, la idea de que hubiera habitantes estrambóticos en la Luna, en el Sol y en algunas constelaciones fue utilizada por el escritor satírico Luciano de Samosata (125-192) en una novela de fantasías espaciales titulada *La Historia Verdadera* (*Alethes Historia*), para burlarse de los relatos de los historiadores crédulos o poco meticulosos.

Luciano ignora los esfuerzos de los astrónomos por ajustar el orden del *Kósmos* y se olvida de los orbes celestes al narrar una guerra entre los habitantes de la Luna y los del Sol, motivada por el establecimiento de una colonia lunar en el Lucero del Alba, ayudados por ejércitos procedentes de la Osa Mayor, de la estrella Sirio y de la Vía Láctea. El talante jocoso de su prosa se columbra ya con la descripción de aquellos ejércitos.

El ejército selenita, al mando de Endimión, estaba formado por 80.000 *hipogripos*, jinetes montados sobre buitres tricéfalos y 20.000 *lacanópteros*, pájaros con alas de lechuga. A estos, aunque en menor cantidad, se habían unido los *cencróbolos*, sembradores de mijo y los *escorodómacos*, combatientes con dientes de ajo. El ejército aliado, procedente de la Osa Mayor, contaba con 30.000 *psilótocos*, arqueros montados sobre pulgas, y 50.000 *anemódromos*, corredores impulsados por el viento.

Por su parte, el ejército heliota, al mando de Faetón, estaba integrado por 50.000 *hipomirmidones*, hormigas-caballo y otros tantos *aerocónopes*, arqueros montados en enormes mosquitos. Junto a ellos venían los *aerocardaces*, danzarines del aire y 10.000

caulomicetes, infantería armada con espárragos. El ejército aliado procedente de Sirio aportaba 5.000 *cinobalanos*, hombres con cara de perro montados en bellotas y el procedente de la Vía Láctea los *nefelocentauros*, centauros-nube, al mando del Arquero del Zodíaco.

La batalla, librada en dos fases de resultado alterno, concluyó con la firma de un tratado de paz en virtud del cual los habitantes de la Luna pagarían un tributo anual de 10.000 ánforas de rocío a los del Sol y estos derribarían un muro que habían construido durante la guerra para impedir que la luz del Sol llegara la Luna.

El Universo ptolemaico en Roma: "El Sueño de Escipión", de Cicerón

Los escritores didácticos romanos, Lucrecio (*De Rerum Natura*), Ovidio (*Fasti*), Higinio (*De Astronomia*), Vitruvio (*Architecturae X libri*) y Cicerón (*De Res Publica*), se hicieron eco del conocimiento científico griego en sus obras, acreditando la opinión de que Roma, imperio de ingenieros, debe toda su ciencia a Grecia. No resulta extraño entonces percibir que bajo los textos latinos yace el modelo cosmológico ptolemaico. La idea que poseían los romanos sobre el espacio se puede conocer acotando al insigne filósofo y abogado de las causas justas, Marco Tulio Cicerón (106-43 a.C.), quien en su obra moral *Sobre la República* utiliza una metáfora de un sueño figurado del gran Escipión Africano, para exponer sus criterios escatológicos acerca del devenir que aguarda en la otra vida a todos aquellos se han esforzado en servir a su patria.

En el libro VI de la obra citada, Cicerón pone en boca de Escipión el joven el relato de un caso de tanatopía onírica. Algo antes de la Tercera Guerra Púnica, a su llegada a Numidia tras un largo viaje, Escipión cae en un sueño profundo durante el cual ve y conversa con su padre biológico, Emilio Paulo, y con su padre adoptivo, Escipión Africano el viejo, ambos ya fallecidos. Escipión Africano el viejo le habla desde la Vía Láctea (*Orbs Lacteus*) profetizándole las hazañas que llevará a cabo en su vida militar[3] y aprovecha la magnificencia de su locutorio para mostrarle al joven las maravillas que aguardan a los justos que merecen reunirse con las generaciones que ya han vivido:

"Puedes ver los nueve orbes que componen todo el Universo, de los cuales uno exterior, la esfera celeste, encierra a todas los demás,... y en ella están fijados los cursos sempiternos que recorren las estrellas. A este orbe se supeditan otros siete que giran en sentido contrario al del cielo. De ellos hay uno que en la Tierra llaman Saturno. Viene luego el astro refulgente, benéfico para el género humano, que se llama Júpiter. Luego aquel rojizo y terrible que se llama Marte. Sigue el Sol que ocupa la región central,... de magnitud tal que lo ilumina y llena todo con su luz. Le escoltan los orbes de Venus y Mercurio y más abajo gira la Luna iluminada por los rayos del Sol. Debajo de ella nada hay que no sea mortal o caduco... Por encima de la Luna todo es eterno y la Tierra, que ocupa el noveno lugar, es la menor y está inmóvil. Y todos los cuerpos tienden hacia ella bajo su propio peso".

---

[3] Entre ellas la destrucción de Cartago y Numancia.

El espacio en el medioevo: "La Escala de Mahoma", de Ibn Arabí

El modelo ptolemaico trascendió a la época romana, conservándose durante la Edad Media merced a las traducciones que se hicieron al árabe de las obras científicas helénicas. Adoptado por las doctrinas islámica y cristiana para sus esquemas creacionistas, que reservan el empíreo para morada divina, aflora en las obras maestras de los eruditos de una y otra etnia. En la cultura musulmana aporta la taumaturgia de una tradición oral (*hadith*), *La Escala de Mahoma* (*al-Miray*), cuyo origen está en la asura XVII del Corán, titulada *El Viaje Nocturno* (*al-Isra'a*).

El *hadith* fue recogido en la prosa de un filósofo sufista andalusí, Ibn Arabí (Abenarabi, 1164-1240), en un pasaje de su obra *Las Revelaciones de la Meca* (*Fotuhat al-Makkiyyah*), y en él relata una romería de Mahoma desde la Mezquita Santa (*Mesdyed al-Had*), la de La Meca (*al-Makka*), hasta la mezquita al-Aksa[4] de Jerusalén (*Bait al-Quds*), para continuar con la ascensión del Profeta al Cielo.

Ibn Arabí describe tres ámbitos circulares: el Infierno (*al-Gehena*), el Purgatorio (*as-Sirat*) y el Cielo (*al-Chana*), con el Cielo y el Infierno divididos en ocho recintos antítesis unos de otros, en los que se goza de placeres o se sufre de penas terribles. El Infierno queda debajo de la ciudad de Jerusalén, con Satanás (*Sheitan*) encarcelado en el antro más lóbrego y profundo.

En su descripción de los cielos, Ibn Arabí adopta el esquema ptolemaico, mistificado por el sufí cordobés Ibn Masarrah. Su descripción de las esferas ce-

---

[4] Un viaje imposible, puesto que esta última mezquita no existía en tiempos del Profeta.

lestes concéntricas supone cuatro orbes sublunares, la Tierra (*al-Ardh*), fija en el centro y tres orbes, el agua (*al-Ma*), el aire (*al-Hawa*) y el éter (*al-Athir*), que la rodean (los cuatro elementos de Empédocles). Envuelven este conjunto los orbes de la Luna (*al-Qamar*), Mercurio (*al-Utarid*), Venus (*az-Zuhrah*), el Sol (*ash-Shams*), Marte (*al-Mirij*), Júpiter (*al-Mushtari*) y Saturno (*az-Zuhul*).

Por encima de estos orbes planetarios se encuentran otros dos todavía perceptibles, la esfera de las estrellas fijas (*Falak al-Kawakib*), que contiene las doce Mansiones Zodiacales (*al-Manazil*) y el Cielo sin Estrellas (*Falak al-Atlas*), que es el último perceptible y asiento de las doce Torres (*al-Burujyn*) que proyectan las Mansiones Zodiacales. Más allá empieza el reino del Universo Invisible (*Alam al-Ghaib*), que comprende dos Esferas Supremas, El Pedestal Divino (*al-Kursi*), donde "se asientan los Pies de Aquél que se sienta en el Trono" y El Trono Divino (*al-Arsh*), la morada de Alá y también el *Primum Motor* de toda esta tramoya cósmica.

EL UNIVERSO DE PTOLOMEO EN *LA DIVINA COMEDIA* DE DANTE

En el mundo cristiano, la obra de Ibn Arabí, vertida al castellano y al latín por el gabinete de traductores de Alfonso X (1221-1284), llegó a poder del genio pre-renacentista Dante Alígheri (1265-1321), de manos de su profesor Brunetto Latini[5] (1220-1294). Sin

---

[5] En 1260 Brunetto Latini había actuado como embajador en la corte de Alfonso X, en Sevilla, para solicitar ayuda militar en favor del partido *uelfo* (el del Papa) en la guerra de las Investiduras, tras la derrota en la batalla de Montaperto, librada el 4 de Septiembre de ese año.

duda fue una excelente fuente de inspiración para su obra cumbre, *La Divina Comedia*, que ha sido reputada como el marco poético de la cosmología ptolemaica. En los cien cantos que la componen, Dante narra con erudición alejandrina no exenta de crítica a la clase dirigente de su tiempo, un viaje por el Más Allá recorriendo el Infierno y el Purgatorio, guiado por el poeta Virgilio, y el Cielo, guiado por su amada Beatriz.

Dante utiliza el modelo geocéntrico ptolemaico sencillo, de siete esferas deferentes y seis epiciclos (el Sol carece de epiciclo), en el que la Tierra, redonda e inmóvil, está situada en el centro y contiene el Infierno en su interior. El Purgatorio es un monte escarpado situado en las antípodas de Jerusalén (*Gerusalemme*), sobre una isla inaccesible, y sustenta en la cumbre el Paraíso Terrenal, desde donde se alcanza el primer Cielo, u Orbe Lunar, que separa el Universo Perfecto superior del Mundo Imperfecto terrenal, sede del pecado, donde vive el hombre.

Durante el viaje por las siete terrazas escalonadas del Purgatorio, en las que los condenados expían los siete pecados capitales, el poeta hace gala de sus conocimientos sobre la Astronomía alejandrina, mencionando cuatro estrellas del hemisferio Sur desconocidas en Europa[6], las que componen la Cruz del Sur, y las identifica con las cuatro virtudes cardinales. Seguidamente completa la tasa mística del hemisferio austral con otras tres de gran brillo, Canopus, Achernar y Fomalhaut, a las que asimila a las tres virtudes teologales. Y también añade algo inaudito para sus conciudadanos: desde el Purgatorio se ve ponerse al Carro Mayor.

Al alcanzar la séptima terraza y tras atravesar una barrera de fuego que separa el Purgatorio del Paraíso

---

[6] Desconocidas en Europa entonces, pero incluidas en el *Almagesto* de Ptolomeo, al ser visibles en su época desde Alejandría.

Terrenal, el poeta inicia el ascenso por los siete cielos de bienaventuranza, guiado por su amada. Escalando el epiciclo y el deferente de cada uno de los siete astros errantes, llegan a la octava esfera, la de las Estrellas Fijas, tan alta que los siete orbes anteriores le parecen minúsculos. Allí saluda a la Corte Celestial y accede a una esfera cristalina, el *Protos Kinetos* de Aristóteles, impulsado para Dante por la fuerza que emana de la Mente divina. Más arriba, divisa el Empíreo, un espacio inmaterial e inmóvil que es pura luz intelectual, donde militan las jerarquías angélicas y donde tanto los seres, como los objetos, son luminosos.

EL UNIVERSO EN EL RENACIMIENTO: "EL SUEÑO" DE KEPLER

Johannes Kepler (1571-1630), el descubridor empírico de las tres leyes que rigen el movimiento de los planetas y de la forma real de sus órbitas, rechazó el geocentrismo ptolemaico y asumió el heliocentrismo ya desde sus años de estudiante en la Universidad de Tubinga. Fue el fruto temprano de las charlas en privado que sostuvo con el insigne catedrático de astronomía Michael Mästlin (1550-1631), a quien sus propias observaciones astronómicas[7] le habían mostrado la infidelidad del modelo ptolemaico para predecir posiciones planetarias y la superioridad del modelo heliocéntrico propuesto por Nicolás Copérnico en su obra póstuma, *Sobre las Revoluciones de los Orbes Celestes* (*De Revolutonibus Orbium Celestium*).

---

[7] En particular, una rarísima y providencial ocultación de Marte por Venus, ocurrida el 3 de Octubre de 1590 (fecha juliana) y observada por Mästlin desde Heidelberg, en cuya Universidad era a la sazón catedrático de astronomía.

La idea expuesta allí por Copérnico de que la Tierra gira rápidamente alrededor de su eje, pero que sus habitantes no percibimos este movimiento por participar de él, llevó a Kepler a postular cómo verían los fenómenos celestes los habitantes de la Luna, que no participan del movimiento de rotación de la Tierra. Pero sus ideas no saldrían a la luz hasta 1634, cuatro años después de su muerte, bajo el título *Sueño o Astronomía Lunar*.

Duracotus (Pedernal duro), un joven islandés hijo de Fiolxhilda (Fior-gilda), una herbolaria y curandera que practica la brujería, ha aprendido astronomía en la isla de Hveen (Dinamarca), con el astrónomo danés Tycho Brahe (1546-1601). De regreso a casa, Fiolxhilda se extasía con los conocimientos que ha adquirido su hijo y le confiesa que ella misma ha conseguido un conocimiento especial de los cielos gracias al Duende de Lavania[8]. Y, ni corta ni perezosa, le revela su máximo secreto: con ayuda del Duende de Lavania es posible viajar a la Luna.

A continuación le ruega que la acompañe y Duracotus acepta, pero pone como condición iniciar el viaje cuando se produzca un eclipse de Luna, para así viajar por el cono de sombra terrestre protegidos del atroz calor del Sol en el espacio. Fiolxhilda accede y, llegado el momento, se sienta junto a su hijo. Ambos se colocan de modo que sus cuerpos puedan enrollarse sin desmembrarse bajo efecto de la aceleración al despegue (a la velocidad de un proyectil de artillería), se cubren la cabeza con una manta para paliar el frío del espacio obscurecido, se colocan sen-

---

[8] Nombre islandés de la Luna. Por tanto, el significado es el Espíritu de la Luna".

das esponjas humedecidas en la cara, ya que será imposible respirar el aire que pasará a enorme velocidad ante los orificios nasales, y se adormecen con productos opiáceos.

El despegue se produce llevados casi enteramente "por la voluntad" y en la dirección del viaje más corto, es decir, volando "por propio acuerdo" hacia un punto al cual llegarán a la vez los viajeros y la Luna. El viaje dura cuatro horas (media hora menos que el eclipse) y la velocidad es tan alta que los cuerpos se enrollan formando una bola (Kepler vislumbra el concepto de inercia).

Al llegar a la Lavania, muy fatigados, el Duende les introduce en una caverna para protegerles de los rayos solares, donde se reúnen con otros duendes y se recuperan para emprender el reconocimiento de la geografía, la flora y la fauna lunares.

2

El nacimiento de la astronáutica

La gran capacidad de predicción del modelo cosmológico de Ptolomeo que hemos esbozado en el capítulo anterior lo mantuvo vigente durante catorce siglos (figura 3), bien que con algunas modificaciones generalmente introducidas por astrónomos islámicos. En efecto, la obra cumbre de Ptolomeo, *Matematiké Sýntaxis*, fue vertida al árabe en Bagdad durante la época de esplendor del islamismo[9], donde pasó a constituir el compendio de todo el saber de la época. No fueron pocos los astrónomos musulmanes que

---

[9] Los trece libros de que consta esta obra fueron vertidos al árabe en la Casa de la Sabiduría (*Bait al-Hikmat*) de Bagdad, por un gabinete de expertos traductores en la lengua griega reunidos por el jalifa Al Mamun (r. 813-833). Al frente de este grupo figuraba el eminente matemático hebreo Thabit Ben Qurrah (Avencorra, 830-901), quien tradujo el título como *Kitab al-Mayisti* (*El Gran Libro*), nombre posteriormente latinizado como *Almagestum* en la traducción al latín debida a Gerardo de Cremona (114-1187), o *Almagesto* en español.

Schema huius præmissæ diuifionis Sphærarum.

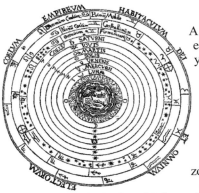

**Figura 3.
El modelo cosmológico
de Apiano.**
A mediados del siglo XVI,
el matemático, astrónomo
y cartógrafo alemán Peter
Bienewitz (Apianus,
1495-1552) incorporó
a su Cosmographía los
orbes de Ptolomeo,
separando en esferas
distintas a las estrellas
fijas de los signos del
zodíaco. Como astrónomo
del Emperador Carlos V,
Apianus situó sobre el Primum Mobile el Cielo Empíreo,
"Morada de Dios y de todos los Electores" alemanes.

elaboraron comentarios sobre esta obra, entre los que
cabe citar al sirio Muhammad ibn Jabir al-Batani
(958-929), al persa Abd ar-Rahman as-Sufi (903-
986), al andalusí Ibrahim ibn Yahya az-Zarqalluh
(Azarquiel, 1029-1087), al jorasmio Nasir ad-Din at-
Tusi (1201-1274) y al uzbeko Muhammad Targay
Ulugh Bak (1393-1449).

Entre los cristianos, para quienes la astronomía
no aseguraba la salvación del alma, el contacto con
la astronomía griega no ocurrió hasta el siglo XII, en
que estuvo disponible la traducción al latín de la
Sýntaxis ptolemaica que realizó Gerardo Cremona
en Toledo. La física aristotélica vino de la mano de
la moral, la ética y la lógica de este filósofo, que
fueron adoptadas en bloque por los Padres de la
Iglesia para arsenal de apologistas y polemistas en el
vericueto de la expugnación de herejías. Se produjo
entonces el sincretismo entre la astronomía matemá-

tica de Ptolomeo y el relato bíblico del Génesis, tras lo que el modelo cosmológico griego pasó de ser indiscutido a indiscutible.

La supeditación de la razón a la fe impuesta por los escolásticos, quienes solo reconocían a la Biblia (la palabra revelada) como fuente de conocimiento, yuguló cualquier intento de especulación intelectual durante la alta Edad Media. Cualquier pensamiento original debía someterse al principio de autoridad, proclamado por la fórmula *magister dixit*, ("el maestro dijo") que zanjaba toda cuestión con el reconocimiento de la superioridad del criterio aristotélico. El esquema cosmológico de Tycho Brahe[10] ilustra la zozobra en que se debatían los escasos intelectuales que se atrevían a observar los fenómenos naturales y su esfuerzo por reconciliarlos con el dictamen bíblico.

Bajo este régimen de intolerancia ideológica, que asfixió también a los intelectuales islámicos, la astronomía ptolemaica y la física aristotélica se preservaron durante todo el periodo del misticismo, hasta el surgir del Renacimiento. Entonces fue cuando aparecieron los "gigantes" capaces de quebrantar el principio de autoridad buscando la respuesta a los fenómenos naturales en la experimentación y en la observación, en lugar de hacerlo en la lectura de los textos antiguos.

Nos referimos a Nicolás Copérnico, por su modelo heliocéntrico, que desencasilló al Hombre del centro del Universo; a Galileo Galilei, por su estudio del movimiento de los proyectiles con el que refutó los movimientos "naturales" de Aristóteles; a Johannes Kepler, por su descubrimiento de las tres leyes

---

10 Para Tycho, Mercurio y Venus giran alrededor del Sol, pero el Sol gira alrededor de la Tierra.

que rigen los movimientos planetarios, que eliminaron la trama de círculos perfectos; y a Isaac Newton, por su aportación de la doctrina filosófico matemática de la gravedad, que explica dichas tres leyes[11] sin el recurso al Primer Motor.

EL CONCEPTO DE VACÍO SE ABRE CAMINO

A mediados del siglo XVII, la teoría de la gravedad de Newton dejaba claro que no existe necesidad de orbes cristalinos que transporten a los planetas en su movimiento alrededor del Sol. Por tanto, el espacio hasta las estrellas fijas, e incluso entre ellas, podía estar vacío de otra materia que no fuera la de tales astros. Esto explicaría la conservación del orden secular del Universo, por la falta de rozamiento que amortiguara los movimientos planetarios. ¿Estaría vacío el espacio? ¿Se moverían los planetas en el vacío?

Aunque ni las leyes de Newton ni las de Kepler lo negaban, existía una razón para creer que no: la luz. En efecto, Newton había planteado la naturaleza de la luz como corpuscular, pero esta hipótesis había sido abandonada ante su incapacidad para explicar los fenómenos de difracción (desviación parcial) y descomposición (arco iris). En su lugar, se aceptaba la teoría ondulatoria propuesta por Christiaan Huygens (1629-1695) a finales de ese siglo, según la cual la luz está compuesta por ondas semejantes a las sonoras, porque vibran en sentido longitudinal, que se propagan a enorme velocidad. Pero, ¿qué era lo que se ondulaba o

---

[11] En el Apéndice final exponemos los enunciados de las tres leyes de Kepler y de las tres leyes de Newton, así como el de la ley de la Gravedad Universal.

vibraba transportando la luz por el espacio? Ante la falta de respuesta, la física de aquella época solo pudo echar mano de su legado helénico y proponer la existencia de un gas extremadamente sutil (pues no perturbaba a los planetas) al que llamaron éter, que llenaba el espacio.

La resurrección del éter, ahora en forma de fluido, solo duró un siglo, hasta que el físico francés Etienne Malus (1775-1812) demostró experimentalmente que las ondas luminosas están polarizadas transversalmente, es decir, que vibran en sentido perpendicular al de su propagación. Este descubrimiento sumió a los físicos en una nueva crisis, puesto que las vibraciones transversales son propias de cuerpos sólidos resistentes a la flexión y a la cortadura, pero no de gases. ¡Y las vibraciones de las ondas luminosas correspondían a un sólido de rigidez inaudita! ¿Qué clase de naturaleza era la del éter, que presentaba las propiedades de un gas extraordinariamente rarificado ante los movimientos lentos de los astros y la de un cristal densísimo para las vibraciones luminosas de velocidad muy elevada?

La respuesta tardó medio siglo en conocerse, hasta que el físico escocés James Clerk Maxwell (1831-1879) formuló su teoría de las ondas electromagnéticas: si se origina una perturbación electromagnética (una corriente eléctrica) de alta frecuencia en un conductor (una antena), los campos eléctrico y magnético pueden escapar del conductor y transportar energía por el espacio vacío, ¡precisamente a la velocidad de la luz! Esta coincidencia demostraba que la naturaleza la luz es electromagnética y que, por tanto, no necesita el éter para propagarse por el espacio interplanetario. Puede hacerlo por el vacío.

El vacío decimonónico.
Barrera infranqueable para Julio Verne

A causa de un mal entendido de la tercera ley de Newton (la del principio de acción y reacción), la idea del vacío que adquirieron los investigadores decimonónicos era mucho más severa que la que poseemos en la actualidad. Al carecer de masa mecánica, se le suponía incapaz de ser soporte de esfuerzo alguno, puesto que no podía absorber energía mecánica. Por tanto, constituía una barrera infranqueable que separaba a todos los planetas.

Así lo entendió el segundo precursor de los relatos de ciencia-ficción, el escritor francés Julio Verne (1835-1902), en su célebre novela *De la Tierra a la Luna* (*De la Terre à la Lune*), en la que tres osados aventureros emprenden un viaje de circunvalación a nuestro satélite, sin tener una idea clara de cómo volver a la Tierra. Verne, a quien se puede considerar un escritor escrupuloso con los detalles de sus relatos de viajes, buscó la solución para atravesar la barrera del vacío en un viaje inercial, no autopropulsado. A pesar de que los cohetes habían sido inventados por los chinos desde tiempos inmemoriales, la ciencia oficial proclamaba que estos artefactos ascienden porque los gases que expulsan se "apoyan" en el aire para impulsarlos. Pero en el vacío, donde no existe masa material sobre la que apoyarse, los cohetes no funcionarían. En consecuencia, Verne solo pudo pensar en hacerlos viajar mediante vuelo balístico inercial, utilizando un gigantesco cañón (un *Columbiad*) capaz de alcanzar la Luna con un proyectil.

Sin embargo, la solución del vuelo inercial le reportó más quebraderos de cabeza por su respeto a la ciencia. Verne hubo de imaginar cómo evitar que sus tres héroes sobrevivieran a la detonación, a la aceleración y a la ingravidez, además de calcular con precisión el punto de encuentro del proyectil con la Luna, para orientar el cañón y cómo hacerlos regresar a la Tierra sin paracaídas y sin estrellarse contra la superficie.

TSIOLKOVSKI COMPRENDE EL SIGNIFICADO DE LA TERCERA LEY DE NEWTON

Quien sí dio muestras de haber comprendido que la tercera ley de Newton se cumple en el vacío fue el maestro de escuela de la ciudad rusa de Kaluga (foto 1), Konstantin Eduardovich Tsiolkovski (1857-1935). Interesado desde su juventud por los asuntos espaciales a raíz de la lectura de la novela de Julio Verne *De la Tierra a la Luna*, Tsiolkovski había comprendido que si un vehículo saliera de la atmósfera terrestre y expulsara parte de su masa al espacio animada de cierto impulso y en cierta dirección, él mismo se vería impulsado en la contraria. A los 26 años aprovechó la oportunidad de asistir a una asamblea de la Sociedad Físico-Quí-

Foto 1. Konstantin Eduardovitch Tsiolkovski. Hijo de un deportado polaco, Tsiolkovski vivió en Kaluga. Su formación autodidacta debido a la sordera que contrajo a la edad de diez años a consecuencia de un ataque de escarlatina, que le cerró la puerta de la enseñanza pública, fue quizá la clave para que llegara a convertirse en el "Padre de la Astronáutica Rusa".

mica de San Petersburgo[12], para exponer sus especulaciones sobre la posibilidad de efectuar vuelos espaciales mediante motores de reacción, pero su disertación cayó en el olvido.

Tsiolkovski no se desanimó ante la falta de interés del auditorio petersburgués por sus ideas y las publicó en dos artículos titulados "En la Luna"[13] y "Sueños sobre la Tierra y el Cielo"[14], en sendas revistas técnicas, *Alrededor del Mundo*[15] y *El Hombre y el Mundo*[16], en los que sentó los principios que rigen la ciencia astronáutica. El talento y la perspicacia de este profesor provinciano maravillan a quienes las conocen hoy.

Exponía este profesor que para ascender sobre la atmósfera es preciso adquirir una velocidad mucho mayor que la de cualquier proyectil de artillería (refutando a Julio Verne), por lo que solamente puede conseguirlo un vehículo autopropulsado, cuyo motor de reacción le procure una aceleración moderada pero constante. Tsiolkovski ilustró esquemáticamente la descripción de un vehículo capaz de ello. Para reducir el rozamiento con el aire tendría forma aerodinámica de proyectil y el interior estaría dividido en dos compartimientos, la ojiva, destinada a la tripulación y otro para el motor y los depósitos de combustible, hidrógeno líquido, y comburente, oxígeno líquido (o atmosférico), que ocuparía el resto del fuselaje. La cabina tendría doble pared, al objeto de aislar su interior del calor exterior originado por la fricción y portaría su propia reserva de oxígeno

---

12 A la que también asistía el químico Dmitri Ivanovich Mendeleev, inventor de la Tabla Periódica.

13 *Na Lune.*

14 *Grezy o Zemble i o Nebe.*

15 *Vokrug Svieta.*

16 *Chelovek y Mir.*

para respirar. En ella los tripulantes viajarían tendidos para resistir mejor el aumento temporal de peso que sufrirían durante el despegue.

En la cámara de combustión, el hidrógeno ardería en atmósfera comburente de oxígeno, originando vapor de agua a elevadísima temperatura, que al ser canalizado hacia el exterior produciría empuje en sentido contrario al de escape. Portar tanto el combustible como el comburente en estado líquido tendría la doble ventaja de almacenar la mayor cantidad posible de ambos gases y la capacidad de regular la inyección y, con ello, el empuje, mediante válvulas.

Un vehículo así atravesaría las capas densas de la atmósfera a baja velocidad, ya que su masa total sería muy superior a la del combustible expelido y, por tanto, el calor debido a la fricción atmosférica sobre el fuselaje sería moderado. Pero a medida que se elevara, la resistencia del aire disminuiría al tiempo que el empuje crecería según fuera perdiendo masa de gases, por lo que su aceleración se incrementaría aún manteniendo el régimen de la combustión. Cuanto más tiempo se prolongara la impulsión, mayor sería la velocidad que conseguiría, hasta alcanzar el rendimiento óptimo cuando su velocidad igualara a la del chorro de las exhaustaciones.

La sagacidad de Tsiolkovski fue capaz de columbrar nuevos aspectos insospechados entonces del vuelo espacial: si se deseaba conseguir que la trayectoria exterior se ajustara a una parábola perfecta eliminando la fricción con la atmósfera, sería necesario alcanzar la cota de 300 *verstas*[17], para lo que habría que renunciar a captar el oxígeno atmosférico, muy escaso a tal altura, y aprovisionar al vehículo de este comburente. E, increíble entonces, si el motor

---

[17] 320 Km.

cohete disponía de reserva para seguir funcionando a esta altitud y se lograba una velocidad de 7,5 *verstas* por segundo[18], entonces la aceleración centrífuga de la trayectoria curvilínea equilibraría la de la gravedad, con lo que el vehículo ya no caería a la Tierra, sino que seguiría una trayectoria circular alrededor del planeta, convertido en una luna artificial. Entonces, abordo de este ingenio nada tendría peso, sino masa, y su hipotética tripulación gozaría de la ingravidez.

Poco antes de consumir la totalidad del combustible, el cohete debía cabecear aproando hacia Oriente, al objeto de aprovechar la velocidad de rotación de la Tierra (463 m/s en el Ecuador) para mantener la cota. Finalmente, antes de descender debía adoptar la postura adecuada para reentrar en la atmósfera densa, frenando mediante vuelo planeado para no volatilizarse como un meteorito antes de aterrizar.

No obstante su genialidad, estas ideas pasaron desapercibidas para la comunidad científica rusa de finales del siglo XIX. Y nuevamente el profesor provinciano perseveró en sus conjeturas sin dejarse amilanar por tanta indiferencia y presentó sus especulaciones espaciales en otro trabajo titulado "La Exploración del Espacio Interplanetario mediante Vehículos de Reacción"[19] a la prestigiosa revista *Reseña Científica*[20]. En él había añadido nuevos estudios basados en la solución a la ecuación del movimiento de una masa variable, publicados el año anterior por el profesor Ivan Meshcherski (1859-1935), del Instituto Politécnico de San Petersburgo. La información era tan novedosa que el editor no se atrevió a publicarla hasta cinco años después. Tsiolkovski explicaba que, al expulsar el combustible y el

---

[18] 8 Km/s.

[19] *Issledovanie Mirobyj Postranstv Reaktivnymi Priborami.*

[20] *Nauchnoe Obozrenie..*

comburente en forma de vapor de agua, el vehículo va perdiendo masa. Si en estas condiciones se mantiene constante el empuje (la masa de gases que entra en combustión por unidad de tiempo), la velocidad que alcanza al final viene dada por la (ahora) llamada "Ecuación de Tsiolkovski", cuya fórmula es:

$$V_f = V_g \ln (M_i / M_f) \qquad [1]$$

Donde V_f es la velocidad final que adquiere el cohete al concluir la combustión, V_g la velocidad de expulsión de los gases con respecto al vehículo, que depende de la temperatura que alcanza la cámara de combustión, M_i la masa inicial del vehículo antes de iniciarse la combustión y M_f la masa final tras agotar el combustible y el comburente, o sea, la masa del vehículo vacío.

El factor que rige la velocidad final, el logaritmo neperiano del cociente de masas, constituye el factor de mérito del cohete en cuestión. Para entender su importancia, basta considerar la relación de masas que tendría que cumplir un cohete cualquiera para alcanzar la misma velocidad con que son expelidas sus exhaustaciones, cualesquiera que fueran su combustible y su comburente. Según dicha ecuación [1], la relación sería:

$$M_i = 2,718 \, M_f \qquad [2]$$

O sea que por cada tonelada de peso muerto, el cohete debería embarcar 1,718 Tm (cerca del doble) de gases propelentes licuificados, lo que requeriría un diseño muy riguroso.

LA ORDALÍA DE ROBERT GODDARD

En Occidente, quien demostró en primer lugar haber entendido la tercera ley de Newton fue el estadounidense Robert Hutchings Goddard (1882-1945).

Interesado desde los 16 años por la astronáutica, después de leer *La Guerra de los Mundos* de H.G. Wells, y doctorado en ciencias, Goddard diseñó su primer motor cohete en 1914 con ayuda de fondos de la Institución Smithsonian. No obstante, su trabajo fue desestimado por sus colegas bajo el criterio de que carecía de utilidad, a pesar de que Goddard siempre lo justificó por la posibilidad de alcanzar la Luna con un vehículo propulsado por motores cohete.

En 1917 consiguió que la Institución le publicara un informe sobre la aplicación de los motores de reacción con combustible sólido (nitrocelulosa) para los viajes espaciales, titulado *Método para Alcanzar Altitudes Extremas*[21], que fue ridiculizado por el periódico *New York Times* en su editorial:

"Realmente, el profesor Goddard no conoce la relación entre acción y reacción, y la necesidad de tener algo mejor que el vacío contra lo que reaccionar"[22].

La ordalía decisiva para su investigación consistió en medir el empuje que experimentaba un cohete de combustible sólido instalado en una cámara de vacío, probando que funcionaba mejor que en la atmósfera.

A pesar de esta demostración, apenas si volvió a recibir financiación para continuar su trabajo. Con la mente puesta en la cara oculta de la Luna, Goddard consiguió construir un prototipo (figura 4) que funcionaba quemando gasolina en atmósfera de oxígeno. Aunque su lanzamiento tuvo un éxito moderado, ya que el artefacto ascendió a 12,5 m de altura, a la velocidad de 5 metros por segundo, le valió para trabajar

---

[21] *A Method of Reaching Extreme Altitudes.*

[22] *Professor Goddard actually does not know of the relation of action to reaction, and the need to have something better than a vacuum against which to react.*

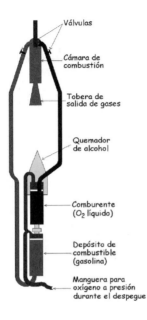

Válvulas

Cámara de combustión

Tobera de salida de gases

Quemador de alcohol

Comburente (O₂ líquido)

Depósito de combustible (gasolina)

Manguera para oxígeno a presión durante el despegue

Figura 4.
El cohete de Robert
Goddard.
Estaba compuesto por un bastidor formado por las tuberías de alimentación de cada fluido, con la cámara de combustión montada en el extremo superior, alimentada por válvulas de aguja. Los depósitos de los propulsores y un pequeño quemador de alcohol que favorecía la vaporización del oxígeno iban en el extremo inferior. Durante el vuelo, un gas inerte comprimido presionaba los fluidos hacia la cámara de combustión.

en el proyecto militar JATO[23] de ayuda al despegue de aviones desde la cubierta de buques, al entrar los EE. UU. en la Segunda Guerra Mundial.

ALBERT EINSTEIN ENTIERRA EL ÉTER

A finales del siglo XIX la física había entrado en una de las crisis más graves de su historia. Su entramado teórico, perfectamente estructurado por eminencias indiscutibles a lo largo de más de veinte siglos, se había visto sacudido por su incapacidad para explicar una fenomenología recientemente descu-

---

[23] *Jet Assisted Take Off*, o despegue con ayuda de cohetes.

bierta que afectaba a una de las ramas más importantes de su campo de aplicación: la naturaleza de la luz. Ya desde el Renacimiento esta cuestión había demostrado ser conflictiva, al defender Isaac Newton y Christian Huygens (1629-1695) puntos de vista aparentemente irreconciliables: corpuscular y ondulatoria, respectivamente. Pero el litigio había sido zanjado casi dos siglos después en favor de la tesis ondulatoria por el físico francés Augustin Fresnel (1788-1827), al demostrar que los rayos de luz experimentan difracción (desviación parcial) y dispersión (arco iris), fenómenos que no puede explicar la tesis corpuscular.

Pero la tesis ondulatoria no vivió tranquila mucho tiempo. En 1899 el físico alemán Max Planck (1858-1947) declaró haber descubierto que la energía que radian los cuerpos calientes no se emite en niveles continuos, sino que está empaquetada en niveles discretos (que Planck denominó *quanta*), escalonados conforme a una cantidad constante (h) cuyo valor logró determinar, por lo que recibió el nombre de constante de Planck. Es decir, que realmente la energía presenta la doble faceta ondulatoria y corpuscular (¡Perversa Física, Newton y Huygens tenían los dos razón!). Por tanto, la mecánica clásica no rige en el microcosmos, donde el intercambio energético se tasa en cuantos, sino por la nueva mecánica cuántica de Planck. La importancia de la constante de Planck se ponía de manifiesto a la hora de calcular el menor nivel de energía luminosa que puede existir (un cuanto de luz, al que Einstein denominaría fotón), que vale:

$$E = h\nu$$

Donde h es la constante calculada por Planck y ν (nu) la frecuencia de la luz en cuestión.

Si la doble naturaleza de la luz era intragable para muchos, el último descubrimiento que realmente había desatado la crisis parecía extravagante para casi todos. La culpa la tenía el éter, un atavismo que debía haber sido muerto por Maxwell, pero que evidentemente no estaba muerto del todo. En efecto, en 1898 dos físicos estadounidenses bien reputados, Albert Michelson (1852-1931) y Edward Morley (1838-1923) se empeñaron en medir la velocidad de la Tierra con respecto al éter luminífero (el que porta la luz) y diseñaron escrupulosamente un experimento capaz de detectarlo, basado en la comparación mediante un interferómetro de las fases con que retornan dos rayos de luz procedentes de una misma fuente, pero que han viajado uno en la misma dirección en que se mueve la Tierra y otro en dirección perpendicular. Como la Tierra se mueve en el seno del éter, postulaban que el "viento del éter" favorecería a uno de los rayos produciendo un deslizamiento de fases en el interferómetro. Sin embargo, la naturaleza, con su respuesta, pareció burlarse nuevamente de los investigadores: no había diferencia de fases.

La interpretación de este resultado solo pudo darla el genio de Albert Einstein (1879-1955) en su Teoría de la Relatividad especial: el éter no existe y la velocidad de la luz es una de las constantes fundamentales del Universo. Por tanto, la física que rige a las partículas que se mueven a altas velocidades no es la física clásica, sino la relativista.

LAS TRAYECTORIAS INTERPLANETARIAS DE WALTER HOHMANN

Bien entrado el siglo XX, las opiniones de que existe el vacío y de que la tercera ley de Newton se cumple en él seguían lejos de la unanimidad. En 1925, cuando solamente los visionarios pensaban en la posibilidad de llevar a cabo viajes espaciales, el ingeniero alemán Walter Hohmann (1880-1945) presentó un estudio teórico sobre la trayectoria de mínimo consumo para transferencia entre dos órbitas planetarias. Esta trayectoria más económica se sigue conociendo actualmente como Trayectoria Transferencia de Hohmann.

Walter Hohmann llegó a la conclusión de que tal trayectoria, dado que no puede ser circular por estar los planetas a diferentes distancias del Sol, es una órbita elíptica con foco en el Sol y tangente a las órbitas de los planetas interesados, de modo que el perihelio lo tendría en la órbita del planeta interior y el afelio en la del planeta exterior, cualesquiera que fueran estos.

Las condiciones de energía mínima se basan en las siguientes condiciones:

1ª) La órbita elíptica requiere menos velocidad de partida que una parabólica o hiperbólica;

2ª) La condición de tangencia en el punto de partida asegura que la velocidad que le comunica el empuje del motor al vehículo coincide en dirección con la velocidad del movimiento de translación de la Tierra;

3ª) La condición de tangencia a la llegada asegura que la maniobra de frenado para no escapar a la gravedad del planeta-blanco requerirá energía mínima, puesto que la velocidad de llegada será mínima.

El gran inconveniente frente a la ventaja económica es que el trayecto se realiza entre puntos de las órbitas que se hallan en oposición, por lo que la distancia a cubrir es máxima y, por tanto, también el tiempo necesario para recorrerla.

3

Cohetes…
para la guerra

El interés por los motores de reacción y su aplicación para los vuelos espaciales prendió pronto entre los ingenieros y científicos de Occidente, donde algunos gobiernos perspicaces comprendieron la conveniencia de apadrinar económicamente aquellas actividades pioneras. A mediados de los "locos años 20" comenzaron a florecer los primeros tratados que establecían los principios sólidos de la nueva ciencia astronáutica en Alemania, en Francia, en los Estados Unidos y en la Unión Soviética, donde gracias a esta ayuda, intrépidos inventores y experimentadores construyeron y probaron prototipos, generalmente bajo la mirada escéptica de los profesionales de mentalidad más conservadora, quienes seguían sin ver la utilidad de aquellos peligrosos ingenios que dilapidaban el dinero público. Revisaremos algunos acontecimientos.

LOS DISCÍPULOS DE TSIOLKOVSKI EN LA UNIÓN SOVIÉTICA

En la Unión Soviética el legado astronáutico de Tsiolkovski tuvo la debida difusión popular gracias a su alumno epistolar, el matemático, excelente divulgador y escritor de libros de ciencia recreativa[24], Yakov Perelman (1882-1942). La seductora pluma de este escritor captó docenas de jóvenes cerebros a lo largo y a lo ancho del enorme país y por todas partes surgieron autores de relatos de viajes de ciencia ficción mediante motores cohete.

Como culminación de esta oleada, Tsiolkovski y Perelman fundaron en 1924 la Sociedad de Estudios Interplanetarios[25] que pronto comenzó a diseñar sus propios cohetes. Los estudios formales comenzaron en 1929, en el Laboratorio de Dinámica de Gases[26] de la Universidad de Leningrado, donde se sentaron los cuatro principios que rigen el rendimiento del propergol[27], o sea, el conjunto del combustible más el comburente:

---

[24] El fabricante de motores cohete ruso Valentín Glushko dijo de Perelman que era el cantante de las matemáticas, el cantautor de la física, el poeta de la astronomía y heraldo del espacio.

[25] *Mezhplanietnovo Izucheniya Obschestvo.*

[26] *Gazodinamicheskaya Laboratoriya (GDL).* Aunque fundado en 1921 por un civil, el químico Nikolai Tijomirov (1860-1930), en la época a que nos referimos el laboratorio estaba militarizado por lo que los investigadores poseían el grado de coronel *(polkovodetz)* del Ejército Rojo. Fue el primer centro de investigación fundado en la URSS.

[27] En este punto suponemos al lector ya familiarizado con la necesidad de proveer a los vehículos diseñados para vuelo orbital o suborbital, tanto de combustible como de comburente (oxígeno líquido), para que se pueda producir la combustión a gran altura. Por tanto, en adelante nos referiremos al conjunto de ambos elementos químicos

1º) El empuje que se obtiene es proporcional a la velocidad de salida de los gases finales.

2º) La velocidad de salida de los gases es proporcional a la temperatura que alcanza la cámara de combustión.

3º) Para una temperatura determinada de la cámara, la velocidad de salida de tales gases es inversamente proporcional a su masa molecular.

4º) El empuje se mejora si se inyecta mayor cantidad de la que puede reaccionar del propergol más liviano[28] (sea hidrógeno), porque aunque sale de la cámara sin reaccionar, lo hace a la misma temperatura que el resto de los gases reforzando el empuje.

En resumen, la cámara debe estar fabricada para soportar altísimas temperaturas y los fluidos que componen el propergol han de ser tan ligeros como sea posible (idealmente oxígeno e hidrógeno), con abundancia ligeramente superior del más liviano.

En 1931, Yakov Perelman y el ingeniero Fridrij Tsander (1887-1933) fundaron el Grupo de Estudios del Movimiento de Reacción[29], conocido por las siglas GIRD, al que se incorporaron poco a poco otros ingenieros aeronáuticos (foto 2), como Mijail Tijonravov (1900-1974), Valentin Glushko (1908-1989) y Sergei Korolev (1907-1966). A los dos años realizaron la pri-

---

con el nombre genérico de *propergol*, palabra que significa propulsión mediante *ergoles*, es decir, empleando reacciones exotérmicas que desprenden energía (*érgon*), generalmente por combustión.

[28] En lenguaje químico este principio se enuncia diciendo que en la composición del propergol, la relación entre las masas de los ergoles combustible y comburente no debe ser estequiométrica. O sea, proporcional a la relación en peso entre las cantidades de los elementos que intervienen en la reacción.

[29] *Gruppa Izucheniya Reaktivnovo Dvizhenia.*

Foto 2. El grupo GIRD.
Esta foto tomada el 25 de Noviembre de 1933, muestra algunos de los miembros del grupo GIRD junto con su modelo número X. En el borde izquierdo de la fotografía se halla Sergei Korolev.

mera prueba de vuelo de su prototipo, llamado GIRD-9, impulsado por propergol híbrido, mezcla de combustible sólido (gasolina gelatinizada) y comburente líquido (oxígeno), que en el banco de pruebas había desarrollado un empuje de 50 Kg-f. El vehículo, de 2,5 m de longitud y 20 Kg de peso, subió a 500 metros de altitud en 18 segundos. A finales del año siguiente ya tenían preparado otro modelo, el GIRD-10 cuyo motor funcionaba con alcohol etílico y oxígeno líquido, que alcanzó 80 m de altitud antes de quemarse.

El GIRD y el Laboratorio de Dinámica de Gases se fusionaron en 1933 formando el Instituto Nacional para la Investigación de la Propulsión a Chorro[30], del que nombraron Miembro de Honor a Konstantin Tsiolkovski. En 1936 habían construido su gran cohete GIRD-05, que sería conocido como AVIAVNITO, un gigante de 3 m de altura y 100 Kg de peso, que subió a 5,6 Km de altitud.

---

[30] *Reaktivnyi Nauchno-Issledovatelskii Institut* (RNII), cuyo primer director fue Andrey Kostikov (1899-1950).

FRANCIA: ENERGÍA ATÓMICA PARA LLEGAR A LA LUNA

En Francia, el Padre de la Astronáutica fue el ingeniero aeronáutico Robert Esnault-Pelterie (1881-1957). Su aportación a dicha ciencia fue exclusivamente teórica, pues todos sus ensayos prácticos los efectuó en el campo de la aeronáutica, en el que se le debe el concepto de alerón, de la palanca de mando (*palonier*) y de la navegación inercial (acelerómetros estabilizados por giroscopios). En el terreno de la astronáutica, Esnault-Pelterie escribió una comunicación a la Sociedad Francesa de Física, titulada "Consideraciones sobre los resultados de un aligeramiento indefinido de los motores[31]" en el que calculó independientemente de Tsiolkovski la ecuación del cohete [1] y la energía necesaria para viajar a la Luna y a los planetas vecinos, llegando a la conclusión de que sería necesario recurrir a la energía atómica para ello.

INGLATERRA: LA PREDICCIÓN DE ARTHUR CLARK

En Inglaterra se fundó la British Interplanetary Society (BIS) en 1933, pero una ley que prohíbe la fabricación particular de cohetes la condenó a mantenerse en el campo de la especulación pura. Su mayor contribución al desarrollo de la astronáutica fue tardía, cuando en 1945 Arthur Clarke anticipó que la órbita geoestacionaria sería la solución para la comunicación intercontinental por radio mediante satélites repetidores.

---

[31] *Considérations sur les résultats d'un allégement indéfini des moteurs.*

EN LOS ESTADOS UNIDOS SOLO
ROBERT GODDARD ENTIENDE A NEWTON

En los Estados Unidos la quiebra de la bolsa de Nueva York de 1929 acabó con todas las ayudas gubernamentales a la experimentación, con lo que Robert Goddard, que a la sazón había logrado lanzar un cohete meteorológico estabilizado por giroscopios, cuya carga útil descendió en paracaídas, se vio privado de la suya. A pesar de todo, en los tres años siguientes Goddard consiguió lanzar cuatro nuevos vehículos de combustible y comburente líquidos, el último de los cuales iba autodirigido por giroscopios que actuaban directamente sobre aletas inclinables colocadas delante de la tobera de salida, de modo que los gases expelidos pudieran incidir (o no) sobre ellas para corregir el rumbo.

Goddard continuó progresando en el proceso de guiado automático de los cohetes, consiguiendo en 1935 lanzar uno estabilizado como un péndulo en vez de por giroscopios, que voló a más de 1000 Km/h y cayó a 2,7 Km de la torre de lanzamiento. El siguiente correspondió a un vehículo de 4,5 m de longitud, que subió a 1460 m de altitud a la velocidad de 890 Km/h. Su último disparo, en 1937, fue de un cohete de 5,6 m de longitud, que alcanzó una altitud de 626 m, a pesar de que el paracaídas se abrió antes de tiempo.

En 1930, doce hombres y una mujer, entre ellos los tres escritores de ciencia-ficción, Gawain Edward Pendray (1899-1987), David Lasser (1902-1996) y Laurence Manning (1899-1972), fundaron la American Interplanetary Society, que construyó dos cohetes con piezas de desguaces, impulsados por propergol líquido: el AIS#1, perdido durante los

---

[32] *Die Rakete zu den Planetenräumen.*

preparativos para el lanzamiento y el AIS#2, que disparado en público, ascendió a 75 m de altitud, donde se le incendió el depósito de oxígeno y cayó al mar. En 1934 se cambió el nombre de la sociedad por el de American Rocket Society (Sociedad Americana de Cohetes), cuyo trabajo mejor conocido fue la prueba en banco de motores de reacción. En 1963 se fundió con el American Institute of Aeronautics and Astronautics.

ALEMANIA: LA FORJA DE UN PREDESTINADO

En Alemania la astronáutica nació en 1923, cuando un doctorando en física llamado Hermann Oberth (1894-1989) presentó su tesis doctoral titulada *El Cohete en el Espacio Interplanetario*[32], en la que establecía las mismas bases científicas que habían fijado Tsiolkovski y Goddard. Aunque su tesis fue rechazada por "utópica", la publicó particularmente y consiguió agrupar a su alrededor un equipo de aficionados entusiastas, entre los que destacarían Rudolf Nebel, Klaus Riedel, Klaus Winkler y Eugen Sänger, con los que formó una Sociedad para la Navegación Espacial, VfR[33], en la que se iniciaría un jovencísimo Wernher von Braun. En 1930 Oberth, junto con su elenco completó la construcción de un motor de reacción que funcionaba con gasolina y oxígeno líquido, al que bautizó como "Tobera Cónica"[34], que si bien se comportó aceptablemente en el banco de pruebas, presentaba el defecto de calentarse peligrosamente. En 1929, durante el rodaje de la pelícu-

---

33 *Verein für Raumschiffahrte.*
34 *Kegeldüse.*

la *La Mujer en la Luna*[35], en la que Oberth era asesor técnico, uno de estos ingenios hizo explosión dejándole tuerto.

Otro miembro de la sociedad, Rudolf Nebel (1894-1978), dio con la solución refrigerando la cámara de combustión mediante el chorro de gasolina. Aun así, la amarga experiencia de Oberth aconsejó dotarle de válvula de seguridad. Su prototipo, llamado *Mirak*[36], empleaba dióxido de carbono para hacer subir el combustible a la cámara de combustión. Los depósitos de combustible y comburente en forma de varilla servían para guiar al vehículo en los primeros metros de su vuelo. Aunque la primera prueba en el banco salió bien, durante la segunda falló porque ardió el depósito de oxígeno líquido.

Pero el primer prototipo alemán impulsado por combustible líquido que consiguió volar fue el fabricado por el especialista en motores de combustible sólido Klaus Winkler (1897-1947), presidente de la VfR. El primer modelo de esta serie de ingenios, conocido como HW-1 (Hückel-Winkler), iba propulsado por metano y oxígeno líquidos, comprimidos por nitrógeno a alta presión. Fue lanzado en 1931 y ascendió a 300 m de altura. Animado por su éxito inicial, trató de lanzar otro modelo más perfecto al año siguiente, el HW-II, de 1,9 m de longitud, a cuyo lanzamiento invitó a funcionarios de Königsberg. Por desgracia, una válvula corroída por la humedad marina provocó la explosión del ingenio a 15 metros de altura.

En vista de los fallos por la alta temperatura que llegaba a alcanzar la cámara de combustión del *Mirak*, el ingeniero Klaus Riedel (1907-1944) modificó el diseño de la misma refrigerándola con una

---

[35] *Frau im Mond.*
[36] Contracción de *Minimum Rakete,* o sea, cohete pequeño.

camisa de agua, enfriando también las varillas de-pósito y comprimiendo el comburente con dióxido de carbono. El nuevo diseño recibió el nombre de Repulsor de Dos Varillas[37] y ya en su primer lanza-miento ascendió a 60 metros.

La siguiente modificación consistió en colo-car los depósitos "en tamden", con lo que se mejo-raba la aerodinámica del cohete. Había nacido el Repulsor de Una Varilla[38], cuyo aspecto era el mis-mo que el de los cohetes militares británicos (el co-hete de Congreve) utilizados en las guerras napo-leónicas, que llevaban la varilla para apuntar al blanco. Las pruebas tuvieron tanto éxito, en el pri-mer lanzamiento el cohete se elevó a 1000 metros y descendió en paracaídas impecablemente, que por lo general se llenaban los depósitos a la mitad para que los cohetes no cayeran fuera del campo de pruebas[39] de la VfR.

El último diseño de la VfR fue introducido por el físico austriaco Eugen Sänger (1905-1964) y con-sistió en enfriar la cámara de combustión haciendo circular el combustible (fuelóleo) por la camisa de la cámara, con lo que eliminaba el peso del agua pa-ra refrigeración. Este diseño serviría más adelante para el proyecto militar de un bombardero suborbi-tal llamado "Pájaro de Plata"[40], capaz de cruzar el Atlántico por rebotes estratosféricos, que nunca se fabricó.

---

[37] *Zweistab Repulsor*. El nombre Repulsor estaba tomado de una novela de ciencia-ficción.

[38] *Einstab Repulsor.*

[39] Pomposamente denominado *Raketenflugplatz* (que traducido sería: Aeropuerto para cohetes).

[40] *Silbervogel*, diseñado al final de la Segunda Guerra Mundial para bombardear los EE. UU.

Estalla la Segunda Guerra Mundial

Inevitablemente la situación cambió a mediados de la década de los años 30, cuando el horizonte político europeo se ensombreció con negros nubarrones que presagiaban un porvenir turbulento para el viejo continente. Las subvenciones estatales se esfumaron y a los experimentadores solamente se les ofreció la posibilidad de continuar su trabajo incorporados a las instituciones militares. Algunos de ellos entendieron que la carrera a la Luna y a las estrellas pasaba por el túnel de las aplicaciones militares y aceptaron la oferta alistándose en el ejército, a la espera de un milagro que les devolviera a su objetivo natural.

Pero la Segunda Guerra Mundial estalló fatídicamente y los cohetes espaciales cambiaron por proyectiles-cohete. En la URSS nació el denominado *Katyusa*[41], diseñado bajo la dirección de Andrei Kostikov en el RNII, consistente en una batería de dieciséis proyectiles cohete de 42 Kg de peso propulsados por propergol sólido (a base de nitrocelulosa), que se empleó por vez primera en los teatros de Stalingrado y Smolensko. El segundo ingenio de reacción fue una bomba cohete contracarro llamada IL-2, de 45 Kg de peso, diseñada para ser lanzada desde un avión *Stormovik*.

El desarrollo de esta clase de armas alcanzó su cumbre en Alemania, sobre todo a partir del año 1944, cuando tras la derrota de Kursk el verano anterior y el desembarco aliado en Normandía, el curso de la guerra le era claramente adverso. El alto mando político-militar alemán buscó entonces desesperadamente la solución al conflicto en los adelantos que había logrado con la investigación científica, plasmados en las llamadas "armas secretas de Hit-

---

[41] Conocidos popularmente como "Órganos de Stalin".

ler": los cazas de reacción Me-163 y Me-262, las bombas cohete V-1 y V-2, el submarino Walter, el carro Tiger y, finalmente, la bomba atómica.

En efecto, después de la disolución de la VfR por falta de fondos[42], Wernher von Braun (1912-1977) y algunos otros investigadores continuaron sus trabajos con combustibles líquidos para motores de reacción, en los laboratorios de armamento del Ejército que dirigía el ingeniero y capitán Walter Dornberger (1895-1980).

Entre 1933 y 1937 se hicieron dos lanzamientos de prueba con los modelos A-2 y A-3 (el A-1 estalló en el banco de pruebas), de un cohete prototipo propulsado por motor de alcohol y oxígeno líquido que desarrollaba un empuje de 300 Kg. Pero los resultados eran deficientes por el imperfecto sistema de guiado.

Tratando de superar esta dificultad, en 1938 von Braun consiguió alistar a varios miembros de la antigua VfR para trabajar en un centro recién construido en Peenemünde (Pomerania oriental), provisto de excelentes laboratorios y talleres[43]. Un año más tarde el equipo consigue el lanzamiento sin fallo del modelo A-5. Ante este éxito y con la guerra ya empezada,

---

[42] El campo de ensayos de esta sociedad, *Raketenflugplatz*, fue cerrado en 1933 por falta de pago de la factura de consumo de energía eléctrica.

[43] Para acceder a este puesto, von Braun no rehusó alistarse en el cuerpo político de las fuerzas SS y en 1943, avanzada la guerra, cuando escaseaba la mano de obra, admitir hasta 60.000 obreros-esclavos deportados de Europa oriental para trabajar en los talleres. Veremos que estas circunstancias iban a dificultar su aceptación como ciudadano de los EE. UU. cuando acabada la guerra, decidiera emigrar a este país para proseguir su carrera de diseñador de cohetes interplanetarios para la exploración científica del Sistema Solar.

Dornberger recibe el encargo de diseñar un vehículo capaz de portar una cabeza de combate de una tonelada a 275 kilómetros. Será el A-4, conocido popularmente como V-2, y su leyenda no tendrá parangón en la historia del armamento cuando constituya, junto con la bomba volante Fieseler-103, denominada V-1 (figura 5), las llamadas Armas de Represalia[44].

En la primavera de 1942, el primer A-4 (figura 6) está listo para pruebas. Se trata de un prototipo que utiliza alcohol etílico como combustible y oxígeno líquido como comburente. Ambos producen una temperatura de 2600° C en la cámara de combustión, de modo que los gases son expulsados a la velocidad de 1970 m/s. Va estabilizado en tres ejes por giroscopios y emplea como actuadores timones aerodinámicos y aletas de tobera.

Para decepción de sus diseñadores, el primer prototipo estalla al despegar. El segundo prototipo despega sin problemas y rebasa la barrera del sonido, alcanzando la velocidad Mach-4[45], pero se desvía y ha de ser destruido en el aire mediante una orden emitida por radio. Finalmente, en 1943, el tercer A-4 despega impecablemente y alcanza una altitud de ¡85 Km!, cayendo a 190 Km del lugar de despegue. Dornberger exclama: "¡Ha nacido la nave espacial!".

Ambas V-1 y V-2 utilizaban el principio de acción y reacción, pero mientras que la primera era realmente un avión-cohete no pilotado, la V-2 era una bomba-cohete capaz de volar por la estratosfera ya que portaba su propio comburente. Observemos

---

[44] *Vergeltungswaffe* en alemán, nombre del que procede la letra inicial V con que se conocieron estas armas.

[45] Nombre impuesto en honor del físico austriaco Ernst Mach (1838-1916). El número Mach indica la razón entre la velocidad de un vehículo que se mueve en el seno de un fluido y la del sonido en el mismo medio y bajo las mismas condiciones.

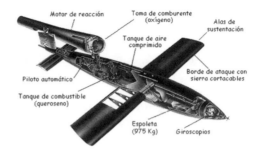

**Figura 5.
La bomba
volante V-1.**

Longitud, 8,2 m	Velocidad, 640 Km/h	Carga de guerra, 975 Kg
Envergadura, 5,3 m	Altitud de vuelo, 1000 m	Era interceptable por la
Peso, 2,2 Tm	Alcance, 250 Km	aviación de caza.

**Figura 6.
La bomba cohete V-2.**

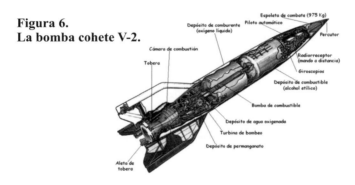

Longitud, 14 m	Velocidad, 6000 Km/h	Carga de guerra, 975 Kg
Diámetro, 1,65 m	Altitud, 88 Km	No era interceptable por la
Peso, 12,9 Tm	Alcance, 320 Km	aviación de caza.

que aunque parezca muy elevada la velocidad que desarrolló este ingenio, la corta distancia del blanco hizo que la mayor parte del vuelo se realizara por la atmósfera baja, lo que redujo la velocidad máxima que hubiera podido alcanzar. En efecto, su factor de mérito de 1,17 (el peso del propergol era de 8,9 Tm) debía haberle permitido adquirir una velocidad de:

1,17 x 1970 = 2.305 m/s = 8.300 Km/h = Mach-7

Pero el rozamiento con el aire de las capas bajas de la atmósfera y la cavitación[46] redujeron este valor a 6000 Km/h. Para terminar este capítulo conviene señalar que el empleo de las bombas V-1 y V-2 no alteró en absoluto el curso de la guerra. Se puede decir, incluso, que los resultados obtenidos "no eran rentables". Justamente, la carga de 975 Kg de amatol[47] de cualquiera de ellas producía en el suelo un hoyo de hasta 4 m de profundidad, si detonaba en la superficie. Pero una V-2 llegaba al suelo a 750 Km/h y podía penetrar en él hasta a 20 m de profundidad, produciendo mayor destrucción, pero muy localizada. En consecuencia, para haber resultado un arma decisiva capaz de batir objetivos puntuales, la V-2 habría necesitado un buen sistema de navegación del que nunca dispuso[48]. Este hecho revestirá cierta importancia en la historia de la astronáutica.

---

46 La cavitación es un fenómeno fluidodinámico que se produce cuando un sólido (un proyectil) se mueve por el seno de un fluido a gran velocidad. La onda de paso que origina da lugar a una cavidad temporal, o sea, a una depresión por vacío, que tiende a desacelerar el movimiento del perfil por succión. Este vacío se crea porque el movimiento del proyectil es tan rápido que al fluido no le da tiempo a rellenar la cavidad que deja al desplazarse. El efecto de la cavitación, por tanto, depende de la velocidad del proyectil y de la viscosidad del medio. En el caso de un proyectil que se mueve por la atmósfera, el movimiento turbulento del aire al seguirlo para rellenar el vacío que deja, da lugar al silbido característico de los proyectiles de artillería.

47 Mezcla de TNT y nitrato amónico.

48 Por ello es un error bastante difundido denominarla misil.

4

Sputnik:
El pistoletazo de salida
de la carrera espacial

La fascinante tecnología armamentística desplegada por Alemania despertó pronto la avidez de los gobiernos aliados por apoderarse de aquellos recursos bélicos tras la ocupación del país. Después de la conferencia de Yalta, en la que los aliados planearon la repartición de Alemania (y de Europa) en la posguerra, Iosif Stalin (1878-1953), que indudablemente había oído campanas de lo que se cocía en Los Álamos[49], aprovechó que Berlín quedaba en la zona de influencia comunista[50] para engatusar a Franklin Roosevelt (1882-1945) y a Dwight Eisenhower (1890-1969) con el señuelo de que esta ciudad ya no era objetivo militar y que asignaría su

---

[49] El Proyecto "Manhattan" encabezado por el físico Robert Oppenheimer (1904-1967) para la fabricación de la primera bomba atómica.

[50] La línea divisoria entre la zona occidental y la soviética sería el río Elba.

ocupación a tropas secundarias por el simbolismo de la bandera comunista ondeando en el edificio del Reichstag. Lo que realmente ocultaba era que si el Ejército Rojo tomaba Berlín, caería en sus manos el uranio[51] almacenado por los alemanes para su proyecto atómico[52].

Cediera Roosevelt por ingenuidad o por ahorrar bajas propias[53], su decisión fue muy criticada en los círculos políticos británicos, sobre todo por el Primer Ministro Sir Winston Churchill (1874-1965) y por el mariscal Sir Bernard Montgomery[54] (1908-1958) y, de hecho, la conferencia de Yalta se considera como el comienzo de la Guerra Fría. Por su parte, Stalin ordenó al Primer Grupo de Ejércitos de Bielorrusia, al mando del mariscal Georgi Zhukov (1896-1974), apresurarse a tomar Berlín.

Un mes más tarde los Estados Unidos arrojaban dos bombas atómicas sobre el Japón, una de uranio sobre Hiroshima y otra de plutonio sobre

---

[51] En la Unión Soviética también se llevaban a cabo investigaciones sobre la bomba atómica desde 1932, dirigidas por el físico Igor Kurchatov (1903-1960) y bajo la supervisión administrativa del antiguo Jefe del Servicio de Seguridad (la NKVD), Lavrentii Beria (1899-1953). En aquellos momentos estaban atascadas por la falta de uranio.

[52] El proyecto de bomba atómica alemana, dirigido por Werner Heisenberg (1901-1976) y paralizado por la falta de agua pesada (necesaria para moderar la velocidad de los neutrones y hacer posible la reacción en cadena del uranio), había sido mantenido en secreto, por lo que los aliados desconocían la existencia de uranio en los laboratorios de Berlín.

[53] Ese año los Estados Unidos habían sufrido 100.000 bajas en las conquistas de Iwo Jima y Okinawa.

[54] Eisenhower había tomado la decisión de entregar Berlín al Ejército Rojo sin consultar el parecer de los británicos. Con este

Nagasaki. Una invitación a los nipones para presenciar la prueba de Álamo Gordo[55] habría bastado para provocar su rendición incondicional, o cuando menos hubiera justificado el empleo de armas nucleares contra ellos, pero con dos bombas atómicas lanzadas sobre dos urbes hasta entonces intactas, está claro que se trataba de una advertencia a la URSS para que templara sus ansias expansionistas en la posguerra. Había "estallado" la Guerra Fría con ventaja para Occidente, que poseía el arma más letal.

La Unión Soviética, sintiéndose amenazada por aquella demostración de poder destructor, recurrió al espionaje[56] y consiguió llevar a cabo su primera detonación nuclear experimental[57] el 29 de agosto de 1949. Ya dos años antes, en Mayo de 1947, los altos mandos militares de uno y otro bando habían comprendido que una bomba atómica solamente es temible si se la puede transportar y lanzar desde un vehículo imposible de interceptar, es decir, desde un cohete estratosférico. En consecuencia, los soviéti-

---

objeto desvió el III Ejército del General Patton hacia Leipzig (con orden de no cruzar el Elba) y denegó a Montgomery el avance hacia Berlín, asignándole como objetivo los puertos del Báltico.

55 Álamo Gordo fue la primera prueba de detonación nuclear y se realizó el 16 de julio de 1945. Se ensayó una bomba atómica de plutonio de 18 kilotones de potencia destructiva. Tras el éxito, el Presidente Henry Truman (1884-1972) lanzó un ultimátum radiofónico al Japón, intimando a la rendición, que fue desoído.

56 El espía soviético era el físico germano, nacionalizado británico, Klaus Fuchs (1911-1988).

57 La primera prueba nuclear soviética se realizó en el campo de pruebas de Semipalatinsk (Kazajstán) con una bomba de plutonio que desarrolló 22 kilotones de potencia.

cos habían vuelto los ojos a los experimentadores del GIRD, a quienes Stalin había perseguido y deportado tras la gran purga que llevó a cabo en 1938, y los americanos a los especialistas recién capturados en Peenemünde.

LOS "PRISIONEROS DE PAZ"

En efecto, cuando los aliados iniciaron la invasión de Alemania en 1945, la mayoría de los científicos que trabajaron en Peenemünde prefirió abandonar la ciudad y entregarse al ejército estadounidense[58], antes de que entraran en ella los rusos. Medio millar de especialistas encabezados por von Braun, acompañados por material requisado suficiente para montar cien cohetes A-4, fueron transladados bajo estrecha vigilancia a los Estados Unidos y acantonados en Fort Bliss (Texas), donde encontraron una acogida fría, en particular von Braun, a quien la opinión pública consideraba un criminal de guerra por haber militado en las SS y haber utilizado obreros forzados[59].

En este ambiente hostil, los "prisioneros de paz" germanos recibieron el encargo de colaborar en

---

[58] La captura pactada de dicho personal y material se denominó Operación *Paperclip*.

[59] De los 60.000 obreros forzados que trabajaron en Peenemünde y Mittelwerke a las órdenes de los mandos SS durante los dos últimos años de la contienda, más de 10.000 murieron de inanición. Pero también fallecieron 815 de ellos en sus barracones de madera durante los bombardeos aliados de la "Operación Ballesta" (*Crossbow*) que trataba de destruir las instalaciones para terminar con las bombas cohete sobre Inglaterra. Sus guardianes SS no habían previsto refugios antiaéreos para estos trabajadores.

los proyectos científicos de investigación de las universidades y de los tres ejércitos, del aire (USAF), de tierra (*Army*) y de la Marina (*Navy*).

Para von Braun aquel encargo constituyó una decepción inesperada, pues a los científicos norteamericanos no se les había pasado por la cabeza la idea de lanzar un satélite artificial, ya que la velocidad del lanzador A-4 (1,667 Km/s) era solo un quinto de la velocidad necesaria para entrar en órbita (8 Km/s). Únicamente demandaban cohetes de corto alcance capaces de subir una carga útil liviana a la estratosfera (200 Km de altitud), cuya composición era desconocida entonces, y dejarla caer en paracaídas con sus lecturas y muestras de aire.

En cuanto a los militares, solo estaban interesados en cohetes de alcance medio, pues disponiendo de bases en Noruega, Turquía y lejano Oriente, tenían cualquier parte de la Unión Soviética al alcance de un cohete capaz de volar hasta 3.500 Km. Los sueños de von Braun de enviar vehículos a explorar el Sistema Solar se desvanecieron.

Los primeros cohetes que fabricaron se probaron en el desierto de White Sands (Nuevo México), en 1946. El primer lanzamiento vertical[60] alcanzó la cota de 112 Km. Para ascender a la cota fijada, al año siguiente instalaron en el lanzador A-4 una segunda etapa, el cohete-sonda WAC-*Corporal* de 300 Kg de peso, con lo que en 1949 lograron hacer llegar la carga útil hasta la cota de 400 Km. A partir de ese momento llovieron sobre este cohete (llamado *Bumper*) las solicitudes de las universidades para experimentaciones científicas estratosféricas.

---

[60] Durante la guerra, aunque el lanzamiento se efectuaba verticalmente, las bombas-cohete cabeceaban enseguida en el acimut de la trayectoria que las llevaba al blanco (Londres).

EL AGI, UN AÑO DE 18 MESES

Mientras tanto, los puntos de vista irreconciliables entre las potencias capitalistas y la comunista hacían inviable la ocupación compartida de Alemania. Las potencias occidentales trataban de poner en práctica el "Plan Marshall" para la reconstrucción del país e introducir una moneda nueva (el *Deutschmark*), lo que era inaceptable para el canon económico socialista. En 1947 se convocó una conferencia en Londres con la intención de superar las dificultades, pero fue un fracaso. Como resultado del desentendimiento los soviéticos bloquearon Berlín durante un año, a lo que los occidentales respondieron con el alarde militar del puente aéreo. Al final las tres zonas occidentales se fusionaron en una única tutelada por la administración Eisenhower, el nuevo presidente de los Estados Unidos y ello desató la crisis bipolar de Berlín, con la que los antiguos aliados eran ahora potencialmente enemigos. En 1949 el mundo entero quedó encuadrado en la política de bloques militares, con la creación de la OTAN y el Pacto de Varsovia.

Tratando de desequilibrar la balanza armamentística a su favor e imponer sus criterios a la Unión Soviética, los Estados Unidos detonaron su primera bomba de hidrógeno (la bomba-H, de 10 megatones) en el atolón de Eniwetok[61], en 1952, pero solo consiguieron que los soviéticos estrenaran la suya de 400 kilotones al año siguiente, también en Semipalatinsk[62]. Los Estados Unidos respondieron poniendo en servicio los bombarderos estratégicos B-52, pero los

---

[61] La explosión termonuclear tuvo lugar sobre un islote de 1600 m de diámetro llamado Elugelap, en dicho atolón y fue tan monstruosa que lo hizo desaparecer.

[62] Los habitantes de esta zona, junto con los de Mururoa, Arizona, Nevada y Utah fueron, son y seguirán siendo las víctimas

soviéticos tardaron solo un año en contar con los equivalentes Tu-16. La carrera armamentista continuaba estúpidamente con empate técnico.

Así estaban los asuntos de la política internacional, cuando en 1950 la comunidad científica acordó declarar Año Geofísico Internacional (AGI) al intervalo de dieciocho meses comprendido entre el 1 de julio de 1957 y el 31 de diciembre de 1958. Durante este "año" se invitó a todos los países interesados en la investigación del planeta a cooperar con sus trabajos en la adquisición de nuevos conocimientos sobre la Tierra y su entorno. En el capítulo de la meteorología, Francia, Canadá, Australia y Japón anunciaron lanzamientos de cohetes geofísicos destinados a investigar las capas altas de la atmósfera.

Fue entonces cuando los Estados Unidos efectuaron su segundo intento de romper el empate, destinando uno de sus lanzadores secretos de bombas nucleares, el misil balístico *Redstone*, diseño de von Braun, a realizar una misión "científica" que mostrara al mundo su superioridad tecnológica. En octubre de 1954, el Secretario de Prensa de la Casa Blanca, James Hagerty (1909-1981), hizo una declaración que sorprendió a la opinión pública mundial: durante el AGI, los Estados Unidos lanzarían un satélite artificial de la Tierra para analizar la exosfera. Y su aparato propagandístico atiborró a las agencias de noticias con toda clase de detalles de este ingenio, que pesaría entre 2,25 y 6,75 Kg y sería lanzado por un cohete *Juno I* (derivado del misil), auxiliado por dos etapas de propergol sólido para alcanzar la cota de 300 Km y la velocidad de 8 Km/s.

Empero, un mes más tarde von Braun recibió nuevas muestras de desconfianza y resentimiento,

---

inocentes de la mayor estupidez humana que condujo a la carrera armamentista.

cuando su proyecto *Orbiter* fue abandonado en favor de otro que estaba realizando la Marina, llamado *Vanguard*, en el que no participaban los especialistas germanos. A pesar de este espíritu justiciero, el lanzador de la Marina, el cohete *Viking*, era una réplica del A-4 alemán, al que se le iba a superponer una segunda fase, el cohete *Aerobee-Hi* y una tercera etapa aún por diseñar. El satélite *Vanguard-1* junto con la última etapa de su cohete lanzador pesaría 9 Kg y el perigeo de su órbita estaría a 302 Km sobre la superficie terrestre. El conjunto pesaría en total 10 Tm en el momento del disparo y el lanzador desarrollaría un empuje de 12.700 Kg-f.

Un mes después de que los Estados Unidos formularan su declaración de intenciones para el AGI, una delegación soviética presidida por el académico Leónidas Sedov (1907-1999) manifestó en la reunión de Copenhague que, en su opinión, "era posible lanzar un satélite artificial dentro de unos dos años" y que "la realización de este proyecto por la Unión Soviética se podía esperar en un futuro próximo". Pero su mensaje pasaría inadvertido bajo el alboroto publicitario de sus rivales en la carrera espacial, cuyo pistoletazo de salida acababa de sonar.

Semyorka, el ingenio de Sergei Korolev

Al terminar la guerra la Unión Soviética había requisado también en Alemania una cantidad imprecisa de cohetes A-4 y acogido a un grupo de 234 expertos astronáuticos alemanes, encabezados por Helmut Gröttrup (1916-1981), el ingeniero y ayudante de von Braun encargado del sistema de navegación del cohete A-4, con los que había reanudado su programa de investigación espacial, interrumpido por la guerra. Ahora sus especialistas, como Tijonravov y Korolev, volvían a acariciar el sueño de llegar a la Luna siguiendo las enseñanzas de Tsiolkovski.

Pero las cuestiones internacionales de las que hemos dado cuenta al lector les dejaron poco tiempo de ensueño. La Unión Soviética necesitaba contrarrestar la amenaza nuclear de Occidente y sus altos mandos militares habían comprendido que el maridaje entre la bomba termonuclear y el cohete estratosférico es perfecto, por cuanto al ser este imposible de interceptar, otorga a la bomba todo su poder ofensivo y disuasorio. En suma, era preciso un misil balístico intercontinental capaz de llevar una bomba atómica a territorio norteamericano y es entonces cuando Korolev, que había sobrevivido al *Gulag* siberiano[63], es rehabilitado y transladado al nuevo Centro de Diseño de Jimi, donde se le confía la dirección de la fabricación de cohetes transportables por ferrocarril y capaces de portar una bomba atómica en la ojiva. Comenzando sus ensayos a partir de un A-4, los científicos e ingenieros soviéticos y alemanes desarrollaron toda la familia R[64] de lanzadores, los R-1, R-2, R-3, etc., hasta conseguir un cohete capaz de cumplir las exigencias militares: el R-7, conocido popularmente como *Semyorka* (El Siete).

---

[63] Acusado de subversión en 1938, Korolev había trabajado durante la guerra en el *gulag* siberiano junto con docenas de científicos, ingenieros aeronáuticos e intelectuales de todas clases (como Aleksandr Solzhenitsyn, 1918-2008) también deportados por Stalin, que más tarde alcanzarían renombre mundial. A pesar de que el trabajo en las *sharashkas* (laboratorios improvisados) no era físicamente duro y la alimentación mucho mejor que la de los prisioneros de la taiga, Korolev contrajo el escorbuto, enfermó del corazón y perdió los dientes durante el cautiverio.

[64] Inicial de la palabra rusa *Raket* ("cohete").

Los trabajos de investigación llevados a cabo en distintas Oficinas de Construcciones Especiales (OKB[65]) de la URSS habían demostrado que, para adquirir la velocidad subsatelaria, no es buen camino agrandar progresivamente el tamaño de lanzador, porque el aumento de su propio peso da al traste con la mejora buscada. En efecto, para aumentar la velocidad final de un A-4 alemán, de nada sirve doblar el tamaño de los depósitos de propergol para prolongar el empuje, porque se duplica el peso del propergol y entonces hace falta doblar el empuje para elevarlo. Pero doblar el empuje implica utilizar un motor más potente y más resistente, que también pesa el doble que el original, con lo que a fin de cuentas, el nuevo cohete pesa el doble que el A-4 y la ventaja que se buscaba se esfuma.

Desde tiempos de Tsiolkovski se sabía, y ello constaba en los dos primeros principios que rigen el rendimiento del propergol (cap. 3), que el empuje de un motor cohete depende del producto de la masa de los gases quemados por la velocidad con que son expelidos, por lo que el camino adecuado para obtener una velocidad final elevada es el de incrementar la temperatura de la cámara de combustión. De este discernimiento se sigue que resulta más conveniente emplear varios motores pequeños, que son más fáciles de refrigerar que los motores grandes.

Trabajando desde este punto de vista, los especialistas soviéticos dirigidos por el ingeniero de motores de reacción Valentin Glushko (1908-1989), procedente del *gulag* de Kazán, en estrecha colaboración con los alemanes encabezados

---

[65] Siglas de *Osoboe Konstruktopkoe Biuro*.

por Gröttrupp[66], desarrollaron en 1948 un motor, al que denominaron RD-100, que quemaba queroseno[67] en atmósfera de oxígeno líquido, cuya cámara de combustión alcanzaba la temperatura de 3.420° C y cuyos gases eran expelidos a la velocidad de 2.940 m/s[68], proporcionando un empuje de 27 Tm-f[69].

Con estos datos ya se podía calcular que si se pusiera gran esmero en el diseño del vehículo y se consiguiera un factor de mérito igual a 5, la máxima velocidad que alcanzaría, de acuerdo con la ecuación [1] de Tsiolkovski, sería de:

$$2.940 \times \ln 5 = 2.940 \times 1,61 = 4.732 \text{ m/s}$$

¡Más de la mitad de la velocidad circular! Pero este cálculo indicaba también que ningún lanzador sencillo es capaz por sí mismo de poner en órbita un

---

[66] Sorprende que mientras Glushko hubo de trabajar durante la guerra en la *sharashka* de Kazán como detenido, los especialistas alemanes, aunque considerados prisioneros de guerra, recibieran en Jimi buen trato y sueldos elevados, sobre todo Gröttrup.

[67] Producto del petróleo obtenido por destilación fraccionada entre las temperaturas de 195° y 234° C. RD son las siglas de *Reaktivniy Dvigatel*, "Motor de Reacción". Apremiados por los dirigentes políticos que deseaban resultados inmediatos, los investigadores soviéticos hubieron de renunciar al empleo de hidrógeno líquido como combustible, por la falta de experiencia en su manipulación, que habría retrasado la disponibilidad de este motor.

[68] Notemos que los estadounidenses tardarían más de quince años en conseguir esta velocidad de escape en los motores F-1 de su superlanzador *Saturn-5*.

[69] Forzados por las autoridades políticas y militares, Glushko y sus especialistas produjeron, en paralelo con el RD-100 y en secreto,

satélite artificial[70], sino que es preciso emplear una estructura modular[71], cuya segunda etapa comunique a la carga útil el defecto de velocidad (3.200 m/s) necesario para entrar en órbita circular a baja altura (200 Km), una vez que se ha agotado la primera etapa. La ecuación de Tsiolkovski se convertiría entonces en:

$$V_f = V_o + V_g \ln (M_i / M_f) \qquad [3]$$

Donde V_o es la velocidad de la etapa considerada antes del encendido de su motor (o sea, nula en el caso de la primera etapa, e igual a 4.732 m/s en el caso de la segunda etapa). Además, esta segunda etapa tendría la ventaja de impulsar una masa muchísimo menor, ya que la primera se separaría de ella cuando consumiera su propergol y así la masa de esta podría ser realmente un vigésimo de la de aquélla y su factor de mérito igual a 3.

Sin embargo, en 1953 las demandas de la era termonuclear (5,5 Tm a 8.500 Km) dejaron obsoletos los diseños realizados hasta la fecha, pues reque-

---

un nuevo motor, el RD-101, derivado de aquél, en cuyo diseño no participaron los técnicos alemanes. A pesar de que este nuevo motor era algo más compacto, desarrollaba un empuje superior, de 37 Tm-f, pero su uso quedó restringido al ámbito militar.

[70] Haría falta satisfacer una de las dos condiciones siguientes: o conseguir que la velocidad de expulsión de los gases alcanzara los 5000 m/s (para lo que la temperatura de la cámara de combustión tendría que ser igual a la de la superficie del Sol), o que el factor de mérito del cohete valiera 15. Ambas son imposibles.

[71] Increíblemente, Tsiolkovski había previsto ya la solución a esta limitación mediante cohetes multi-etapa, que el denominó "trenes de cohetes" (*raketnyie poezda*).

rían motores capaces de sobrepasar las 60 Tm-f de empuje. Glushko[72], que para entonces ya había fabricado su prototipo RD-105, capaz de desarrollar un empuje de 44 Tm-f, resolvió la cuestión de la refrigeración ensamblando cuatro cámaras de combustión del modelo RD-101, que compartían una única bomba de inyección y los mismos tanques de propergol en un único motor, el RD-107 (foto 3), capaz de desarrollar un empuje de 80 Tm-f.

El diseño de Korolev para el misil R-7 presentaba una estructura piramidal completamente distinta de los diseños tubulares realizados en Occidente. Korolev razonaba que si el mayor empuje se necesita al principio del lanzamiento, cuando hay que levantar la masa íntegra del vehículo desde el suelo y desde velocidad cero, entonces la primera etapa tiene que ser mucho más potente que las demás y ha de estar compuesta por varios módulos actuando en paralelo. De acuerdo con este criterio, dispuso un módulo central reforzado por cuatro cohetes latera-

---

[72] En aquella época había surgido una gran enemistad entre Glushko y Korolev que entorpecía la colaboración entre los otrora compañeros ucranianos del GIRD. El motivo era la sospecha de Korolev de haber sido delatado por Glushko a raíz de su detención durante la gran purga estaliniana de 1938. Korolev creía que Glushko, "interrogado" por agentes de la NKVD, había acabado por acusarle de subversión con el resultado de que él fuera enviado a las minas de oro de Kolyma, donde había trabajado durante dos años, al cabo de los cuales su caso había sido revisado y condenado a otros ocho de trabajos forzados en Siberia. Reclamado oportunamente por su antiguo profesor, el ingeniero aeronáutico Andrei Tupolev (1888-1972), él mismo también deportado al *gulag* siberiano, se le había conmutado la pena de trabajos forzados por la de trabajo en la *sharashka* de Omsk, para colaborar en el diseño de los aviones de bombardeo

Foto 3.
El motor RD-107.
Longitud, 2,86 m.
Diámetro tobera,
0,67 m.
Masa total, 1145 Kg.
Temperatura cámara,
3420°.
Presión, 61 Kg/cm^2
Velocidad salida
gases, 2940 m/s.
Empuje total, 80 Tm-f.
Ergoles, queroseno
+ LOx.

les, cada uno de ellos impulsado por un motor RD-107 de Glushko, que disponía sus propios tanques de propergol, siendo la ignición del módulo central de mayor duración que la de los módulos periféricos, de modo que el conjunto se equiparó a un lanzador de 1,5 etapas. Por tanto, el lanzador R-7 montaría cinco motores cuádruples RD-107 que aportarían un empuje conjunto de 400 Tm-f.

El montaje se completaba con doce motores vernier (foto 4) para ajuste fino de la trayectoria, de la orientación y de la velocidad, todo ello en vuelo. Así, cuando despegaba este lanzador funcionaban simultá-

---

Iliushin y *Tupolev*. Más tarde Korolev había sido enviado a la *sharashka* de Kazán para trabajar en el diseño de cohetes militares, precisamente bajo la dirección de Glushko. Finalmente, en 1944, Korolev, Glushko y Tupolev, entre otros, habían sido puestos en libertad sin cargos. Hoy se sabe que el verdadero delator forzado de ambos había sido Andrei Kostikov, director del RNII.

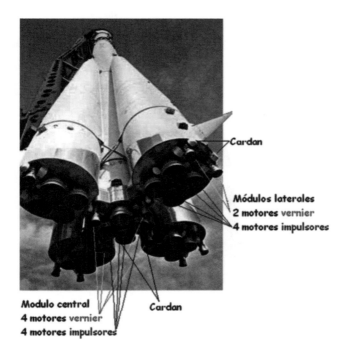

Foto 4. El cohete lanzador *Vostok*.
Además de los veinte motores de propulsión, el cohete
Vostok llevaba doce pequeños motores vernier montados
sobre balancín con un grado de libertad, cuatro en el módulo
central y dos en cada uno de los módulos laterales.

neamente 32 motores aportando 500 Tm-f de empuje
total. En la (figura 7) hemos resumido las características de este cohete lanzador, llamado *Vostok* ("Oriente") en la versión civil, con el que la URSS, al aceptar
las sugerencias de Korolev, Tijonravov y Keldysh de
utilizarlo para lanzar satélites artificiales, se apuntaría
las primeras victorias en la carrera espacial.

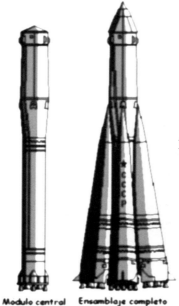

Figura 7.
El misil *Semyorka* (R-7).
Módulo central:
Longitud, 28 m.
Diámetro, 3 m.
Masa, 95,3 Tm.
Masa (vacío), 6,8 Tm.
Motor, 1 x RD-108.
Empuje, 93 Tm-f.
Duración, 330 seg.
Ergoles, LOx + queroseno.

Cohetes laterales:
Longitud, 19 m.
Diámetro, 2,68 m.
Envergadura, 8,35 m.
Masa, 4 x 43 Tm.
Masa (en vacío),
4 x 3,7 Tm.
Motor, 4 x RD-107.
Empuje, 4 x 99 Tm-f.
Duración, 118 seg.
Ergoles, LOx + queroseno.

Módulo central   Ensamblaje completo

Altura total, 30 m • Masa total, 267 Tm.
Empuje total, 490 Tm-f.

Aunque las cuatro primeras pruebas de lanzamiento desde el cosmódromo de Baikonur fueron fallidas, la quinta, que tuvo lugar el 21 de agosto de 1957, se desarrolló nominalmente. Siguiendo una trayectoria parabólica de 1.000 Km de apogeo, el R-7 transportó en su ojiva una bomba nuclear ficticia hasta la base naval de Klyuchan, en la península de Kamchatka. La sexta prueba, efectuada cinco días después, fue presenciada por el entonces Jefe de Gobierno Nikita Krushchev (1894-1971).

SPUTNIK-1, *AD GLORIAM PER STUPOREM*

Avalados por este éxito, Korolev, Tijonravov y el nuevo Director de la Academia de Ciencias, Mstislav Keldysh (1911-1978), consiguieron convencer a Krushchev de la conveniencia de utilizar el misil R-7 para lanzar un satélite artificial antes de que lo consiguieran los norteamericanos. A pesar de la oposición del estamento militar, el efecto propagandístico que se preveía iba a ser tan importante (se distraería la atención de la invasión armada de Hungría en octubre de 1956), que este accedió, aunque impuso la condición de que la fecha del lanzamiento debía coincidir con el aniversario de la Revolución de Octubre. La premura con que se construyó este primer satélite artificial no permitió efectuar pruebas, por lo que se fabricaron dos unidades para disponer de una de reserva en caso de avería de la primera.

En efecto, el 4 de octubre de 1957 radio Moscú interrumpió su programación vespertina para anunciar al mundo que el planeta Tierra tenía un nuevo *sputnik* (acompañante), un satélite artificial, denominado *Sputnik*-1, lanzado satisfactoriamente por los científicos de aquella nación. Y acompañaba el anuncio con los horarios para verlo a simple vista como una estrella débil que cruzaba el cielo y con la información de las frecuencias de su transmisor, para que los radioaficionados pudieran sintonizarlas y captar el bip-bip[73].

---

[73] Debido al secretismo con que se realizó el lanzamiento del *Sputnik*-1, ni siquiera se alertó a la red de Estaciones militares de seguimiento de misiles (OKIK, ver nota 108) para que confirmaran la feliz entrada en órbita del ingenio, por lo que Korolev y su equipo de colaboradores hubieron de esperar a que el satélite completara una revolución a la Tierra y sobrevolara Kazajstán,

La sorpresa por esta noticia fue enorme. La atención internacional, enfocada en el proyecto *Vanguard* por la intensa propaganda, resultó anonadada por el éxito de la empresa soviética. En los Estados Unidos se la llegó a calificar de "Pearl Harbor tecnológico", con el agravante para los especialistas yanquis del peso del satélite, 85 Kg, frente a los 5 Kg del *Vanguard*.

El objetivo científico asignado al *Sputnik*-1 era analizar la ionosfera, para lo que se le había colocado en una órbita muy excéntrica que tenía el perigeo a solo 220 Km y el apogeo a 940. De este modo, a cada revolución se zambullía en la alta atmósfera para tomar medidas que luego radiaba a la Tierra al alejarse.

La carrera espacial había comenzado como escaparate de la carrera armamentista y los responsables del proyecto *Vanguard* fueron alentados por la opinión pública a participar. Se fijó finales de año como fecha para la respuesta estadounidense, mientras von Braun recibía autorización de la Agencia de Misiles Balísticos del Ejército para reanudar el proyecto *Orbiter*. El experto alemán se comprometió a lanzar un satélite, el *Explorer*-1, en el plazo de tres meses.

SPUTNIK-2 Y LA PRIMERA PASAJERA ESPACIAL

Pero antes de un mes, el 3 de noviembre, el mundo entero quedó atónito por segunda vez: la Unión Soviética anunció la puesta en órbita del *Sputnik*-2, un satélite que ¡pesaba media tonelada y llevaba un ser vivo abordo! En círculos de opinión occidentales a

---

para que la recepción de los pitidos del transmisor les atestiguara el éxito del resultado. Solo entonces, hora y media después del lanzamiento, se comunicó a radio Moscú la noticia.

nadie le cabía ya duda de que los soviéticos planeaban poner un hombre en órbita en un plazo breve.

En efecto, el *Sputnik*-2 llevaba a bordo, en una cámara climatizada, a una perrita llamada Laika (Ladradora), amaestrada por el método de los reflejos condicionados para actuar como la primera astronauta que registra la Historia. El animalillo llevaba implantados en el cuerpo instrumentos médicos que transmitían por radio información de sus constantes biológicas vitales, destinada a demostrar a los humanos que los seres vivos pueden resistir la aceleración del lanzamiento y la microgravedad del vuelo orbital.

En cuanto al adiestramiento de la perrita *Laika*, labor del Dr. Oleg Grazenko, (1918-2007) se basaba en los estudios del Premio Nóbel Ivan P. Pavlov (1848-1936) y consistía en el condicionamiento reflejo de su apetito con el sonido de un timbre activado por radio desde tierra, de forma que comiera las raciones de alimento de que disponía, cuando sus cuidadores se lo señalaran.

Desgraciadamente y ello sensibilizó mucho a la opinión pública mundial, no existía medio alguno de rescate para este astronauta canino, ya que el *Sputnik*-2 carecía de cohetes de frenado y de escudo ablativo para la reentrada en la atmósfera. Por ello, la ración del décimo día contenía un veneno eficaz que debía evitar al animal el sufrimiento de morir por asfixia cuando consumiera la reserva de oxígeno. Sin embargo, aunque la ojiva se desprendió normalmente, al entrar en órbita la cápsula quedó sujeta a la segunda etapa del lanzador, lo que le impidió girar para disipar el calor. Debido a ello la temperatura dentro de la esfera se elevó mucho más de lo previsto (40º C) y la perrita murió durante la quinta revolución (entre 5 y 7 horas después del lanzamiento), por el calor de la cabina y por la sobretensión nerviosa originada por las vibraciones del lanzamiento.

EXPLORER-1. LA HORA DE VON BRAUN

El lanzamiento del segundo *Sputnik* inquietó a la opinión pública estadounidense que veía como crecía el prestigio de la Unión Soviética en los foros internacionales. Espoleados por sus directivos, los especialistas de la Marina adelantaron el lanzamiento del *Vanguard* al 6 de diciembre. Ese día el cohete *Viking* se elevó de la plataforma de lanzamiento ante una gran muchedumbre que lo contemplaba ilusionada, y... estalló en el aire ante la turbación de todos. El Presidente Eisenhower concedió inmediatamente máxima prioridad al equipo de von Braun para lanzar un satélite occidental lo antes posible.

El 31 de enero de 1958 von Braun tenía listo el cohete *Juno*-1 en Cabo Cañaveral para intentar poner en órbita el satélite *Explorer*-1. El laborioso alemán había conseguido reducir el plazo anunciado de 90 días a 85. Al final de la cuenta atrás y ante una expectación tan esperanzada como angustiada, el vehículo multietapa de 22 m de longitud y 29 Tm de peso, inició el despegue de la plataforma entre el rugir de sus motores que desarrollaban 37.000 Kg-f de empuje. Instantes después el cohete se elevó entre nubes de vapor y desapareció entre las nubes. Tras unos minutos de impaciente espera llegó la confirmación de los radares y las estaciones de seguimiento: la carga útil había entrado en órbita elíptica. Un von Braun triunfante recibía los aplausos y las felicitaciones de las autoridades civiles, políticas, militares, de la prensa y del público. En adelante ya no sería un "criminal de guerra", sino el ciudadano estadounidense director de las actividades espaciales de su nuevo país.

El *Explorer*-1 realizó un descubrimiento de primera categoría. Los minúsculos sensores de radiación emplazados a bordo, dos contadores de centelleo y un detector geiger grababan sus datos en un miniregistrador magnético, que se leía a su paso sobre las estaciones de seguimiento. De esta forma pudo el Dr. James van Allen, principal investigador del detector geiger, descubrir la existencia de dos cinturones de radiación, uno compuesto de protones y otro de electrones, que hoy llevan su nombre, situados a entre tres y cuatro radios terrestres de altura.

El éxito del *Explorer*-1 confortó a los investigadores de la US *Navy*, que se apuntaron otro intento fallido el 5 de febrero. Finalmente, el 17 de marzo lograron que el cohete *Viking* despegara y pusiera en órbita elíptica al *Vanguard*-1. Pese a su reducido tamaño y peso, aportó la innovación de alimentar sus instrumentos geodésicos y su transmisor con baterías solares. Fue lanzado dentro del Año Geofísico Internacional y llegó a tiempo de descubrir que el planeta Tierra es ligeramente piriforme. Actualmente, aunque convertido en derrelicto espacial, es el satélite más antiguo de todos los que orbitan la Tierra, habiendo completado unas 200.000 revoluciones a finales del año 2008.

Sputnik-3. La URSS pierde un premio Nóbel

No habían transcurrido tres meses desde que los estadounidenses consiguieran acortar distancias con la Unión Soviética, tras los éxitos de su *Explorer* y su *Vanguard*, cuando esta volvió a pasmar al mundo con la puesta en órbita del *Sputnik*-3, un coloso de 3,5 m de longitud y 1,4 Tm de peso que llevaba abordo todo un laboratorio geofísico diseñado por el director de la Academia de Ciencias, el Dr. Mstislav Keldysh, compuesto por una docena de instrumentos científicos. El fallo de su grabador de datos impidió a los investigadores soviéticos Sergei Vernov (1910-

1982) y Yuri Gregorev ser codescubridores de los cinturones de van Allen. De todos modos, en el ámbito popular la carrera espacial proseguía con clara ventaja para los soviéticos.

TABLA CRONOLÓGICA

CRONOLOGÍA DE LOS PRIMEROS SATÉLITES

Nombre	Fecha lanz.	Masa	Lanzador	Notas
Sputnik-1	04-10-1957	85 Kg	*Semyorka*	Primer satélite artificial.
Sputnik-2	03-11-1957	508 Kg	*Semyorka*	Primer ser vivo abordo, la perrita *Laika*.
Explorer-1	31-01-1958	14 Kg	*Juno II*	Primer satélite artificial USA.
Vanguard-1	17-02-1958	1,5 Kg	*Viking*	Segundo satélite artificial USA.
Sputnik-3	15-05-1958	1,4 Tm	*Semyorka*	Primer laboratorio geodésico en órbita.

5

Disparos a la Luna (¿para indagar su enigmático origen?)

A mediados del siglo XX el origen de la Luna constituía un misterio para astrónomos y geólogos. La razón era que, dentro de la norma que rige entre los restantes planetas del Sistema solar, la Luna resulta ser un satélite demasiado grande y masivo para un planeta como la Tierra (foto 5). En efecto, los planetas "terráqueos" (los parecidos a la Tierra, como Mercurio, Venus y Marte) o bien carecen de satélites, o si los tienen (como Marte), su masa es minúscula con respecto a la del astro primario[74]. En este panorama, ¿cómo puede tener la Tierra un satélite de un tercio de su tamaño y un octogésimo de su masa? Los selenólogos no se ponían de acuerdo a la hora de dar cuenta de este controvertido asunto y habían

---

[74] La única excepción la constituye el ex-planeta Plutón, que tiene un satélite de masa comparable a sí mismo. Pero la formación de ambos es muy distinta de la de la Tierra, ya que parecen ser asteroides escapados.

Foto 5. La Tierra y la Luna.
Esta vista tomada por la sonda Galileo confirma que
la Luna es un satélite demasiado grande para la Tierra.
Al poseer muy baja actividad geológica, la Luna conserva
las huellas de la violenta formación del Sistema Solar,
por lo que su estudio encierra gran importancia
para astrónomos, geólogos y geofísicos.

formulado tres hipótesis para explicar su formación:
escisión, captura y acreción conjunta, que popularmente se conocían como hipótesis de la Luna hija,
novia y hermana de la Tierra, respectivamente.

La hipótesis de la escisión (o de la hija de la Tierra), fue propuesta a finales del siglo XIX por el astrónomo Sir George Darwin (1845-1912, segundo hijo

del celebérrimo naturalista) al cerciorarse de que la Tierra pierde energía de rotación debido a las mareas que levanta en ella la Luna. Como resultado, la rotación terrestre se frena al ritmo de 2 milésimas de segundo diarios por siglo[75] y en contrapartida, la Luna sufre un alejamiento constante de la Tierra de 3,8 cm por año. Estos descubrimientos dejan suponer que hace cuatro mil millones de años los dos astros debieron componer un único planeta (Terraluna) que giraría con un periodo de menos de 5 horas. La hipótesis suponía que el giro tan rápido de este astro masivo, originaría tan gran achatamiento polar que lo volvería inestable bajo la influencia de las mareas solares, con lo que eventualmente se desgajaría parte de su masa ecuatorial, originando la Luna. Después, las mareas mutuas alejarían a la Luna de la Tierra y frenarían paulatinamente la rotación de esta. No obstante, esta hipótesis no explica porqué la Luna no está situada en el plano ecuatorial de la Tierra.

La hipótesis de la captura (o de la novia) establecía que la Luna era un planeta formado entre la Tierra y Marte, que resultó capturado gravitatoriamente por la Tierra. Sin embargo, la Luna resulta ser una novia demasiado voluminosa para nuestro planeta, por lo que la captura solamente pudo ocurrir bajo ciertas condiciones particularísimas, muy difíciles de cumplirse. El investigador alemán Horst Gerstenkorn (1923-1981) ha calculado las condiciones críticas que tuvieron que darse para que un astro con la masa de la Luna, girando entre la Tierra y Marte en una órbita tan excéntrica que cortara a la terrestre, fuera frenado por la Tierra precisamente

---

[75] Actualmente, el testimonio de los eclipses de Sol históricos revela que este valor es realmente de 1,4 milisegundos diarios por siglo.

cuando pasaba por su perihelio[76], o sea cuando se movía más deprisa que su raptora, y quedara situada en la órbita actual, ya que tras el secuestro, la Luna debió seguir acercándose a la Tierra bastante rápidamente hasta ser detenida antes de colisionar, por las mareas que esta originaría en ella. Las probabilidades de que ello sucediera son tan remotas que esta posibilidad perdió pronto credibilidad.

La tercera hipótesis, la de acreción conjunta (o de la hermana), fue propuesta por el premio Nóbel de Química Harold Urey (1893-1981). Supone que la Tierra y la Luna se formaron independientemente por acreción a poca distancia una de otra, de modo que la Luna siempre estuvo atada gravitatoriamente a la Tierra. Esta idea se abandonó en favor de la anterior, por la cantidad de evidencias que no explicaba, como la diferencia de densidades entre ambos astros.

En suma, a mediados del siglo XX ninguna hipótesis explicaba satisfactoriamente la formación del Sistema Tierra-Luna. ¿Se formó la Luna cerca o lejos de la Tierra? Esta era la clave que los investigadores del espacio esperaban averiguar merced a la flamante nueva ciencia: la astronáutica.

LA OPERACIÓN MONA, INTENTO EFÍMERO DE "MOVILIZAR" LA LUNA.

Las razones que hemos expuesto en el parágrafo anterior deberían por sí mismas justificar el

---

[76] La Luna hubo de formarse más lejos del Sol que la Tierra para que su densidad encaje en el esquema de la nebulosa primordial y debía cruzar la órbita terrestre y acercarse más al Sol que la Tierra para que, tras su captura, su movimiento final alrededor de la Tierra permaneciera en sentido directo.

interés por enviar sondas a la Luna que pudiera haber animado a los dirigentes de cualquiera de los dos bloques. Empero, la realidad fue bien distinta, como vamos a narrar seguidamente.

Ciertamente, la superioridad de la tecnología soviética sobre la occidental (y, por tanto, de su armamento) había quedado patente por el peso de los ingenios puestos en órbita por uno y otro competidores en la carrera espacial: 85 Kg del *Sputnik*-1 frente a 5 Kg del *Explorer*-1 o 1,5 Kg del *Vanguard*[77]. Además, los 1.300 Kg del *Sputnik*-3 equivalían a una ojiva atómica estadounidense y ello ponía los pelos de punta a los entendidos occidentales. En los círculos militares norteamericanos, donde la somanta había escocido, se trató de quitar importancia al éxito soviético menospreciando la precisión de vuelo de aquellos cohetes y alardeando de que la electrónica de automatismos americana era superior. Recordaban el caso de las bombas alemanas V-1 y V-2, que habían resultado "no-rentables" porque su escasa precisión las hizo incapaces de invertir el curso de la Segunda Guerra Mundial.

A pesar de su aparente menosprecio por los éxitos del adversario, en el verano de 1958 los militares de los Estados Unidos estaban empecinados en adelantar a la Unión Soviética en la carrera espacial y esperaban apuntarse un triunfo ante la opinión mundial haciendo blanco en la Luna con un proyectil-sonda, dentro del Año Geofísico Internacional[78].

---

[77] El *Premier* soviético Nikita Krushchev se había burlado en público del *Vanguard* comparándolo por su tamaño y su peso con un pomelo.

[78] Existen razones para creer que el Secretario de Defensa estadounidense Neil McElroy (1904-1972), tuvo conocimiento de las intenciones del Presidente Eisenhower de crear un organismo

Aprovechando que la dirección del Comité estadounidense para el AGI propugnaba varios tipos de medidas lunares, como la medición muy exacta de la masa y la detección de algún débil campo magnético residual, que requerían alcanzar la Luna a baja velocidad (<3 Km/s) para así disponer del tiempo necesario para efectuar las medidas y transmitirlas a la Tierra, la Agencia para Proyectos de Investigación de Vanguardia (ARPA[79]) autorizó en Marzo a las Fuerzas Aéreas (USAF) a lanzar tres sondas a la Luna. El proyecto de la USAF se denominaría Operación MONA y sería toda una proeza, ya que la navegación balística a la Luna constituía un desafío por cuanto requiere un ajuste muy preciso de la velocidad. Efectivamente, como veremos más adelante, un error en la velocidad de solo 50 m/s (0,45%) puede acortar o alargar el tiempo de vuelo hasta en seis horas, haciendo que la sonda llegue demasiado pronto o demasiado tarde a su cita con la Luna y pase de largo para quedar en órbita solar.

Las Fuerzas Aéreas deberían disponer un lanzador bietapa derivado del misil *Thor*, suplementado con una segunda etapa *Able* (foto 6), que enviaría a la Luna las sondas *Pioneer* fabricadas por el *Jet Propulsion Laboratory* (JPL) de Pasadena (California). Estas sondas (figura 8) estaban diseñadas para llegar a la Luna a muy baja velocidad, de forma que pudie-

---

civil (la futura NASA) para aunar esfuerzos y abaratar costos en la carrera espacial y que el empeño de los militares de los Estados Unidos por adelantar a sus rivales soviéticos enviando una sonda a la Luna antes que ellos, tuvo como móvil mostrarle al Presidente la fiabilidad de sus cohetes y evitar que una parte del presupuesto de Defensa pasara a manos civiles.

[79] Advanced Research Project Agency. Este organismo autorizó también al Ejército a lanzar otras dos sondas a la Luna.

Foto 6.
El lanzador *Thor-Able*.
Thor:
Longitud total, 27 m.
Diámetro, 2,44 m.
Masa, 51,6 Tm.
Capacidad, 120 Kg.
Motor, LR79-7.
Ergoles, LOx + queroseno.
Empuje, 77 Tm-f.
Duración, 165 s.

Able:
Motor, AJ-10.
Ergoles, hidracina + NO_3H.
Empuje, 3,5 Tm-f.
Duración, 270 s.

ran orientar sus instrumentos para analizar la superficie durante el tiempo de caída. Para ello iban provistas de un motor de frenado[80] y ocho motores pequeños de orientación (motores vernier), todos ellos de propergol sólido.

El día 14 de agosto, el Comandante General del Centro de Pruebas de Proyectiles de la USAF, Donald Yates (1909-1993), se dirigía a la Prensa internacional explicando que el lanzamiento se efectuaría el domingo día 17, a las 11:14 Tiempo Universal (T. U.), momento favorable porque Cabo Cañaveral y la Luna estarían en el plano de la eclíptica. Sería un

---

[80] Cualquier sonda que se aproxima a un planeta resulta acelerada por el campo gravitatorio del mismo, de modo que, sin frenado, su velocidad mínima de impacto es igual a la de caída libre (2,37 Km/s para la Luna).

Figura 8. La sonda *Pioneer*-1.
Altura, 78 cm • Diámetro, 74 cm • Masa, 38 Kg
Masa carga útil, 17,8 Kg • Motor, propergol sólido
Motores vernier, 8 • Masa propergol, 11 Kg
Estabilización, rotación
Instrumentos: Cámara de TV en IR • Termómetro
Magnetómetro • Detector de micrometeoritos.

vuelo balístico, es decir, sin posibilidad de corrección, cuya ventana para el despegue duraría 18 minutos, transcurridos los cuales el vuelo ya no podría
ser aplazado, sino 23 horas.

Aquella prometedora madrugada de verano,
una muchedumbre deseosa de emoción abarrotaba la
explanada de Cabo Cañaveral, dispuesta a vivir el
día histórico en que el Hombre alcanzaría la Luna.
El lanzador *Thor*, con la segunda etapa *Able* adosada, que llevaba en la ojiva la sonda *Pioneer*-1, se
erguía en la rampa de lanzamiento entre escapes de
vapor. La cuenta atrás proseguía sin contratiempos y

cuando los asistentes vieron que se retiraba el brazo de la torre nodriza, quedaron en un silencio sepulcral. En seguida, a la cuenta T-5, de las toberas del *Thor* emanó una brillante llamarada rojiza y un instante después la megafonía anunció:

–Ignición, hay ignición[81].

La excitación nerviosa se hizo abrumadora cuando se difundían las últimas cuentas:

–Cuatro... tres... dos... uno. ¡Despegue, hay despegue![82]

Exhalando un poderoso zumbido, el vehículo se elevó entre borbotones blancos de vapor de agua y exhaustaciones obscuras de gases quemados, y raudamente desapareció de la vista de los asistentes. Todos ellos se felicitaban henchidos de orgullo por la experiencia vivida, cuando de repente, a los 77 segundos del despegue, un relámpago deslumbrante seguido de un trueno de resonancia fatal truncó la alegría general. El *Thor* había estallado y momentos después sus fragmentos caían al mar.

Los dos siguientes intentos, *Pioneer* 1[83] en Octubre y *Pioneer* 2 en noviembre de ese año, tuvieron también un aciago desenlace al resultar el lanzador incapaz de alcanzar la velocidad para abandonar la Tierra y caer sobre la atmósfera con su bien diseñada carga útil. En diciembre probó suerte el Ejército de Tierra con su lanzador *Juno* y la sonda *Pioneer* 3, pero un fallo del guiado del lanzador lo hizo fracasar.

---

81 *Ignition, we have ignition.*

82 *Four... three... two... one! Liftoff, we have liftoff!*

83 Al fallar el lanzamiento de la sonda *Pioneer* 1, se le cambió el nombre por el de *Pioneer* 0 en un intento sutil de ocultar el fracaso.

El Proyecto *Lunik* para demostrar
la puntería de los cohetes soviéticos

La respuesta de los soviéticos al desdén con que se acogieron sus éxitos en Occidente fue muy meditada. ¿Cómo mostrar la fiabilidad de su hoy lanzador, mañana misil, R-7? Busquemos un blanco difícil: la Luna, como ya sabemos. Es relativamente pequeña (abarca medio grado vista desde la Tierra), está a 384.400 Km (treinta veces más lejos que América) y en movimiento (a 1 Km/s). Ahora hacía falta la colaboración de la Academia de Ciencias para que el proyecto tuviera la doble faz de misión pacífica para realizar medidas de partículas y campos en la Luna, dentro del AGI, y disuasoria para mostrar a los colegas estadounidenses la precisión balística del cohete R-7. El 20 de marzo de 1958 el *Politburó* emitió el decreto de aprobación del envío de una sonda a la Luna con un lanzador tri-etapa, el cohete *Vostok* (Oriente), basado en el misil R-7. Korolev, Keldysh y Tijonravov fueron encargados de llevarlo a cabo.

Siguiendo esta directiva emanada del *Politburó*, en la segunda mitad de 1958 la Unión Soviética estaba lista para intervenir en el asalto a la Luna y conservar su puesto a la cabeza de la carrera espacial. Como ya conoce el lector, el misil balístico intercontinental (ICBM[84]) soviético R-7 denominado *Semyorka*, era capaz de transportar una bomba de hidrógeno de 5,5 Tm de peso y 3 megatones de potencia destructiva, a 8.000 Km mediante vuelo suborbital. Pero si se lo utilizaba en vuelo vertical para lanzamiento de satélites, el R-7, podía poner en órbita terrestre de baja altura (200 Km) una car-

---

[84] *Inter-Continental Ballistic Missile* en la terminología anglo-sajona.

ga útil de solo 1,5 Tm, de modo que no era capaz por sí mismo de enviar una sonda a la Luna. Por tanto, la carga útil debería comprender un segundo vehículo que impartiera a la sonda el defecto de velocidad (3,3 Km/s) necesario para adquirir la velocidad de escape de la Tierra y viajar en una trayectoria hiperbólica hasta hacer blanco en la Luna.

Korolev encargó el diseño de este cohete (la tercera etapa del lanzador R-7) al ingeniero aeronáutico Semyon Kosberg (1903-1965), Jefe del OKB 154, quien utilizó como prototipo los motores vernier que montaba la primera etapa del cohete *Vostok* para diseñar dicha tercera fase, que recibió el indicativo RO-5 (figura 9). El conjunto no estaba completamente ensayado en agosto, pues esta tercera etapa situada en el extremo del cohete *Vostok* comprometía su equilibrio mecánico

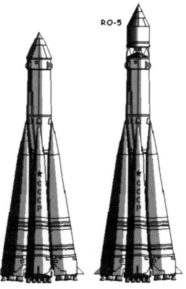

Figura 9.
El cohete lanza *Lunik*.
Altura total, 33m.
Masa, 280 Tm.

Tercera etapa:
RO-5.
Longitud, 2,84 m.
Diámetro, 2,56 m.
Masa, 1,47 Tm.
Motor, Kosberg.
Ergoles, LOx +
    queroseno.
Empuje, 5 Tm-f.
Duración, 440 s.

105

general, cuando los dirigentes políticos, que habían tenido noticia del inminente lanzamiento de una sonda estadounidense a la Luna (la *Pioneer*-1), les apremiaron para que se les adelantaran.

Trabajando a marchas forzadas, Korolev y su equipo propusieron como fecha de lanzamiento de la sonda *Lunik* 1 (figura 10) el 18 de agosto, un día después que el norteamericano. Por suerte para ellos[85], el fracaso de sus rivales capitalistas les dio un respiro

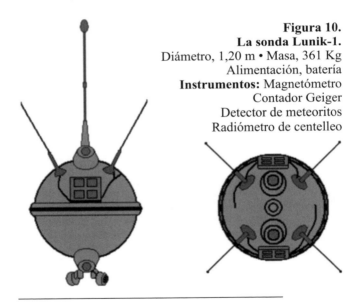

**Figura 10.
La sonda Lunik-1.**
Diámetro, 1,20 m • Masa, 361 Kg
Alimentación, batería
Instrumentos: Magnetómetro
Contador Geiger
Detector de meteoritos
Radiómetro de centelleo

---

85 El instrumental científico que portaban las sondas *Pioneer*, construidas por el JPL, era mucho más elaborado que los cuatro instrumentos sencillos de la *Lunik* 1. De haber tenido éxito el lanzamiento americano, los soviéticos se hubieran visto enfrentados a la desagradable coyuntura de enviar una sonda a medir lo que ya estaba medido anteriormente y con instrumentación muy superior.

para que pospusieran el suyo un mes. El lanzamiento sería el 23 de septiembre. Pero llegada la fecha, la desgracia hija de las prisas también afligió a los soviéticos, pues inmediatamente después de efectuarse el despegue del *Vostok*, se detectaron vibraciones por resonancia en los cuatro cohetes laterales, con el resultado de que el lanzador estalló a los 92 segundos del despegue. Como el lanzamiento se había mantenido en secreto y sin testigos, no hubo que dar explicaciones a nadie.

LUNIK-I, CUASI IMPACTO EN LA LUNA

La carrera a la Luna iba a ser mucho más dificultosa de lo que habían imaginado los especialistas de uno y otro bando contendientes. La URSS efectuaría otros dos disparos infructuosos, denominados engañosamente *Lunik*-1, el 11 de octubre y el 4 de diciembre, y los Estados Unidos otros tres, *Pioneer* 1, *Pioneer* 2 y *Pioneer* 3, de los que ya hemos dado cuenta. La pugna era tan disputada que se dio la coincidencia de fechas en los lanzamientos de los segundos *Lunik* 1 y *Pioneer* 1. En la tabla final de este capítulo hemos resumido todos estos lanzamientos a la Luna con sus resultados.

El primer éxito parcial correspondió a los soviéticos con la cuarta sonda *Lunik* 1, lanzada el viernes 2 de enero de 1959. Por mala suerte, aunque esta vez el *Vostok* colocó la tercera etapa en órbita terrestre de 200 Km, falló el sistema de orientación. Así, cuando se encendió el motor del vehículo lunar RO-5 para acelerar la sonda a la velocidad de escape de la Tierra (11,18 Km/s), la orientación era ligeramente errónea. No obstante, al alcanzar dicha velocidad la sonda *Lunik*-1 se separó de la tercera etapa[86] para proseguir el vuelo parabólico de forma autónoma y con la capacidad de reorientarse para utilizar sus instrumentos científicos.

Solo entonces, después de que la sonda se separara de la tercera etapa del lanzador, rumbo a la Luna, hizo público la URSS el lanzamiento, facilitando las frecuencias del transmisor (183,6 MHz y 20 MHz) para que pudiera ser rastreado en Occidente por los radiotelescopios de Jodrell Bank (Inglaterra) y del *Jet Propulsion Laboratory* (JPL), en Barstow (California), e incluso por los radioaficionados.

Sin embargo, un cúmulo de circunstancias desafortunadas daría al traste con la detección del *Lunik*-1 en Occidente. En primer lugar la Luna, en la fase Cuarto Menguante, tanto por su cercanía al Sol como su declinación austral (12° S), dejaba muy pocas horas de visibilidad desde la salida de la sonda tras el horizonte, hasta que el orto solar impedía con su ruido de fondo la recepción de las débiles señales. Y en segundo lugar, la frecuencia de 183,6 MHz resultaba demasiado próxima a una banda de TV, por lo que el equipo de los radioaficionados no la cubría. Y en la frecuencia de 20 MHz, las antenas (tipo yagi) de los aficionados operaban mediante reflexión en la ionosfera, por lo que estos carecían de práctica en recibir el haz directo de un transmisor situado más allá de dicha capa atmosférica. Por si fuera poca traba, el comunicado soviético llegó en fin de semana, cuando muchos aficionados estaban ausentes.

Ni siquiera el gran radiotelescopio de Jodrell Bank (76 m) detectó la presencia de la sonda soviética en la vecindad de la Luna en la noche del 3 al 4 de enero. Su director, Bernard Lovell (más tarde Sir)

---

[86] Esta tercera etapa también continuaría su viaje hacia la Luna, aunque sin intención de tocarla.

emitió un informe prudente en el que tras comunicar la ausencia de emisiones en la frecuencia de 183,6 MHz, lo atribuía a que el transmisor de la *Lunik* no emitía continuamente, sino a intervalos, no dudando de la existencia de la sonda. Sin embargo, la opinión más común es que la falta de personal de mantenimiento debida al fin de semana pudo ser causa de que el receptor no dispusiera del convertidor de frecuencia adecuado.

Tampoco el radiotelescopio de 26 m de Barstow captó las señales de la *Lunik*-1 la primera vez que tuvo visibilidad de esta sonda. Su equipo receptor, configurado con excesiva premura y bajo las condiciones de fin de semana, mostró síntomas inequívocos de insuficiencia, por lo que su director, William H. Pickering (1910-2004), decidió suspender la búsqueda 24 horas para acondicionar el equipo receptor y aumentar su sensibilidad en la frecuencia de 186,3 MHz, antes de continuar el radio-rastreo durante el siguiente intervalo de visibilidad.

No obstante, este fallo en la detección de las señales de la *Lunik*-1 suscitó ciertos recelos entre los círculos competentes de Occidente acerca de la exactitud del vuelo de la sonda. En particular, el escritor estadounidense Lloyd Mallan[87] se sirvió del fallo en la detección por radio para incluso negar la autenti-

---

[87] Los partidarios de la "Hipótesis de la Conspiración", es decir, quienes actualmente dudan o niegan terminantemente la autenticidad de los desembarcos en la Luna de las expediciones *Apollo*, atribuyendo las fotografías y demás pruebas existentes a una maniobra de falsificación por parte del Gobierno de los Estados Unidos, tienen su precursor en la persona de Lloyd Mallan. En su obstinación por negar los éxitos de la Unión Soviética, Mallan no solo lo impugnó en un libro (ver nota siguiente), sino que llegó a

cidad de la existencia de la sonda, en un libro titulado *La Gran Mentira Roja*[88].

El día 3, cuando su distancia a la Tierra era de 113.000 Km, la sonda *Lunik*-1 expulsó una nube de sodio gaseoso que dejó un trazo brillante de color anaranjado, visible[89] para todos los "escépticos", aunque solamente desde el Océano Índico. Aunque a los científicos les sirvió para estudiar el comportamiento expansivo de un gas en el vacío, a los escépticos como Lloyd Mallan no les hizo cambiar de opinión y retractarse.

El 4 de enero, tras 34 horas de vuelo y por causa del fallo en la orientación que ya conocemos, la sonda pasó a 6.000 Km del centro de la Luna (o sea, a 4.200 Km de la superficie), quedando prisionera del campo gravitatorio solar, como planetoide artificial situado entre las órbitas de la Tierra y Marte (figura 11), que orbita al Sol con un periodo de 450 días. Se convirtió así en el primer ingenio en escapar de la Tierra y orbitar el Sol.

---

testificar ante el Congreso de los Estados Unidos que la sonda *Lunik* no existía y que la noticia difundida por los soviéticos era una falsedad encaminada a colocar a la investigación espacial del bloque comunista en un puesto de prestigio frente a Occidente. Curiosamente, a este escéptico y empecinado autor, cuyo axioma era "no creer nada de lo que digan los rusos", debemos la introducción en la literatura del personaje Murphy, fundador de la Ley fatalista que lleva su nombre, en un libro titulado *Men, Rockets and Space Rats* (Hombres, cohetes y ratas espaciales) publicado en 1955 por la editorial New York Press.

[88] *The Big Red Lie*, publicado en 1959 por Fawcett Publications.

[89] La pequeña cantidad de sodio expulsada (1 Kg) fue la causa de que esta nube, o cometa artificial como se la denominó, fuera difícilmente visible a simple vista por su escaso brillo (6ª magnitud).

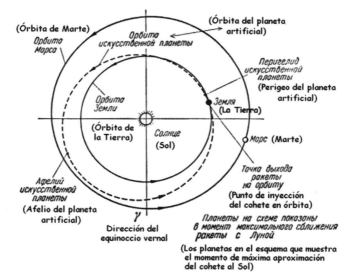

Figura 11.
Esquema ruso de la órbita final de la sonda *Lunik* 1.
Al fallar el blanco, esta sonda que viajaba a la
velocidad de escape de la Tierra se convirtió
en el primer planetoide artificial.

Solo entonces, después de una gran reconfiguración del equipo receptor para mejorar su sensibilidad[90], consiguieron los radioastrónomos de
Barstow recibir la débil emisión de la sonda, cuando esta ya había rebasado la órbita lunar y se ha-

---

[90] En su informe sobre la detección de las señales de la *Lunik*-1,
Pickering explicó que, en virtud de la reconfiguración efectuada,
la sensibilidad del radiotelescopio se había mejorado tanto que

llaba a más de 400.000 Km de la Tierra[91]. La autenticidad de la *Lunik*-1 quedaba demostrada ante los occidentales.

En los citados círculos competentes occidentales se intentó restar importancia al asunto afirmando que se trataba de un fallo en acertar en el blanco, pero el académico Anatoli Blagonravov (1895-1975) trató de desmentir que fuera cierta tal pretensión, con ocasión de publicar los resultados de las medias de densidades de radiación analizadas por la sonda, con las que demostraba que para un ser humano, los cinturones de van Allen no suponen un riesgo tan grave como se había creído[92].

Quienes criticaron la falta de precisión del lanzamiento balístico soviético hubieron de morderse los labios cuando dos meses más tarde la sonda *Pioneer* 4 (foto 7), la última de la Operación *MONA*,

---

permitió a su instrumento con plato de 26 m, recibir las mismas débiles señales que debería haber captado el gran plato de 76 m de Jodrell Bank y cuyo fallo suscitó la sospecha en Occidente.

[91] No podemos dejar sin mencionar el loable interés que mostraron los técnicos y directivos de este radio-observatorio en la recepción de las débiles señales de la entonces ya lejana *Lunik*-1. Como quiera que no hubo tiempo para instalar convenientemente el control del nuevo amplificador paramétrico de bajo ruido en la sala de control del radiotelescopio, se optó por montarlo provisionalmente junto con el receptor en la "Caja entre las Ruedas" (*Wheelhouse*) situada inmediatamente detrás del plato y solidaria con él. Por esta causa, los operadores de radio debieron trabajar encaramados en dicha caja que quedaba inclinada hacia la Luna y efectuar manualmente el trabajo de apuntamiento en coordinación telefónica con los controladores del servomecanismo que orientaba la antena, situado en el edificio central.

[92] Blagonravov acabó su informe de resultados con un orgulloso "… cuando queramos dar en la Luna, eso será lo que hagamos".

Foto 7.
La sonda *Pioneer*-4.
Altura, 51 cm.
Diámetro, 23 cm.
Masa, 6 Kg.

Instrumentos:
Contadores Geiger-Müller
Sensor fotoeléctrico
sensibilidad, 32.000 Km.

Esta sonda cónica llevaba
pintadas bandas brillantes
en el fuselaje para radiar
calor y mantener la
temperatura estable.

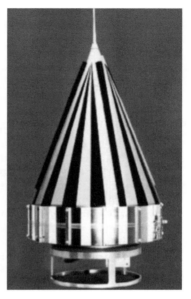

lanzada mediante el cohete *Juno*-2, pasó a 60.000 Km del centro de la Luna y se convertía en el segundo planeta artificial del Sol[93]. Pero como la sensibilidad de sus detectores solo alcanzaba hasta 32.000 Km de distancia, no consiguió activarlos para analizar el entorno lunar.

---

[93] Existen razones para creer que el empeño en aquella época de los estamentos militares estadounidense y soviético en alcanzar la Luna por impacto directo de una sonda tenía como finalidad mostrar al mundo la superioridad tecnológica propia mediante un despropósito de primera magnitud: detonar una bomba nuclear "inocuamente" en la superficie lunar, una vez se dominara la técnica del vuelo interplanetario.

Lunik-2 ¡Blanco en la Luna

El éxito total vino para la URSS en septiembre de ese año con la segunda (la primera había fracasado en junio) sonda *Lunik*-2 (foto 8). Siguiendo las directivas aprobadas por el *Politburó* en marzo del año anterior, el quinto lanzamiento estaba listo en septiembre de 1959, con la sonda denominada *Lunik*-2 instalada en la tercera etapa del cohete *Vostok*, a pesar de que la inclinación que ofrecía entonces el plano de la órbita lunar con respecto al del ecuador terrestre (19°) no era muy favorable[94].

En efecto, al ser la Latitud geográfica del complejo de lanzamiento (Baikonur) de 46° N, el impulso aplicado a una sonda lunar por la rotación terrestre es tanto mayor cuanto más austral es la declinación de la Luna. Por esta razón, la energía necesaria para tal viaje es mínima cuando la inclinación del plano lunar ronda los 28°. Empero, como ello no tendría lugar hasta diez años después, los directores del Programa Espacial soviético optaron por no retrasar las pruebas y el 12 de septiembre un lanzador R-7 puso en órbita terrestre a la sonda *Lunik*-2, gemela de la *Lunik*-1.

Mientras circunvolaba nuestro planeta, desde el Centro de Computación cerca de Moscú se verificaba sus parámetros por medio de la red de estaciones de rastreo, sobre todo el vector velocidad (es decir, no solo el valor de la velocidad con que se movía, sino también la dirección en que se efectuaba ese movimiento). En el instante calculado se transmitió la orden de encender el motor de la tercera fase, que debía

---

[94] La inclinación del plano de la órbita lunar, con respecto al del ecuador terrestre oscila entre ±18° 35' y ±28° 35', con un periodo de 18,6 años.

Foto 8. La sonda *Lunik*-2.
Llamada también *Mechta*, (Sueño), se estrellaría contra la
superficie lunar a más de 3 Km/s portando el escudo de armas
de la URSS, forjado en acero para resistir el impacto, con una
placa que indicaba la procedencia y la fecha de llegada:
СССР СЕНТЯБРЪ 1959 • (URSS SEPTIEMBRE 1959).

comunicar a los 390 Kg de la sonda los 3,4 Km/s de
velocidad necesarios para escapar de la atracción terrestre en vuelo hiperbólico. Horas más tarde, tras
comprobar que la trayectoria translunar era la adecuada, los soviéticos comunicaron al mundo la noticia del
viaje, adjuntando datos para rastrear la sonda.

Después de un vuelo impecable de 35 horas, rastreado desde Jodrell Bank, lo que disipó la reticente incredulidad de los expertos de Occidente, el lunes 14, a las 21:02:24 TU (¡48 segundos! más tarde de la hora anunciada), la nave hizo blanco a 3,3 Km/s en un punto de la superficie lunar situado 900 Km al Norte del centro de la cara lunar visible[95], en el Mar de las Lluvias, entre el circo Arquímedes[96] y el cráter Autólico[97], convirtiéndose en el primer objeto hecho por el Hombre que alcanzó otro astro. Como resultado de las medidas efectuadas durante el vuelo de aproximación, se averiguó que la Luna carece de campo magnético[98] y de cinturones de radiación. El prestigio ganado internacionalmente por la URSS fue incalculable[99], pues sus contrincantes estadounidenses tardarían más de cuatro años en conseguir otro tanto.

Examinemos superficialmente la proeza de acertar con un disparo balístico, es decir con un vuelo no guiado, a la Luna. Como el movimiento medio

---

[95] Las coordenadas selenográficas son latitud 29° 10° N y longitud (aproximada) 0° 0'.

[96] Circo lunar situado en el *Palus Putredinis* (Pantano de la Putrefacción), dedicado a la memoria del célebre físico siracusano (287-212 a. d. JC.) descubridor de la "Ley de la Palanca". Mide 83 Km de diámetro y 2.150 m de profundidad. Presenta las paredes aterrazadas y el suelo inundado por lava basáltica.

[97] Cráter lunar bautizado en memoria del astrónomo griego Autólico de Pitane (h. 330 a.C.). Mide 39 Km de diámetro y 3.430 m de profundidad.

[98] Lo que realmente se midió es que si la Luna tenía campo magnético, sería inferior a 10 gammas, que era la sensibilidad del magnetómetro.

[99] Para los militares estadounidenses aquella hazaña tenía una segunda lectura: la precisión que mostraron los cohetes soviéticos al hacer diana en la Luna, era suficiente para permitirles alcanzar

de este astro es de aproximadamente 1 Km/s y su diámetro es de 3.476 Km/h, resulta que su velocidad viene a ser de un diámetro por hora (0,5 grados por hora). Por tanto, es preciso que la trayectoria no se desvíe más de la mitad del tamaño del blanco, o sea un arco de 15 minutos.

Ahora, como por otra parte la distancia media que separa la Luna de la Tierra es de 384.400 Km, o sea, 110 veces su diámetro, el tiempo de vuelo parabólico es de 45 horas, aunque se puede acortar siguiendo una trayectoria hiperbólica. He aquí el problema: acertar con un proyectil disparado desde una rampa también móvil, en un blanco que abarca 0,5 grados, que está situado a 45 horas de distancia y que cambia completamente de lugar cada hora.

En su famosa novela, Julio Verne lo resolvió apuntando el cañón *Columbiad* 22,5 grados por delante (al Este) de la Luna. Pero aun así, es preciso ajustar la velocidad de salida de modo que el proyectil no llegue más de un cuarto hora antes o después de la cita, para que la Luna se encuentre delante a la llegada. Y aunque 15 minutos en 45 horas representa solo un 5% de puntualidad, las leyes de la mecánica celeste que rigen el vuelo exigen que la velocidad se adquiera dentro del margen de exactitud del uno por mil, o sea ¡±10 m/s!

En efecto, en la tabla adjunta indicamos la influencia de la velocidad sobre el tiempo que invierte un vehículo interplanetario en llegar a la Luna partiendo de la órbita circular terrestre. En ella se observa como una exigua variación de ±50 m/s repercute en varias horas de viaje. Resumiendo, un

---

cualquier punto del territorio norteamericano portando una carga termonuclear en la ojiva, pues la URRS había detonado su primera bomba de hidrógeno (de 1,6 Mt) el 22 de Noviembre de 1955.

vuelo directo a la Luna, como el que intentó la sonda *Lunik*-1 era toda una proeza.

**INFLUENCIA DE LA VELOCIDAD
EN EL TIEMPO DE VUELO**

Velocidad (Km/s)	Tiempo (h)	Trayectoria
11,18	45	Parabólica
11,23	39	Hiperbólica
11,28	36	,,
11,33	33	,,
11,38	31	,,
11,43	29	,,

LA NAVE CÓSMICA *LUNIK*-3 FOTOGRAFÍA LA CARA OCULTA DE LA LUNA

Pero si el logro anterior parecía importante a los ojos del mundo civil, lo era mucho más a los ojos del estamento militar occidental, porque echaba por tierra la hipótesis de las "armas no rentables", concediendo una ventaja armamentística a los soviéticos inadmisible para Occidente. No obstante, la gran batalla digna de ser celebrada aquí es la que habían ganado los científicos soviéticos a sus dirigentes, consiguiendo la puesta en marcha de un proyecto para fotografiar la cara oculta de la Luna.

Para esta misión de relieve especial se había construido una sonda diferente de las anteriores, que popularmente se llamaría *Lunik*-3[100] (foto 9), equipada

---

[100] Llamada también MAS, siglas de *Medplanetnaya Avtomaticheskaya Stansiya* (Estación Automática Interplanetaria).

con dos cámaras fotográficas de 200 y 500 mm de distancia focal, un laboratorio de revelado automático de fotografías y un transmisor de televisión para transmitirlas a la Tierra. Además, la sonda debería ser capaz de maniobrar automáticamente cuando al sobrevolar la cara oculta de la Luna perdiera el contacto por radio con el centro de control de la Tierra.

La dificultad del vuelo estribaba precisamente en que la *Lunik*-3 debía sobrevolar dicha cara oculta sin estrellarse contra la Luna ni pasar de largo, para lo que debería viajar por la trayectoria de Hohmann. No obstante, dicha trayectoria presenta una gran dificultad: la velocidad elíptica es solamente un 1% menor que la velocidad de escape de la Tierra, por lo que un ligero exceso en la velocidad de partida daría al traste con el objetivo enviando un segundo ingenio a órbita solar. Los soviéticos habían estudiado la trayectoria cuidadosamente y hallado la solución: partiendo de una órbita de aparcamiento inclinada 65° con respecto al ecuador terrestre, el vehículo

Foto 9.
La sonda *Lunik*-3.
Altura, 1,30 m.
Diámetro máx., 1,20 m.
Masa, 280 Kg.
Estabilización,
giroscopios
sensores fotoeléctricos
motores de gas.
Otros equipos, sensor
de micrometeoritos.

navegaría siguiendo una trayectoria elíptica, no hacia la órbita lunar, sino hacia el punto de libración[101] donde lo capturaría la gravedad lunar. Si la Luna no estuviera presente en el punto de encuentro, la órbita del *Lunik*-3 sería una elipse muy excéntrica (500.000 x 200 Km, aprox.) y el vehículo regresaría a la Tierra por el hemisferio Sur. Pero la presencia de nuestro satélite, con una declinación de 17° S, alteraría tal equilibrio, acelerando la sonda y aumentando con ello la excentricidad de la elipse, de modo que aquélla se le acercaría por el Polo Sur hasta 7.900 Km, en cuyo momento la gravedad lunar sería 25 veces mayor que la terrestre. Seguidamente sobrevolaría la cara oculta de la Luna y regresaría hacia la Tierra por el Norte.

El lanzamiento tuvo lugar el 4 de octubre sin apuros, pero con algún susto originado por la elevación de la temperatura. A su debido tiempo se radió la orden de encender el motor de la tercera etapa y el vehículo emprendió el camino elíptico de la gloria y la fama, estabilizado por rotación. Dos días más tarde llegaba al punto de libración siendo capturado por la gravedad lunar y al día siguiente pasaba a 6.200 Km sobre el polo Sur lunar, rumbo hacia el Norte.

Horas después, cuando pasaba entre la Luna y el Sol, a 60.000 Km de la Luna, los fotosensores de la Estación Interplanetaria detectaron la presencia de ambos astros, uno por cada lado y la nave dejó de girar, estabilizándose con el Sol (figura 12). Cuando se hallaba entre 60.000 y 70.000 Km de la Luna, la cámara fotográfica con objetivo de 200 mm f/5,6 buscaba la Luna (sin confundirla con la Tierra) y comenzaba a retratar ¡la cara oculta! Poco después,

---

[101] Llamado también Punto 1 de Lagrange, es aquél en el que se equilibran las atracciones gravitatorias de la Tierra y de la Luna. Como la relación entre las masas de ambas es 81, este punto debería hallarse 9 veces ($\sqrt{81}$) más lejos de la Tierra que de la Luna, o sea

la segunda cámara con objetivo de 500 mm f/9,5 hacía lo propio. La secuencia fotográfica duró 40 minutos y en ella se tomaron 29 fotografías que cubrían el 70% de la cara oculta (foto 10).

Mientras, el tirón gravitatorio lunar curvaba la trayectoria hacia el Norte devolviendo el ingenio a la Tierra por encima del plano eclíptico, ya que su velocidad era mayor que la de escape de la Luna. Cuando la distancia era de 470.000 Km, se radió la orden de comenzar a televisar las fotografías tomadas, que ya habían sido reveladas automáticamente a

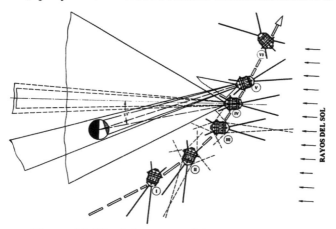

Figura 12. Maniobra automática de orientación para encuadrar la Luna.

I.- Orientación de crucero.

II.- Detección del Sol y de la Luna.

III.- Rotación guiada por los sensores de Sol y de Luna.

IV.- El gran angular (200 mm) encuadra la Luna.

V.- Giro para encuadrar con teleobjetivo de 500 mm.

VI.- Giro para orientar las antenas a la Tierra.

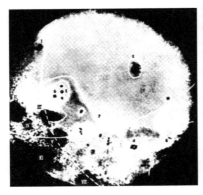

Foto 10. Primera foto de la cara oculta de la Luna.
Pese a que el contraste que mostraba la Luna era pobre porque estaba en la fase llena para la sonda, 10 de las 29 fotografías mostraban suficientes detalles para levantar el mapa de la cara nunca vista por el Hombre.

bordo. Con esta ingeniosa maniobra los soviéticos lograban que durante el retorno la sonda fuera visible desde el hemisferio Norte de la Tierra, donde está enclavada su red de Estaciones Espaciales.

Antes de que concluyera el año, la Academia de Ciencias de la URSS publicó el Mapa de la Cara Oculta de la Luna[102], con los detalles que mostraron dichas fotografías. En él figuraba una nueva toponimia bastante ecléctica, pues junto a nombres de circos como Tsiolkovski, Lomonosov, Mendeleev, Lobachevski, Kurchatov y otros, figuraban así mismo los de Pasteur, Joliot-Curie, Verne, Maxwell y Tsu-Chung-chi. Un examen inmediato de las fotos revelaba que el hemisferio oculto posee únicamente un mar, el Moscoviensis y solo unos pocos circos inundados por el magma.

---

a 345.600 Km del centro de la Tierra y solo 38.400 del de la Luna. Sin embargo, como la Luna está en movimiento alrededor de la Tierra, un cuerpo abandonado a esa distancia de la Luna se vería sometido a la aceleración centrífuga de la órbita y acabaría por caer sobre ella. Por tanto, al tener en cuenta tal aceleración, dicho punto de libración resulta estar a una distancia media de 327.000 Km del centro de la Tierra y a 57.000 del de la Luna.

TABLA CRONOLÓGICA

LANZAMIENTOS DE SONDAS LUNARES
DE LOS EE. UU. Y LA URRS

Sonda	Fecha de lanzamiento	Resultados
Pioneer-0	17 AGO 1958	Fallo de la etapa Able a la cuenta T+77 segundos.
Lunik-1	23 SEP 1958	Fallo por vibraciones a la cuenta a T+92 segundos.
Lunik-1	11 OCT 1958	Fallo por vibraciones a la cuenta T+104.
Pioneer-1	11 OCT 1958	Fallo de guiado y apagado prematuro del Able.
Pioneer-2	8 NOV 1958	Fallo al no encenderse la etapa Able.
Lunik-1	4 DIC 1958	Fallo de la bomba de lubricación a T+245.
Pioneer-3	6 DIC 1958	Fallo de guiado del lanzador Juno (Ejército de Tierra).
Lunik-1	2 ENE 1959	Éxito parcial. Pasó a 6.000 Km del centro de la Luna.
Pioneer-4	3 MAR 1959	Fallo. Pasó a 60.000 Km de la Luna. No se activó.
Lunik-2	18 JUN 1959	Fallo de guiado a la cuenta T+153.
Lunik-2	12 SEP 1959	Éxito. Impacto en la Luna.
Lunik-3	4 OCT 1959	Éxito. Fotografía de la cara oculta de la Luna.

---

102 *Pervye Fotografii Storony Luny* (Primeras fotografías de la cara oculta de la Luna). Este mapa mostraba 120 grados de la cara oculta, ya que incluía 60 grados de la cara visible que también había fotografiado la Lunik-3 y que sirvieron de plantilla a los cartógrafos para situar los rasgos desconocidos.

6

La invasión del espacio. Máxima ventaja de la URSS

El alcance y la precisión de vuelo del lanzador intercontinental R-7, demostrada por el impacto en la Luna del *Lunik*-2 y el posterior vuelo sobre la cara oculta del *Lunik*-3, creó una enorme inquietud en el Alto Mando militar estadounidense, que se veía inerme en el caso de un ataque devastador por sorpresa de los soviéticos. A finales de los cincuenta, el Secretario de Defensa Neil McElroy había obtenido permiso del Presidente Eisenhower[103] para que los aviones espía U-2 sobrevolaran la Unión Soviética,

---

[103] La reluctancia de Eisenhower a aprobar vuelos de reconocimiento que violaran el espacio aéreo soviético, para no comprometer la Cumbre de París que iba a celebrarse el 14 de Mayo de 1960, había llevado previamente a la cúpula militar USA a fraguar el delirante plan de tratar que otro país, el Reino Unido, los aprobara, facilitándoles los medios (el avión espía U-2). No obstante, el Gobierno Británico había alegado las mismas razones que Eisenhower para rechazar el plan.

con el objetivo de descubrir el emplazamiento de los puntos de lanzamiento de los mortíferos artefactos[104]. Siguiendo esta directiva, estos aviones invadían el espacio aéreo soviético a 21.000 m de altura, una cota que los ponía fuera del alcance de los medios de intercepción soviéticos, entrando por la frontera con Turquía, o con Pakistán y saliendo por el Báltico, hacia Noruega.

Para no comprometer a su Gobierno, los pilotos de los aviones espía habían aceptado el riesgo de no volar con uniforme y el compromiso de accionar el dispositivo de autodestrucción de su avión, en el caso tenido por improbable de resultar abatidos. Además, para eludir el juicio sumarísimo, los interrogatorios y, eventualmente, el cautiverio perpetuo en tal "hipotético" caso, se les había provisto de una aguja hipodérmica envenenada con saxitoxina, oculta en un dólar de plata, capaz de causar la muerte instantáneamente[105], cuya utilización era voluntaria (aunque deseable por la razón apuntada en la nota 103).

---

104 Los aviones de reconocimiento U-2 estadounidenses volaban sobre territorio soviético siguiendo el tendido de las vías férreas, para localizar los puntos de lanzamiento de cohetes, sabedores de que el misil R-7 se transportaba a su destino por ferrocarril.

105 Esta aguja hipodérmica había sustituido a una pastilla de cianuro que se facilitaba anteriormente a los pilotos, pero la equivocación que había sufrido dos años antes uno de ellos (curiosamente llamado Carmen Vito), cuando se la puso en la boca confundiéndola con una píldora suavizadora de la garganta, hubiera podido ser fatal de no haberlo advertido a tiempo y ello obligó al cambio de método.

El incidente del U-2

En 1960 los soviéticos carecían de equipamiento militar (ni aviones interceptores, ni cohetes) capaz de elevarse a la altura a que volaban los aviones espía U-2. Podemos imaginar la frustración del Primer Ministro Krushchev cada vez que recibía a la hora del desayuno el informe de intrusión de un avión espía sobre territorio soviético, sabiendo que no podía protestar en el foro internacional, porque hubiera sido el reconocimiento implícito de su inferioridad tecnológica, al no contar con medio alguno de intercepción.

–¿Por qué no lo derribáis?
–Porque no tenemos nada capaz de hacerlo.
–¿Y a qué altura dices que vuela?
–A 21.000 m, camarada Primer Ministro.
–¿Y qué creéis que puede ver de la Unión Soviética a esa altura? Nada, es solo una provocación, pero no preocupante.

Con todo, el tendón de Aquiles del avión U-2 eran las enormes alas (31,4 m de envergadura) de que estaba dotado, a fin de que pudiera planear a alta cota y sobrevolar inadvertido sus objetivos para fotografiarlos con sus cámaras especiales, pues dichas alas no le permitían someterse a grandes aceleraciones. Por esta causa debía reducir su altitud mucho antes de iniciar el regreso, circunstancia que percibieron los soviéticos y aprovecharon para derribar uno (el vuelo número cuadragésimo cuarto) sobre Sverdlovsk, el 1 de Mayo de 1960, haciendo estallar un misil V-75 *Dvina* debajo del U-2, de modo que la onda expansiva lo alcanzara cuando había iniciado el descenso sobre su base. La explosión rompió las frágiles alas del avión, que comenzó a perder altura.

A pesar de haberse presentado como voluntario para una misión no reconocida por su gobierno, el piloto, Francis G. Powers (1929-1977), optó por la vida al ser alcanzado y saltó en paracaídas desobedeciendo las dos consignas de actuación recibidas para el "hipotético" caso de ser derribado, destruir la aeronave y suicidarse. Sabiendo que la carga de autodestrucción estallaría inmediatamente, sin darle tiempo a alejarse, decidió no activarla y enfrentarse a los interrogatorios y al cautiverio, rechazando el suicidio.

El trabajo de Powers se lo hicieron desde tierra las baterías antiaéreas soviéticas, que tardarían 30 minutos en conocer el éxito del impacto, por lo que lanzaron una segunda andanada de trece misiles contra el avión, uno de los cuales lo alcanzó cuando el piloto ya estaba lejos. Lo que sorprende es que al desaparecer el blanco, otro de los misiles restantes de la andanada "confundiera" y derribara a uno de los interceptores *Mig*-19 que venían persiguiendo al intruso, resultando muerto su piloto[106]. En tierra, Powers fue denunciado por los granjeros de un *koljoz*[107] y capturado.

---

[106] Parece ser que la fecha, 1 de Mayo, Día Internacional del Trabajo, pudo haber influido en este error, por no tener actualizados los códigos de reconocimiento (denominados FoF, *Friend or Foe*, en la jerga de la OTAN) los misiles *Dvina*, o el *Mig*-19. Estos códigos se cambiaban el primer día de cada mes, que en este caso coincidió con dicha fiesta nacional. Por esta razón, uno de los códigos no había sido actualizado debidamente y fue dado como falso, con el resultado de que el misil no "reconoció" al caza amigo y lo atacó.

[107] Contracción de las voces rusas *kollektivnoe joziaistvo* (economía colectiva). Granja colectiva.

La zona donde cayó el avión espía fue rastreada concienzudamente y los restos recogidos. Con ellos las autoridades inaugurarían más tarde todo un museo. Increíblemente, la cámara fue encontrada sin grandes daños, por lo que la película se pudo revelar. Fue entonces cuando los dirigentes soviéticos, que habían minimizado la gravedad de aquella violación de su espacio aéreo por la enorme altura del vuelo, pusieron el grito en el cielo al tener en sus manos algunas de las fotografías tomadas por el avión espía. La cámara había captado los detalles de las instalaciones militares soviéticas de Sverdlovsk y Plesteks, incluidos los silos de lanzamiento de sus ICBM. Consciente de que aquella provocación merecía una respuesta en el mismo tono, Krushchev decidió tender una trampa a Eisenhower para dejarle como mentiroso ante el mundo.

En efecto, al advertir la pérdida del U-2, NASA fue encargada de encubrir al Gobierno, emitiendo un informe en el que reconocía averías en un avión meteorológico que volaba al Norte de Turquía, cuyo piloto "podría haberse desmayado al perder presión la carlinga. Se temía que se hubiera estrellado invadiendo el territorio de la Unión Soviética".

La respuesta de Krushchev fue acusar internacionalmente a Eisenhower de haber perpetrado un acto de espionaje, pero silenciando que el piloto estaba vivo. La Casa Blanca, pensando que Powers estaría muerto y el avión destruido, picó el anzuelo y admitió que el avión citado por el Kremlin podría ser el que buscaba NASA, pero proclamó que "no existía en absoluto intento alguno de violar el espacio aéreo soviético", ya que se trataba de un vuelo meteorológico. Entonces Krushchev descubrió sus cartas y mostró en público al piloto y las fotografías que había tomado. El descrédito para la Administración Eisenhower fue enorme y la Cumbre de París resultó un fracaso al negarse el Presidente norteamericano a asistir, tras la imposición soviética de petición de perdón como condición indispensable.

Tendremos ocasión de comprobar que el incidente del U-2 traería consecuencias funestas, por la cortina de secretismo que originó entre los investigadores de ambos bandos que competían en la carrera espacial.

EL PROYECTO *VOSTOK*. "EL PRIMER HOMBRE EN EL ESPACIO HABLARÁ EN RUSO"

Desde enero de 1960, Korolev y su equipo de ingenieros cosmonáuticos daban los últimos retoques a una versión nueva del misil R-7 (figura 13), denominada *Vos-*

Figura 13. El lanzador *Vostok*.
Altura total, 38,4 m.
Masa, 300 Tm.

Tercera etapa:
Longitud, 2,84 m.
Anchura, 2,56 m.
Masa, 7,8 Tm.
Masa en vacío, 1,7 Tm.
Motor, 1 x RD109.
Empuje, 5,5 Tm-f.
Duración, 365 seg.
Ergoles, LOx + queroseno.

tok (Oriente), diseñada especialmente para desarrollar el proyecto del mismo nombre, cuyo objetivo no era otro que poner un hombre en órbita. La ojiva de este cohete estaba modificada para albergar a un nuevo modelo de satélite artificial, el *Korabl Sputnik Vostok* (figura 14), cuyo proyecto había iniciado Mijail Tijonravov (1901-1974) en la primavera de 1957. Aunque oficialmente se la denominó *Sputnik*-4, se trataba de una verdadera nave cósmica, capaz de llevar a un cosmonauta en órbita alrededor de la Tierra y hacerlo regresar a casa una vez cumplida su misión en el espacio. Su fabricación se había llevado a cabo con celeridad increíble, pues habiendo emitido el Gobierno el decreto de fabricación el 22 de mayo de 1959; un año después, el 15 de mayo de 1960, estaba lista para efectuar su primer vuelo de pruebas llevando un maniquí del peso de una persona, provisto de un corazón mecánico con venas y arterias. Pero toda una promoción de pilotos-cosmonautas militares (foto 11) estaba preparada para tripular los siguientes vuelos.

El lanzamiento se produjo con toda normalidad y el "cosmonauta" entró en órbita

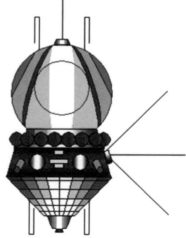

Figura 14.
El *Korabl-Sputnik*
Vostok.
Altura, 4,4 m.
Diámetro, 2,43 m.
Masa, 4,7 Tm.
Motor, retro-frenado.
Ergoles, Nitrox + aminas.
Empuje, 1,6 Tm-f.

Foto 11. Cosmonautas soviéticos del Proyecto *Vostok*.

**Primera fila
(de izqda. a dcha)**

Boris Borisovich Egorov
(1937-1994).

Konstantin Petrovich
Feoktistov (1926-).

Valentina Vladimirovna
Tereshkova (1937-).

Vladimir Mijailovich
Komarov (1927-1967).

**Segunda fila
(de izqda. a dcha)**

Valerii Fedorovich
Vikovsky (1934-).

Vladislav Nikolaevich
Volkov (1937-1971).

German Stepanovich
Titov (1935-2000).

Andrian Grigorevich
Nikolaev (1929-2004).

Pavel Romanovich
Popovich (1930-).

de 312 x 368 Km, con 65° de inclinación. El rastreo efectuado por las Estaciones de seguimiento[108] indicó que la cabina era estanca y que el corazón artificial

---

108 Denominadas OKIK (*Otdelnyi Komandno-Izmeritelniy Komplex*, o "Complejo Remoto de Telemandatos y Telemedidas"),

latía con normalidad. Como no estaba previsto que la cápsula descendiera a la Tierra, en su escueto informe del lanzamiento del *Sputnik*-4, radio Moscú salió al paso de las especulaciones advirtiéndolo así.

La siguiente prueba de Korolev, oficialmente el *Sputnik*-5, iba a ser una especie de Arca de Noé, pues llevaría dos perritas, *Belka* y *Strelka*, un conejo, 2 cobayas, 28 ratones blancos y negros[109], insectos y diversos especimenes de cultivos biológicos y semillas. El lanzamiento se llevó a cabo el 19 de agosto con aquel zoo sometido a observación médica por instrumentos y cámaras de TV, que enviaban un torrente de telemedidas al Centro Director por la red OKIK. Así supieron los médicos y los ingenieros que la temperatura de la cabina osciló entre 17° y 20° C, que la presión se mantuvo en 760 mm, que la humedad pasó del 21 al 25%, que las pulsaciones de *Belka* se doblaron durante el despegue y las de *Strelka* se cuadruplicaron y que *Belka* se mareó y vomitó en la cuarta órbita. El día 20, cuando la nave había completado 18 revoluciones alrededor de la Tierra, fue dispuesta para la peligrosa maniobra de la reentrada en la atmósfera[110] para aterrizar. El Centro Director radió el

---

estaban situadas en los mismos lugares de asentamiento del Mando de la Defensa Antiaérea, o PVO (*Protibovozdushaya Oborona*) y servidas por personal militar.

[109] Todos estos animales tenían un gemelo con el que poder comparar el efecto de la radiación exterior sobre su genética.

[110] La maniobra de re-entrada en la atmósfera de una nave espacial es crítica porque el ángulo de entrada de la trayectoria debe ajustarse con gran exactitud. Una trayectoria demasiado perpendicular produciría calor suficiente para achicharrar la cápsula igual que un meteorito. Una trayectoria demasiado rasante daría lugar a un rebote, con lo que la cápsula se alejaría de la Tierra sin posibilidad de regreso dirigido.

133

telemandato para encender los retrocohetes y la nave lo ejecutó obedientemente, iniciando el descenso. Tras unos minutos de inquietud, los directores del vuelo respiraron aliviados cuando fueron informados por los radares de las Estaciones OKIK de que el vehículo entraba en la atmósfera según la trayectoria prevista. Luego, después de una larga espera, rompieron en aplausos cuando los equipos de rescate les anunciaron que el paracaídas había funcionado automáticamente y que todos los bichejos estaban en tierra sanos y salvos.

Aunque el éxito del vuelo de la nave *Sputnik*-5 invitaba a probar con un cosmonauta humano, Korolev dio muestras de prudencia repitiendo el lanzamiento el 1 de Diciembre con la nave *Sputnik*-6, tripulada por las perritas *Pchelka* y *Mujka*, junto con otra carga de insectos, semillas, etc. Si bien el vuelo de la *Korabl-Sputnik*-6 se realizó con toda normalidad, los motores de orientación fallaron a la reentrada originando una trayectoria demasiado cerrada, con lo que el calor producido por fricción contra la atmósfera destruyó la nave con toda su malograda tripulación. Pero veremos que tanto el accidente de *Pchelka* y *Mujka*, como el sacrificio de *Laika*, abrieron las puertas del Cosmos a otros congéneres suyos (foto 12) y, finalmente, al Hombre.

Para la siguiente prueba, la *Korabl Sputnik*-7, Korolev dispuso de un motor más potente para la tercera fase, fabricado por Kosberg, capaz de desarrollar 5,56 Tm-f. Paradójicamente, tras su lanzamiento el 22 de diciembre, este nuevo motor desarrolló un empuje insuficiente y no consiguió poner en órbita la nave en la que viajaban los perros *Shutka* y *Kometa*. Abortado el lanzamiento y tras un vuelo parabólico suborbital que sometió a ambos canes a una aceleración de 20g, la cápsula cayó cerca de Tunguska, donde fue recuperada con los tri-

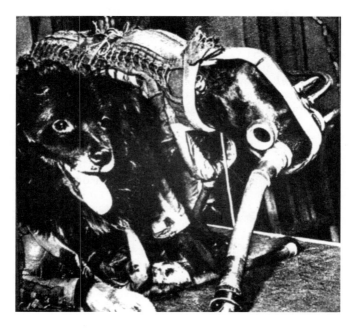

Foto 12.
Perros cosmonautas.
Laika (Ladradora), *Pchelka* (Abejita),
Mujka (Mosquita), *Belianka* (Blanquita),
Pestraya (Pintada), *Otvazhnaya* (Valiente),
Snezhinka (Cristal de Nieve), *Marfusha* (Martita),
Strelka (Flechita), *Belka* (Ardilla), *Shutka* (Broma),
Kometa (Cometa) *Chernushka* (Negrita)
y *Zvezdochka* (Estrellita), son los nombres de catorce
cosmonautas, trece caninos y un roedor (*Marfusha*)
que, junto con cobayas, ratones e insectos anónimos
precedieron al Hombre en la aventura espacial,
subiendo al cielo, orbitando la Tierra y bajando
felizmente al suelo (excepto tres de ellos),
para invitar al humano a seguirles.

pulantes milagrosamente vivos[111]. Fueron necesarias otras dos pruebas satisfactorias, *Sputnik*-9 (el 9 de marzo de 1961 con *Chernushka* y el maniquí Ivan Ivanovich abordo) y *Sputnik*-10 (25 de marzo, con *Zvezdochka*), para que los Directores de Vuelo dominaran la maniobra de re-entrada y la eyección de Ivanovich para su descenso en paracaídas.

POEJAL III...!

En la madrugada del 12 de abril de 1961, el joven piloto militar Yuri Alekseevich Gagarin (foto 13), de 27 años de edad –que tras haber com-

Foto 13. Yuri Alekseevich Gagarin y Sergei Pavlovich Korolev. Las crónicas de las actividades espaciales soviéticas detallan que las relaciones entre el *Konstruktor* y el *Kosmonavt* fueron casi como las de padre e hijo. Esta actitud por parte de Korolev es comprensible teniendo en cuenta que en 1961 su edad (55 años) doblaba la de Gagarin (27).

---

[111] Milagrosamente por dos razones, porque resistieron la brutal aceleración y porque el mecanismo de autodestrucción de la cápsula, diseñado para el caso de caída imprevista, se estropeó durante la reentrada.

pletado con éxito su entrenamiento para cosmonauta ha sido elegido entre otros seis candidatos para pilotar el primer vuelo tripulado del *Korabl-Sputnik Vostok* (ver figura 14, p. 131)–, se halla en el cosmódromo de Tyuratam[112], situado al pie de la escalera del ascensor que le izará los más de 30 m que dista del suelo la escotilla de entrada a la cabina y recibe las últimas instrucciones del *Konstruktor* (título que se le daba a Korolev), mientras una multitud de ingenieros y técnicos pulula por la torre de lanzamiento, ocupada con los retoques finales del lanzador de 38 m de altura y 300 Tm de peso.

Casi ahogados por el zumbido de las bombas y el trepidar de los compresores, los altavoces del complejo anuncian que ha llegado el momento de abordar la cabina, a la que el mismo Gagarin había bautizado con el nombre de *Lastochka* (Golondrina). Korolev le despide:

–Bien, Yuri Alekseeich, ha llegado la hora. Hay que instalarse.[113]

Un apretón de manos a Korolev, un gesto de adiós a German Titov (primer suplente) y a Grigori Nelyubov (segundo suplente) y Gagarin[114] se encarama

---

[112] Para evitar el espionaje, los soviéticos llamaron Baikonur al cosmódromo de Tyuratam (Kazajstán), con el fin de hacer creer a los occidentales que se encontraba cerca de la ciudad del mismo nombre, situada 250 Km al NE de Tyuratam. Pero el nombre de Baikonur cobró tal celebridad que en 1998 Tyuratam fue rebautizado como Baikonur.

[113] *Nu, Yurii Alekseevich, pora. Nuzhno saditsya.*

[114] Yuri Gagarin y German Titov habían obtenido las mejores calificaciones en el curso para cosmonautas de la URSS y, por tanto, fueron propuestos para volar en los dos primeros lanzamientos de la *Korabl-Sputnik Vostok*. Titov fue destinado al

en el ascensor, vistiendo el aparatoso traje rojo presuri-
zado. Auxiliado por dos ayudantes, a las 08:30 (hora
de Moscú) el teniente se halla instalado en la cabina,
en decúbito supino y con la escafandra cerrada, listo
para despegar (foto 14).

Tras un breve retraso de 9 minutos en la cuenta
atrás, motivado por el fallo de uno de los cierres de
la cabina, a las 09:06 todo está listo para continuar y
así se informa a Moscú. Desde el puesto de mando,
Korolev, que usa el indicativo "Aurora" (*Zaria*)

Foto 14.
La *Korabl-Sputnik*
***Vostok* lista para**
el despegue.
La nave cósmica
Korabl Sputnik Vostok
iba alojada en la ojiva
del cohete lanzador
del mismo nombre,
a la que se le había
abierto una escotilla
de acceso para el
cosmonauta tripulante,
que además servía
para posibilitar su
eyección en caso de
emergencia durante
el lanzamiento.

segundo vuelo, cuya duración era mayor, por poseer un carácter más sosegado y estable que Gagarin. Sin embargo, resisti-
ría peor la ingravidez. Ambos fueron declarados "Héroes de la
Unión Soviética".

comprueba que Gagarin, con el indicativo "Cedro" (*Kedr*), está preparado:

–Cedro, aquí Aurora, preparado en un minuto. Cambio.[115]

La tensión del momento para los ocupantes del búnker de observación, entre los que se encuentran el general Nikolai Kamanin (1908-1982), el Jefe del Directorado de Baikonur Anatolii Kirillov (1924-1987) y el especialista Leonid Voskresenskii (1913-1965), que escrutan la plataforma de lanzamiento a través de sus periscopios, queda reflejada en el comentario de Gagarin:

–Qué silencio, tal parece que nadie respira.[116]

Segundos después, suena por los altavoces la voz de Voskressenskii:

–¡Conmutador a arrancar![117]

Gagarin procede manualmente a llevar dicho mando a la posición solicitada e inmediatamente se escucha el potente rugido acompañado por la eyección de espesas nubes de gas, indicadores de que los 32 motores del cohete *Vostok* se han puesto en marcha en régimen moderado. Por los altavoces se escucha su voz:

– Aquí todo normal, listo para el despegue. Cambio...[118]

Korolev responde:

– Muy bien. Tenemos ignición. Cedro, aquí Aurora.[119]

---

[115] *Kedr ya Zaria, ... Gotovnost odna minuta! Priem.*

[116] *Tishina takaya, chto, kazalos, ne dyshit nikto.*

[117] *Klyuch na start!*

[118] *U menya vse normalno, k startu gotov. Priem...*

[119] *Otlichno. Daetsya zazhiganie. "Kedr", ya "Zarya-1".*

–Comprendido, tenemos ignición.[120]
–¡A baja potencia! ¡Potencia media! ¡A toda potencia! ¡Despegue![121]

Seguidamente, el zumbido aumenta, los brazos de la torre se abaten y el cohete comienza a elevarse majestuosamente llevando en la ojiva al primer aspirante a cosmonauta. En el búnker de mando, Korolev, sereno, atiende a las telemedidas recibidas por el radioenlace de VHF y se tranquiliza comprobando que todos los parámetros muestran valores nominales. Luego sonríe al oír por radio el grito del cosmonauta:
–*Poejaliii*…! ("¡Allá vamooos!").
Y le responde:
–Todo normal. ¡Cedro, aquí Aurora-1, todos le deseamos un buen vuelo![122]

Unos segundos después, mientras los espectadores contienen la respiración, el *Vostok* gana más y más velocidad y asciende hasta desaparecer entre las nubes. A varios kilómetros a la redonda, los agricultores, desconocedores del trance, interrumpen sus labores para mirar al cielo.
En el interior de la nave cósmica *Lastochka*, Gagarin ha oído el zumbido de los motores del *Vostok* al despegue y sentido las sacudidas del vehículo. Al principio la sensación de la aceleración que le hace pegarse al asiento es placentera y es cuando lanza el grito que hace sonreír al *Konstruktor*. Luego el ruido de los motores se va convirtiendo en un estruendo sordo a medida que la sensación aplastante crece haciéndose mo-

---

[120] *Ponyal vas, daetsya zazhiganie.*
[121] *Predvaritelnaya! … Promezhutochnaya… Glavnaya… Podem!!!*
[122] *Vse normalno, "Kedr", ya "Zarya-1". My vse zhelaem vam dobrogo poleta!*

lesta. La ojiva protectora de la cápsula obstruye la mirilla del navegador óptico (*Vzor*) y le impide ver si se acerca a las nubes, pero sabe que está ascendiendo mucho más deprisa que con su *Mig* de combate. Momentos después el sonido de los motores se atenúa, pero Gagarin no se inquieta porque conoce la causa: el *Vostok* acaba de atravesar la barrera del sonido.

A las 09:09, dos minutos después del despegue siente una sacudida y un alivio de la opresión. Desde el búnker de mando se informa de que los cohetes laterales han consumido su propergol y se han desprendido, alcanzadas la altitud de 70 Km y la velocidad de 2,5 Km/s. Ahora, la etapa central continúa en solitario utilizando sus motores vernier para cabecear 40 grados en el acimut adecuado (65°) que le devolverá a casa. Un minuto más tarde la ojiva protectora se desprende, con lo que el cosmonauta puede ver el panorama por medio del *Vzor* (foto 15) situado entre sus pies.

Foto 15a. Interior de la nave cósmica *Vostok*. La carlinga de la nave cósmica *Vostok* tenía forma esférica, y por ello se la llamaba *sharik* ("bolita"), y estaba acolchada para evitar daños por las vibraciones. En la foto se ve el panel del instrumental de navegación, la ventanilla del navegador óptico *Vzor*, la radio, la cámara de TV y los carriles del asiento eyectable del tripulante.

Foto 15b

El panel del instrumental de navegación contenía un navegador giroscópico, un reloj, tres medidores de presión de los depósitos de gas y 24 indicadores y pulsadores luminosos.

Cuando la aceleración alcanza el valor 3g, el cosmonauta comienza a sentir los efectos de la supergravedad: dificultad para articular palabras y estrechamiento del campo visual, producidos por la acumulación de la sangre en el occipucio, pero todo volverá a la normalidad cuando termine el vuelo propulsado. En efecto, a las 09:12, cinco minutos después del despegue, la segunda etapa agota su propergol y se desprende, liberando al cosmonauta de la angustiosa sensación opresiva. La altitud alcanzada es de 180 Km y la velocidad supera los 6,5 Km/s. Ahora le corresponde al motor de la tercera etapa (foto 16) utilizar los 5,5 Tm-f de su empuje para acelerar al *Korabl-Sputnik Vostok* hasta adquirir la velocidad de 8 Km/s necesarios para entrar en órbita terrestre.

En tierra, Korolev es informado de las telemedidas captadas por el OKIK de Baikonur (Aurora-1, en el mismo Turyatum), pero tras el cabeceo del vehículo hacia el NE, su velocidad Mach 3 hace que la distancia aumente rápidamente, tanto que a las 09:14, precisamente cuando las telemedidas indican que la

Foto 16. La tercera etapa del lanzador _Vostok_ acoplada a la "bolita". La nave cósmica _Vostok_ iba acoplada a la tercera etapa del cohete lanzador y estaba protegida por escudo térmico y lastrada para que se orientase automáticamente a la reentrada.

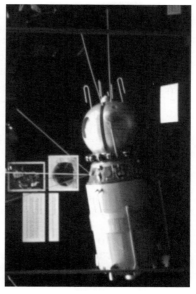

segunda etapa ha consumido todo su propergol, los radares de Baikonur pierden el contacto con el _Vostok_, antes de que este haya sido localizado por el siguiente OKIK, el de Kolpashevo (Aurora-2, en Siberia Occidental).

Korolev siente cierto vacío en el estómago mientras las miradas de los especialistas del vuelo se cruzan preocupadas. Procura parecer sereno, ya que la nave ha sido diseñada para funcionar automáticamente, por si el efecto de la supergravedad impedía al piloto ejercer el gobierno[123]. Los minutos transcurren implacables hasta que de repente el altavoz de

---

[123] Gagarin solo debía utilizar los mandos de la nave en caso de emergencia. Para ello tenía que romper el sello de un sobre que guardaba la clave de acceso al mecanismo de gobierno, que hasta ese momento estaba bloqueado.

la sala rompe la tensión anunciando que los OKIK de Kolpashevo y Novosibirsk (también con el indicativo Primavera, situado a 360 Km de la anterior) han restablecido el radiocontacto por VHF y las telemedidas indican que... ¡sí, albricias! el motor de la tercera fase se ha encendido a su debido tiempo y los parámetros del vuelo son correctos, pues la velocidad se aproxima a los 7,9 Km/s y se desarrolla en el acimut adecuado. A penas el OKIK de Kolpashevo ha recuperado el radioenlace, Korolev y Kamanin inquieren con ansiedad:

–Cedro, aquí Aurora. ¿Cómo me escucha? Cambio.[124]

–Aurora, aquí Cedro. Le oigo perfectamente. El vuelo prosigue normalmente. Cambio.[125]

En efecto, el enlace de TV permite ver en Kolpashevo la cara del cosmonauta iluminada con su perenne sonrisa. El vuelo prosigue con tal celeridad que el OKIK de Jabarovsk (Primavera-2, en Ulan-Ude, Asia Central) establece contacto pocos minutos después. A las 09:17 las telemedidas de ambas confirman que el *Vostok*, alcanzada la Primera Velocidad Cósmica (8 Km/s), ha apagado el motor y ha entrado en órbita elíptica alrededor de la Tierra. Los aplausos atruenan el búnker de mando y Korolev comienza a sentirse mejor.

A las 09:18 la nave cósmica *Vostok* se separa de la tercera etapa del lanzador. Abordo de la cabina *Lastochka*, Yuri Gagarin, ya libre de la opresión gravitatoria, disfruta de la ingravidez. Ávidamente explora el panorama que le muestra el visor *Vzor* ...

---

124 *Kedr, ya Zaria. Kak slyshite? Priem.*
125 *Zarya, ya Kedr. Vam slyshuyu joroso. Poliot projodit normallno. Priem.*

bosques, montañas ... y un gran río, ¡el Lena! La velocidad del *Vostok* es tal que en unos minutos ha recorrido ¡la mitad del trayecto del Ferrocarril Transiberiano! A las 09:20 el OKIK de Jabarovsk recibe el informe entusiasta de Gagarin:

–Primavera-2, aquí Cedro. Veo la Tierra entre brumas. ¡Es una vista maravillosa![126]

Un minuto después envía un informe nominal de su estado físico y anímico, así como del vehículo, en cuyo sistema de navegación se han encendido las luces avisadoras de activación del modo de reentrada. Todos los parámetros del vuelo muestran valores normales.

A las 09:25 el OKIK de Yelizovo (Primavera-2, península de Kamchatka) establece el contacto radio por VHF con la nave *Vostok*. De acuerdo con el plan de vuelo, Gagarin aprovecha que solamente quedan 12 minutos de vuelo rastreado para tomar alimentos especialmente preparados para ser ingeridos en ingravidez, aunque un vuelo de 108 minutos no hubiera requerido alimentación alguna. Seguidamente solicita de Jabarovsk datos de la órbita que sigue su nave para contrastarlos con los de su navegador, pero se le contesta que esta información no está disponible aún, pues solamente lleva ocho minutos en órbita.

Efectivamente, en el Centro de Computación, situado a 200 Km de Tyuratam, los ordenadores de tiempo real reciben y procesan los datos de rastreo que envían los OKIK, para determinar los parámetros orbitales. A las 09:31 Jabarovsk pierde el contacto en VHF con la nave *Vostok*, precisamente

---

[126] *Vezna-2, ya Kedr. Vidzhu zemliu medzhu tumanami. Eto chudnyi vid!*

145

cuando el cosmonauta vuelve a solicitar los parámetros orbitales. Desde Tyuratam, Kamanin ordena
a todos los OKIK pasar las comunicaciones a onda
corta.

A las 09:46 desde el OKIK de Jabarovsk se
transmite en onda corta un código morse solicitando
el envío del informe de estado del navegador, para
comprobar si el dispositivo automático de descenso
se ha activado. Gagarin lo confirma por la misma
vía y un minuto después añade que el *Korabl Sputnik Vostok* ha entrado en la sombra de la Tierra. En
medio de un silencio solemne y mientras su nave
cruza el ecuador terrestre al SE de las islas Hawai, el
cosmonauta anota que allá arriba el cielo es negro y
las estrellas muy brillantes.

A las 09:53 Gagarin es informado de que el
Centro de Computación ha recibido datos suficientes
para averiguar que los parámetros de la órbita son
65° de inclinación y 108 minutos de periodo, con
perigeo a 181 Km sobre Siberia Oriental y el apogeo
a 327 Km, sobre el mar de Bellingshausen (cerca de
la Antártida). Es entonces, a las 10:00, cuando radio
Moscú informa al mundo del primer vuelo espacial
tripulado en la historia de la humanidad.

Los siguientes dos informes de Gagarin,
transmitidos por onda corta a las 10:04 y a las
10:10, precisamente cuando sale de la sombra de
la Tierra y el sensor del Sol reorienta la nave para
el retro-encendido, no son recibidos por los OKIK.
Ni tampoco otros tres enviados entre las 10:13 y
10:23, de los que solamente el OKIK de Moscú
(Primavera) capta parcialmente uno de ellos. Afortunadamente, a las 10:25 el motor se enciende
durante 42 segundos frenando la velocidad de la
nave para provocar el descenso y diez segundos
más tarde, el módulo de servicio se desengancha
de la cápsula esférica.

Pero no todo marcha bien, pues los cables de conexión eléctrica no se sueltan y mantienen enlazados a ambos módulos al comenzar la reentrada. Así, esta fase tan peligrosa del vuelo se produce entre violentas volteretas hasta que por fin, a las 10:35, tras diez minutos de zozobra, los cables se queman y ambos vehículos se separan. El buen diseño de la *Korabl-Sputnik Vostok* salva la vida al cosmonauta, pues al perder el peligroso abrazo del módulo de servicio, el lastre reorienta automáticamente la "bolita", de modo que se zambulle en las capas densas de la atmósfera con el escudo ablativo orientado adecuadamente.

Cuando la altura es de 7.000 metros, la escotilla se desprende y dos segundos más tarde el asiento de Gagarin es eyectado[127]. Su paracaídas se abre inmediatamente, pero el de la *Vostok* no lo hace hasta que la altura se reduce a 2.500 m. Finalmente, tras haber sobrevolado 33 países en 108 minutos, ambos aterrizan sin novedad en la vecindad de la aldea de Smelovka, a 23 Km de Saratov. Una aldeana le mira espantada. El joven cosmonauta la tranquiliza explicándole que viene de un viaje por el espacio, pero ella señala a un tumultuoso arroyo cercano y le explica:

"Pues ha faltado poco para que te ahogaras".

El recién llegado es llevado a un *koljos*, desde donde telefonea a Moscú, informando del lugar del aterrizaje y poco después es recogido por los helicópteros de rescate. El reconocimiento médico muestra que está en perfecta forma física y que únicamente ha

---

[127] Para evitar que la Federación Astronáutica Internacional (FAI) desclasificara el vuelo de Gagarin como vuelo espacial, la Unión Soviética ocultó durante muchos años que este cosmonauta y su nave descendieron por separado.

perdido 500 gramos de peso. Esa tarde, él y Korolev se convierten en estrellas de la televisión mundial.

NACE LA NASA

A finales de 1959, tras el triple fallo de las sondas *Pioneer* el pesimismo se había apoderado de la Administración Eisenhower en los Estados Unidos. Parecía imposible alcanzar a la Unión Soviética en su carrera de éxitos espaciales. El presidente había comprendido muy bien que la mayor traba con que tropezaba su administración eran las exigencias de los tres ejércitos, que significaban un esfuerzo triple de todo el país para alcanzar un único objetivo. Por ello, el 1 de octubre de 1958 había decidido unificar todos los recursos científicos y tecnológicos de la nación, fundando una única Agencia Espacial civil de ámbito nacional, denominada *National Aeronautics and Space Administration* (NASA), con el fin de eliminar la dispersión de esfuerzos y hacerlos converger a todos en un único proyecto.

La nueva Agencia aglutinó los recursos de que había dispuesto hasta entonces la NACA (*National Advisory Committee for Aeronautics*), es decir, las instalaciones de Virginia, Ohio y California, el equipo del *Vanguard Satellite Project* de la Marina, el grupo de Misiles Balísticos del Ejército, emplazado en el *Redstone Arsenal* y el *Jet Propulsion Laboratory* (JPL) que gestionaba el Instituto de Tecnología de la Universidad de California para el Departamento de Defensa (DoD). La dotación económica se estableció en 5000 millones de dólares anuales y a la cabeza se colocó a un civil, el Doctor Keith Glennan (1905-1995), con el objetivo de colocar un hombre en órbita terrestre antes de que lo hiciera la Unión Soviética.

EL PROYECTO *MERCURY*.
VUELOS SUBORBITALES DE CONSOLACIÓN

Con este objetivo nació el Proyecto *Mercury*, como el primer intento de la nueva agencia para adelantar a la URSS en la carrera espacial y colocar a los Estados Unidos en el puesto que les correspondía como primera potencia tecnológica mundial. La inmediata necesidad con que se encontraron los directores de proyectos de NASA fue la de entrenar astronautas. Pero una convocatoria por todo el país para cubrir la primera hornada hubiera dado lugar a un proceso de selección interminable, por la enorme cantidad de candidatos que se estimaba que se presentarían y el Proyecto *Mercury* corría prisa. Así que Eisenhower decidió cortar por lo sano y estableció como criterio indispensable que los aspirantes deberían ser pilotos de las fuerzas armadas, con una experiencia de 1500 horas de vuelo como mínimo en aviones de reacción. Se deshizo así de todo un tropel de pilotos de carreras, escaladores, esquiadores, buceadores y aventureros de todas clases, pero también eliminó, y de ello se dolerían los científicos después, a otros candidatos con formación universitaria cualificada.

A la primera llamada se presentaron 508 pilotos de pruebas, pero solamente 110 superaron las pruebas de selección[128]. El segundo tamiz, el examen médico, redujo este número a 69, las pruebas físicas extenuantes a 32 y las pruebas psicotécnicas a 18, cuyos coeficientes de inteligencia oscilaban entre 136 y 145. Finalmente, siete de ellos fueron seleccionados para el Proyecto *Mercury*: M. Scott

---

[128] Entre las condiciones indispensables se fijaban la edad y estatura máximas, en 40 años y 1,80 m, respectivamente.

Carpenter, Leroy G. Cooper, John H. Glenn, Virgil J. Grissom, Walter M. Schirra, Alan B. Sheppard y Donald K. Slayton (foto 17).

**Foto 17. Los siete astronautas seleccionados
para el Proyecto *Mercury*.**

Arriba (de izqda. a dcha.)

Alan B. Sheppard (1923-1998)

Virgil J. Grissom (1926-1967)

Leroy G. Cooper (1927-2004)

Abajo (de izqda. a dcha.)

Walter M. Schirra (1923-2007)

Donald K. Slayton (1924-1993)

John H. Glenn (1921)

M. Scott Carpenter (1925)

Ahora bien, en 1959 NASA no disponía de ningún lanzador capaz de poner en órbita las 2 toneladas de la cápsula *Mercury* (figura 15), por lo que, teniendo en cuenta que la FAI consideraba vuelo

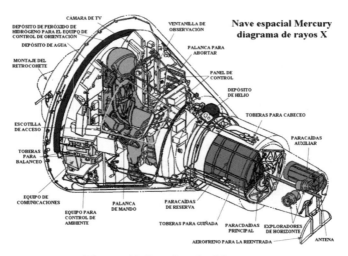

Figura 15. La cápsula *Mercury*.

Fabricante, McDonnell   Masa, 1,9 Tm
Altura, 3,34 m.   Motor, retrocohete triple.
Con torre escape, 7,9 m.   Ergol, H_2O_2.
Diámetro máx., 1,89 m.   Empuje, 460 Kg-f.
Diámetro mín., 0,8 m.   Duración, 10 seg.

Nota: el aerofreno servía para orientar la cápsula durante el descenso.

espacial a todo el que alcanzaba una altitud superior a 80 Km, se optó por conformarse con un vuelo suborbital, que era todo lo que se podía esperar del *Redstone* de von Braun. No obstante, para los primeros ensayos, en dos de los cuales se envió una pareja de macacos rhesus (llamados el Sr. Sam y la Sra. Sam) a 85 y 15 Km de altura respectivamente, se utilizó el lanzador *Little Joe* de North American Aviation, cuyo coste era muy inferior.

El 21 de noviembre de 1960 se llevó a cabo la primera prueba de lanzamiento vertical del cohete *Redstone* con la cápsula *Mercury*. Un fallo eléctrico a los 2 segundos del disparo, cuando el cohete se hallaba a 10 cm del suelo, dio al traste con el vuelo. Un mes después, el 19 de diciembre, se llevaba a cabo el primer ensayo satisfactorio con un vuelo de 15 minutos de duración.

Las prisas por adelantarse a los soviéticos, de quienes se esperaba el lanzamiento tripulado inminente, aconsejaron probar inmediatamente con un ser vivo, el chimpancé Ham (foto 18), cuyo entrenamiento había sido satisfactorio. El 31 de enero de 1961, Ham fue lanzado en vuelo vertical por un cohete *Redstone*, tripulando la cápsula *Mercury*-2. Si bien el despegue ocurrió sin incidencias, al final del vuelo propulsado falló el regulador de velocidad, con lo que el cohete continuó en vuelo acelerado hasta que consumió todo el comburente, alcanzando la cota de 256 Km. Como resultado, el vuelo duró 16 minutos y 39

Foto 18. El chimpancé astronauta Ham.

El chimpancé Ham, que se ganó el título de "hombrecillo encantador", pertenecía a un grupo de seis homínidos entrenados en el Centro de Medicina Espacial de Holloman, por el procedimiento de premio y sanción. Obsérvese la tumbona especialmente diseñada para reducir el efecto de las grandes aceleraciones sobre el cuerpo del animal.

segundos, en lugar de los 15 programados, sometiendo a Ham a 7 minutos de ingravidez. Pero la reentrada fue peor, pues la gran altura alcanzada dio lugar a una aceleración de casi 15g y, además, la caída en paracaídas sobre el Atlántico tuvo lugar a 209 Km del punto calculado. Con ello se dilató la espera hasta la llegada de los equipos de rescate, que localizaron la cápsula cuando ya había empezado a entrar agua en ella. Afortunadamente Ham fue rescatado sano y salvo.

Entonces, cuando los ingenieros y técnicos estadounidenses habían puesto manos a la obra en corregir con toda rapidez los defectos del cohete *Redstone* para preparar el de Alan Sheppard, sobrevino el vuelo de Gagarin. La desazón que reinó entre los especialistas fue sacudida por las noticias del relevo de la Administración republicana de Dwight Eisenhower por la democrática de John Fitzgerald Kennedy (1917-1963), que conllevaba el relevo del Administrador de NASA, cargo que recayó en el político James Webb (1906-1992)[129]. Tras algunas vacilaciones el Proyecto *Mercury* recibió luz verde con la condición de efectuar otro ensayo no tripulado, antes de embarcar a un astronauta. Ésta se llevó a cabo el 21 de febrero utilizando por primera vez un cohete Atlas en un vuelo completo de casi 18 minutos.

---

[129] Después del accidentado vuelo de Ham, la nueva Administración Kennedy se mostraba muy crítica con los riesgos que para un tripulante humano comportaba el programa espacial de la Administración saliente. Los esfuerzos de los científicos involucrados en el Proyecto *Mercury* parecían chocar contra el miedo de los políticos a un nuevo fracaso que pudiera costar la vida a un astronauta. El propio presidente Kennedy comentó ante el Secretario Ejecutivo del Consejo Espacial, Edward Welsh, cuál sería la repercusión de un nuevo fallo, a lo que este respondió: "Sr. Presidente, ¿puede el país soportar un éxito?".

Por fin, el 5 de mayo, Alan Sheppard fue lanzado en su cápsula *Freedom*-7 (Libertad-7) por un cohete *Redstone* (foto 19). El vuelo, de 15^m 22^s de duración, se llevó a cabo sin incidentes, alcanzándose la cota nominal de 185 Km, con 5 minutos de "agradable ingravidez" y regreso en paracaídas casi sobre la cubierta del portaviones *Chaplain*, a 463 Km de distancia de la rampa de lanzamiento. Si la nave *Mercury* era más simple que la *Vostok*, pues contaba con un único módulo (figura 15, p.151), presentaba a cambio la ventaja de gobernar su orientación mediante una rótula universal (*joystick*), que manejó el astronauta durante los cinco minutos que duró la ingravidez. De este modo, fue el mismo Sheppard quien maniobró la nave en el descenso, para que girara 180 grados y se abriera camino en la atmósfera con el escudo térmico. (En los vuelos suborbitales no es preciso frenar).

Foto 19. Lanzamiento de una cápsula *Mercury* por el cohete *Redstone*.

El cohete *Redstone*, diseño de von Braun a partir del A-4 alemán, era incapaz de poner en órbita la cápsula *Mercury*, por lo que sus vuelos fueron suborbitales. Obsérvese la torre de escape (LES) durante el lanzamiento, situada sobre la cápsula, con el propósito de salvar al tripulante si, en caso de emergencia, hubiera que hacer estallar al lanzador.

Dos meses y medio más tarde, el 21 de julio, tras tres aplazamientos por nubes que habían obligado al astronauta a permanecer sentado en la estrechez de la cabina durante 3 horas y 22 minutos antes del lanzamiento, voló Virgil Grissom en la *Liberty Bell*-7 (Campana de la Libertad-7). La cápsula, a la que se le había ampliado la ventanilla de observación a solicitud de los propios astronautas y se le había incorporado una escotilla con cierre pirotécnico, recorrió en 15^m 38^s una trayectoria balística similar a la anterior, ascendiendo a 189 Km y alcanzando 488 en distancia. Pero al amarar falló la escotilla y resultó anegada y, aunque Grissom pudo ser rescatado, la cápsula se fue a pique.

CLAUSURA DEL PROGRAMA *VOSTOK*. LA MUJER EN EL ESPACIO

La respuesta de la Unión Soviética a los dos vuelos suborbitales estadounidenses no se hizo esperar. El 6 de agosto era lanzada la *Korabl-Sputnik Vostok*-2 con el cosmonauta German Titov abordo, para un vuelo de más de 24 horas de duración[130]. Aunque Titov padeció náuseas y se mareó, el vuelo hubo de completarse, 17 órbitas, o 25 horas y 18 minutos. Cuando aterrizó, en Krasny

---

[130] Como la Tierra gira 22,5° hacia el Oeste durante el tiempo que dura una órbita a baja altura (unos 90 minutos), para aterrizar en las proximidades del punto de partida un cosmonauta debía efectuar cuando menos 16 revoluciones (24/1,5) alrededor de la Tierra. Gagarin, que solo completó una revolución, descendió en Smelovka, 17° al Oeste de Baikonur. Si hubiera completado dos órbitas su descenso habría ocurrido sobre Bielorrusia y si hubiera efectuado tres revoluciones sobre Polonia.

Kut (Saratov), el análisis médico arrojó resultados preocupantes: había perdido dos kilos y mostraba inicio de descalcificación[131]. El consejo de los facultativos fue ralentizar el programa de vuelos tripulados.

Siguiendo dicha prescripción, el tercer vuelo no tiene lugar hasta un año después, el 11 de agosto de 1962, cuando ya los norteamericanos han puesto dos astronautas en órbita (Glenn y Carpenter). Se trata de la *Korabl-Sputnik Vostok*-3 que lleva abordo al cosmonauta Andriyan Nikolaev (ver foto 11, p. 132), el primero en efectuar una transmisión de TV desde el espacio. Pero la sorpresa para los occidentales surge cuando al sobrevolar Baikonur, transcurridas 24 horas desde el lanzamiento, es enviada una segunda nave, la *Korabl-Sputnik Vostok*-4, tripulada por el cosmonauta Pavel Popovich (ver foto 11), con el objetivo de seguir una trayectoria idéntica a la de Nikolaev, para estudiar así la deformación orbital experimentada tras 24 horas de vuelo por el primer ingenio y las comunicaciones por radio entre ambos. La misión se cumple sin incidentes y el día 15 ambos cosmonautas se encuentran en tierra.

El programa *Vostok* se cierra con broche de oro otro año después, con el lanzamiento de la *Korabl-Sputnik Vostok*-5 el 14 de junio de 1963, tripulada por el cosmonauta Valeriy Vikovsky (ver foto 11) y la *Korabl-Sputnik Vostok*-6 dos días más tarde, llevando abordo a la primera mujer cosmonauta, Va-

---

131 A pesar de sufrir mareos, Titov consiguió dormir en ingravidez, al principio durante una órbita entera, despertándose con la sorpresa de que sentía flotar los brazos. Pero una vez que se los sujetó con el cinturón de seguridad, continuó durmiendo "como un niño", sobrepasando en 40 minutos el tiempo programado.

lentina Tereshkova (ver fotos 11 y 20)[132]. Al formar los planos orbitales de ambos vehículos un ángulo de 22°, estos se acercan hasta 3 Km y se separan hasta unos 12.000, lo que les permite llevar a cabo un extenso programa de experimentos. Cuando aterrizan, Vikovsky en la revolución 81ª (casi 119 horas de vuelo) y Tereshkova en la 48ª (71 horas), ambos se encuentran perfectamente y no muestran síntomas de descalcificación.

**Foto 20. Yuri Alekseevich Gagarin
y Valentina Vladimirovna Tereshkova.**

Esta simpática fotografía muestra al primer y la primera cosmonautas de todo el mundo. Valentina fue aficionada al paracaidismo desde su juventud y ello le valió para ser elegida cosmonauta para el plan de vuelos tripulados. Tereshkova fue condecorada como Heroína de la Unión Soviética y más tarde llegó a ser miembro eminente del Partido Comunista.

---

[132] Todas las cosmonautas rusas tenían que ser paracaidistas, de 30 años de edad máxima y de 70 Kg de peso. Hubo otras cuatro seleccionadas: Tatyana Kuznetsova (1941-), Irina Solovyova (1937-), Zhana Yerkina (1939-) y Valentina Ponomareva (1933-).

CONCLUYE EL PROGRAMA *MERCURY* CON VUELOS ORBITALES DE LOS ESTADOS UNIDOS

A partir de abril de 1961, NASA dispuso del nuevo lanzador Atlas (foto 21), construido por la firma norteamericana General Dynamics Corporation[133] siguiendo una línea tecnológica nueva, conocida como estructura a presión, o coloquialmente como "depósito volante", basada en la utilización de estructuras livianas para el fuselaje y para los depósitos de propergol, a los que se les daba la rigidez necesaria mediante nitrógeno a presión. Utilizaba queroseno y oxígeno líquido y era capaz de poner

Foto 21.
El cohete Atlas.
Despegue del lanzador Atlas, fabricado por General Dynamics Convair como misil, con la cápsula *Friendship-7*, tripulada por John Glenn, el primer astronauta americano que orbitó la Tierra. Obsérvese la torre de escape (LES) utilizable para salvar al tripulante en caso de emergencia durante el lanzamiento.

---

[133] La división *Convair* de GDC había diseñado este lanzador como misil balístico intercontinental (ICBM) para la USAF, con motivo de la intervención norteamericana en la guerra de Corea iniciada en 1951.

una carga útil de 2,6 Tm en órbita de 560 Km de apogeo, suficiente para una cápsula *Mercury*.

Prudentemente, antes de enviar a un hombre NASA y tras un ensayo de 1h 49m de vuelo orbital no tripulado del nuevo conjunto (*Mercury-Atlas*-4), el 13 de septiembre de ese mismo año decidió probar con un chimpancé llamado *Enos*. Lanzado en el vuelo *Mercury-Atlas*-5, el 29 de noviembre para un viaje de tres órbitas, *Enos* tuvo la mala fortuna de sufrir dos averías: la primera fue que el mecanismo que premiaba y sancionaba sus actividades funcionó al revés de como estaba previsto, sancionando las actuaciones acertadas del animal, que sin embargo, continuó ejecutando las actividades para las que había sido entrenado. La segunda fue que la cápsula comenzó a dar señales de inestabilidad durante la segunda revolución, por lo que se decidió abortar la tercera. Amaró felizmente a 400 Km al sur de las islas Bermudas, donde fue recogido por el buque de rescate, abordo del cual demostró gran alegría por el regreso.

Los percances del vuelo de *Enos* aconsejaron aplazar el lanzamiento del primer hombre hasta que se hubiera identificado y corregido las causas. Ello significó una contrariedad para el nuevo administrador, James Web, cuya intención era colocar en órbita al primer astronauta estadounidense en el mismo año en que los soviéticos lo hicieron con Gagarin. Al año siguiente, reparadas las averías y tras una serie de retrasos motivados unas veces por el equipamiento y otras por el tiempo adverso, el 20 de febrero de 1962 John Glenn (foto 22) fue lanzado en la nave *Friendship*-7 ("Amistad-7"[134]) para efectuar tres

---

[134] El número 7 aplicado a este nombre, igual que los aplicados a las cápsulas *Freedom* y *Liberty Bell*, hacía referencia al número de astronautas seleccionados para el proyecto *Mercury*.

**Foto 22. John Hershel Glenn, el primer astronauta
americano que orbitó la Tierra.**
El coronel Glenn fue elegido por el Director de Vuelos
Tripulados de Houston, Robert Gilruth para tripular el
primer vuelo orbital *Mercury-Mercury* 6, siendo su suplente
el piloto de pruebas Scott Carpenter. A su regreso, Glenn fue
felicitado personalmente por el Presidente Kennedy y se le
concedió la Medalla de Honor del Congreso.

revoluciones alrededor de la Tierra. El despegue se
realizó sin contingencias, aunque el fallo de un
perno de la escotilla obligó a Glenn a esperar 3
horas y 44 minutos instalado en el estrecho asiento
de su cápsula (foto 23) hasta recibir el *"go"* del
Director del Lanzamiento. Quizá por esta razón, en
el momento del despegue el medidor de su ritmo
cardíaco marcaba 110 pulsaciones. Más tarde, en el
momento de máxima aceleración del vuelo propulsado, se le oyó informar:

Foto 23.
La cápsula *Mercury*.
La cápsula *Mercury*, compuesta por un único módulo, era más sencilla que la *Korabl Sputnik Vostok*, compuesta por dos. Sin embargo, tenía la ventaja de que se podía gobernar la orientación por medio de una única palanca de mando (*joystick*) durante la ingravidez. Como en un vuelo suborbital no existe reentrada, el fondo de la cápsula estaba ocupado por un colchón inflable que servía de boya tras el amaraje. Esta

fotografía, tomada en el museo Smithsonian de Washington DC, da muestra de la estrechez en que había de desenvolverse un astronauta del Proyecto *Mercury*.

–Hay un poco de zarandeo aquí.[135]

Cuando se desprendió la torre de escape y la nave cabeceó en el acimut previsto, Glenn pudo recrearse contemplando el horizonte terrestre y exclamar:

–¡Hay una bonita vista mirando hacia el Este, sobre el Atlántico![136]

Para su suerte, las vibraciones cesaron en el evento SECO[137], o sea, cuando el cohete consumió

---

[135] *It's a little bumpy about here.*
[136] *There's a beautiful sight, looking eastward across the Atlantic.*
[137] Siglas de *Second Engine Cut Off*, ("Segundo apagado del motor").

su propergol. Al entrar en órbita, los datos de rastreo indicaban que si bien la inclinación era la adecuada, 32,5°, la velocidad adquirida, 28,205 Km/s, era 2 m/s inferior a la calculada, por lo que el periodo era algo corto, 88,5 minutos y el perigeo algo bajo, 159 Km. Aun así, como la altura del apogeo era de 265 Km, se calculó que podría evolucionar alrededor de la Tierra 100 veces sin peligro. Sin peligro si nada más fallaba, pero resultó que el dispositivo pirotécnico que debía separarle del lanzador una vez en órbita, se retrasó dos segundos y medio, lo que redundó en que la nave comenzara a balancearse y que el sistema automático de orientación consumiera una cantidad de gas imprevista para estabilizarla.

Otras tres disfunciones vinieron a inquietar al astronauta: el navegador giroscópico indicaba una posición que no correspondía con las marcaciones visuales, una errónea indicación de que el escudo ablativo se había soltado y solo estaba retenido por el anclaje del bloque motor y el fallo del mecanismo de orientación automática, que tuvo que ejercerse en modo manual. Finalmente, tras orbitar la Tierra tres veces, la cápsula *Friendship*-7 amaró a 60 Km del punto de espera. Por fortuna, el destructor *Noa* se encontraba a 6 millas del lugar y descubrió el paracaídas durante el descenso, de modo que Glenn fue rescatado en 17 minutos. Su vuelo había durado 4 horas y 55 minutos.

El Proyecto *Mercury* continuó con los vuelos *Mercury-Atlas*-7, el 24 de mayo de 1962 tripulado por Scott Carpenter (3 órbitas), *Mercury-Atlas*-8, el 3 de octubre tripulado por Walter Schirra (6 órbitas) y concluyó con el *Mercury-Atlas*-9, el 15 de mayo de 1963, tripulado por Gordon Cooper (22 órbitas), con la cancelación de los vuelos *Mercury-Atlas*-10, 11 y 12. En la tabla siguiente recopilamos los vuelos tripulados efectuados hasta julio de 1963.

TABLA CRONOLÓGICA

CRONOLOGÍA DE LOS PRIMEROS VUELOS TRIPULADOS

Nombre	Fecha de lanzam.	Lanzador	Duración	Piloto	Notas
Vostok-1	12-04-61	*Semyorka*	1h 48m	Yu. Gagarin	Primer hombre en el espacio
Mercury-3	02-08-61	*Redstone*	15m 28s	A. Sheppard	1er vuelo suborbital USA
Mercury-4	21-07-61	*Redstone*	15m 37s	V. Grissom	2° vuelo suborbital USA
Vostok-2	06-08-61	*Semyorka*	25h 18m	G. Titov	1er vuelo tripulado > 1 día URSS
Mercury-6	20-02-62	Atlas	4h 55m	J. Glenn	1er vuelo orbital tripulado USA
Mercury-7	24-05-62	Atlas	4h 56m	S. Carpenter	2° vuelo orbital tripulado USA
Vostok-3	11-08-62	*Semyorka*	3d 22h	A. Nikolaev	1er vuelo conjunto URSS
Vostok-4	12-08-62	*Semyorka*	2d 23h	P. Popovich	
Mercury-8	03-10-62	Atlas	9h 13m	W. Schirra	Pruebas de ingeniería
Mercury-9	15-05-63	Atlas	1d 10h	G. Cooper	1er vuelo tripulado > 1 día USA
Vostok-5	14-06-63	*Semyorka*	4d 23h	V. Vikovsky	Vuelo solitario más largo
Vostok-6	16-06-63	*Semyorka*	2d 23h	V. Tereshkova	1ª mujer en el espacio

163

7

Comienza la conquista
de la Luna

Cuando Galileo Galilei (1564-1642) dirigió su modesto telescopio hacia la Luna en 1610, percibió un mundo insólito repleto de montañas descomunales coronadas por picos agudos que proyectaban larguísimas sombras, de las que merced a su penetrante lucidez, se valió para calcular las alturas. Por el aspecto que ofrecía en el ocular, Galileo comparó la imponente orografía que divisaba con la región entonces austriaca de Bohemia, estableciendo el primer paralelismo topográfico entre la Tierra y la Luna.

Ahora bien, la descripción que hizo Galileo de la Luna[138] contradecía el criterio heredado de la antigüedad, según el cual las zonas brillantes de la superficie lunar eran mares (*maria*) y las obscuras tie-

---

[138] Galileo publicó los resultados de sus observaciones telescópicas en 1610, en su célebre diálogo titulado *Sidereus Nuncius* ("El Mensajero de los Astros").

rras (*terrae*). Atendiendo al aspecto terso que ofrecían al telescopio las zonas obscuras, frente a la escabrosidad de las zonas claras, Johannes Kepler (1571-1630) invirtió dicho criterio, reforzando con ello la vinculación topográfica entre la Tierra y su satélite.

En realidad, Galileo[139] había descubierto un nuevo tipo de estructuras topográficas desconocido en la Tierra: las cuencas, los circos y los cráteres (foto 24), pero su rudimentario telescopio no le sirvió para aventurar hipótesis alguna sobre el proceso de formación de aquellas extrañas estructuras circu-

Foto 24.
Topografía lunar.
A simple vista es posible reconocer dos tipos de terrenos en la superficie lunar: los brillantes y los obscuros. Pero el telescopio vino a descubrir una gran variedad de accidentes topográficos de los que no se tenía noticia que existiera parangón en la Tierra: las cuencas, los circos y los cráteres. El origen meteorítico de estas estructuras no fue reconocido por todos los selenólogos hasta mediados del siglo XX.

---

[139] Unos meses antes que Galileo, el astrónomo inglés Thomas Harriot (1560-1621) había observado la Luna con otro telescopio construido por él mismo y realizó dibujos de la superficie lunar, pero nunca los publicó.

lares. Alrededor de un siglo más tarde, cuando la evolución de este instrumento permitió contemplar los detalles de dichas estructuras lunares, surgieron dos escuelas astronómicas que trataron de explicar su formación aludiendo a principios distintos, uno endógeno que las atribuía a procesos originados en el interior de la Luna y otro exógeno que las suponía originadas por mecanismos externos, independientes de los procesos que puedan desarrollarse en el interior de la Luna.

Los partidarios del modelo endógeno, también denominado de la "Luna caliente", atribuían la formación de aquellas estructuras a un mecanismo interno semejante al vulcanismo terrestre. Suponían que la temperatura del manto lunar era suficientemente alta para provocar erupciones explosivas de materia, es decir que se trataba de auténticos cráteres volcánicos. Por ellos, sus partidarios eran conocidos como vulcanistas.

Frente a ellos, los partidarios del principio exógeno explicaban la formación de aquellas estructuras por bombardeo meteorítico, por lo que no necesitaban que el manto lunar estuviera caliente (aunque no lo negaban), y por ello esta hipótesis se conocía como de la "Luna fría" y a sus partidarios, como meteoristas.

Ambas hipótesis gozaron de momentos álgidos contrapuestos, siendo el punto flaco de los vulcanistas los enormes tamaños de las cuencas (miles de kilómetros) y el de los meteoristas la redondez de las cicatrices producidas por los impactos, que parecía implicar la caída siempre vertical de los meteoritos. Finalmente se impuso la hipótesis meteorista, cuando los geofísicos lograron explicar la naturaleza explosiva de los choques de grandes meteoritos que inciden contra la superficie lunar a hipervelocidad (más de 5 Km/s). El comportamiento de estos proyectiles es análogo al que ocurre en un campo de batalla tras un bombardeo artillero: todos los embudos son circulares independientemente de la trayectoria del proyectil.

A mediados del siglo XX la hipótesis endógena había sido abandonada y los selenólogos consideraban que la Luna es un astro geológicamente muerto, por cuanto carece de toda actividad tectónica (ni placas, ni vulcanismo) que altere la superficie. Y al no poseer atmósfera, tampoco contiene agentes (ni viento ni agua) que la erosionen, solo la transforman agentes externos (los meteoritos), pero con una cadencia incomparablemente más lenta que la de los agentes erosivos del entorno terrestre.

Así estaban las cosas cuando el 3 de noviembre de 1958, un astrónomo ruso, Nikolai Kozyrev (1908-1983), informó de haber detectado una erupción carbónica procedente del pico central del circo Alfonso[140]. Como su telescopio (el reflector de 1,25 m del Observatorio de Pulkovo) estaba equipado con un espectrógrafo, Kozyrev pudo obtener un espectrograma de la erupción en el que se mostraba la presencia de moléculas de carbón (C_2). ¿Se trataba de una verdadera erupción volcánica? ¿Estaba tectónicamente "viva" la Luna?

El descubrimiento de Kozyrev desató la desazón entre los expertos de todo el mundo. En los Estados Unidos, donde las industrias punteras ya estaban trabajando en proyectos de futuros viajes a la Luna, cayó como una bomba, ya que suponía el desbaratamiento de todos sus modelos de sondas

---

[140] Circo llamado así en honor del rey castellano Alfonso X el Sabio (1221-1284). Mide 118 Km de diámetro y sus paredes 2.700 m de profundidad. Posee un pico central que se eleva 912 m sobre el suelo del fondo.

lunares. En el terreno científico, Gerald Kuiper (1905-1973), a la sazón Director de los observatorios de Yerkes y McDonald, se contagió de la rivalidad Este-Oeste que impregnaba el ámbito militar y rechazó la autenticidad del descubrimiento, atribuyéndolo a la precariedad de medios que afligía a los científicos soviéticos. La controversia no se resolvería hasta diciembre de 1960, en la convención de la comisión lunar y planetaria de la UAI que se celebró en Leningrado, en la que otros astrónomos soviéticos ofrecieron una interpretación distinta de los datos de Kozyrev. La presencia de carbón era en forma de gas frío, de modo que se trataba de una emanación y no de una erupción volcánica.

LAS SONDAS *RANGER* AL FIN HACEN DIANA EN LA LUNA

A principios de 1961, cuando la flamante Administración Kennedy tomó el relevo en la Casa Blanca, la ventaja adquirida por la Unión Soviética en la carrera espacial, sobre todo tras el vuelo de Gagarin, era reconocida universalmente. Los Estados Unidos seguían desempeñando un papel segundón, a pesar de la unificación de esfuerzos llevada a cabo mediante la creación de la NASA. Para la nueva Dirección de esta Agencia, el camino que se debía emprender para tratar de desbancar a la URSS de su puesto de privilegio fue el Proyecto *Apollo*, del que daremos cuenta al lector en los dos últimos capítulos. Ahora bien, el plan para poner en marcha este ambicioso proyecto pasaba por lograr adelantos importantes en dos campos hasta entonces no dominados: el de los vuelos tripulados y el de la trayectoria a la Luna. Para adquirir la maestría imprescindible para enviar hombres a este satélite iba a ser preciso desarrollar cinco proyectos previos, dos en el campo de los vuelos tripulados, *Mercury* (capítulo anterior) y *Gemini,* y tres en el campo de los vuelos de sondas a la Luna, *Ranger, Lunar Surveyor* y *Lunar Orbiter.*

Como hemos visto en el capítulo anterior, desde finales de 1960 NASA dispuso por fin de un lanzador potente, el cohete *Atlas*, capaz de poner una carga útil de 2,6 Tm en órbita de 560 Km de apogeo. Si se le acoplaba como segunda fase el cohete *Agena* (figura 16) de Lockheed Corporation, que aportaba la ventaja de utilizar un hipergol[141], entonces podría

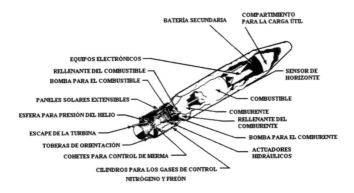

Figura 16. Esquema del cohete *Agena.*
Longitud, 7,25 m • Diámetro, 1,52 m • Masa, 082 Tm
Motor, Bell 8081 (forjado en aluminio) • Empuje, 7,2 Tm-f
Duración, 240 seg. • Hipergoles, hidracina
(N_2H_4) y peróxido de nitrógeno (N_2O_4)

---

[141] Un hipergol es una mezcla de dos ergoles, combustible y comburente que reaccionan espontáneamente sin necesidad de encendido.

enviar una sonda de 400 Kg a la Luna, con la gran ventaja de que su motor podía encenderse y apagarse varias veces.

La escalada a la Luna con este nuevo lanzador requería una sonda completamente nueva, llamada *Ranger* (figura 17), de cuyo diseño se encargó el

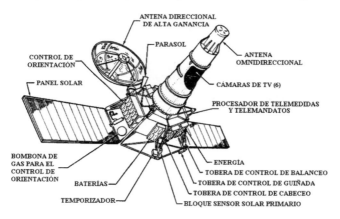

Figura 17. Esquema de la sonda *Ranger.*
Longitud, 3,6 m • Envergadura, 5,2 m • Masa, 355 Kg
Motor, monopropergol • Ergol, hidracina • Empuje, 23 Kg-f
Orientación, giroscopios y toberas de hidracina
Cámaras, 6, (2 gran angular y 4 teleobjetivos).

JPL. La tarea principal que debía acometer este proyecto era fotografiar la superficie lunar en preparación para un futuro aterrizaje humano en ella. Para ello el programa aspiraba inicialmente a enviar cinco sondas, dos de aproximación desde una órbita terrestre de gran excentricidad y tres de impacto a velocidad reducida, que permitiera fotografiar lugares elegidos de antemano. Cada una (foto 25) portaría seis

Foto 25.
La sonda *Ranger.*
Estas sondas lunares
diseñadas por el JPL
para impactar contra
la superficie de la
Luna estaban estabili-
zadas por giroscopios
y motores de gas.
Iban equipadas con
seis cámaras de TV
y medidores de
radiación y de campo
magnético.

cámaras de TV (con tubo vidicón) que funcionaban
emparejadas, dos de focal corta y barrido completo y
cuatro de focal larga y barrido parcial, que les servían para tomar fotografías de la Luna a distancias
comprendidas entre 1400 y 0,8 Km y, además, medidores de radiación y de campo magnético.

Pero la senda de la Luna continuó mostrando
hostilidad a las pretensiones de los esforzados con-
quistadores. Las sondas *Ranger*-1 y *Ranger*-2, lanzadas el 23 de agosto y el 30 de septiembre de 1961,
fracasaron debido a sendos fallos en el encendido de
la etapa *Agena*. Al año siguiente la mala suerte continuó cebándose con los ingenieros de la Lockheed:
la etapa *Agena* imprimió a la sonda *Ranger*-3, lanzada el 26 de enero, una velocidad superior a la calculada, con lo que esta llegó demasiado pronto a la
órbita lunar y no fue capturada por el campo gravitatorio del astro, pasando a 29.000 Km por delante de
él, para quedar en orbita del Sol. Y aunque los controladores trataron de encender las cámaras a aquella
distancia, otro fallo en las telemedidas echó a perder

la misión. El 23 de abril de 1962 fue lanzada la *Ranger*-4, que tras una trayectoria perfecta, se estrelló en la cara oculta de la Luna, pero … sin transmitir una sola fotografía por fallo de su ordenador de abordo. Por último en este año, a la sonda *Ranger*-5 se le desviaron los paneles solares de la orientación conveniente, con lo que todo su equipo electrónico quedó sin energía y aunque pasó a solo 750 Km de la Luna, no pudo enviar información alguna.

Los responsables de los vuelos lunares aprendieron de sus errores. Un año después, los especialistas en balística definieron "el pasillo lunar" (figura 18), como un túnel imaginario dentro del cual cualquier vehículo que viajara a 12,266 Km/s ±7 m/s, llegaría a la superficie lunar[142]. Las sondas *Ranger* debían entrar en el túnel después del segundo encendido del *Agena*. Allí se podía refinar la trayectoria con dos maniobras de medio curso, a las 16 horas del lanzamiento y 1 hora antes del impacto (a las 67 horas de vuelo). Ahora, para evitar nuevos fallos debidos a complicados sistemas, la sonda *Ranger*-6, lanzada el 30 de enero de 1964, solo llevaba cámaras de TV. Y si bien su vuelo fue impecable e impactó en el objetivo elegido, el Mar de la Tranquilidad, tampoco envió fotografías debido a que su vidicón[143] se había destruido al haberse encendido anómalamente al cruzar la ionosfera.

---

[142] Nótese que estas velocidades se requieren para hacer impacto en la Luna, no para entrar en orbita.

[143] El tubo de imagen vidicón utilizaba alta tensión para acelerar el haz de electrones que exploraba la imagen. El fallo de encenderlo en la ionosfera conllevó su destrucción por arco voltaico entre electrodos.

LANZAMIENTO TÍPICO DE UNA SONDA RANGER A LA LUNA

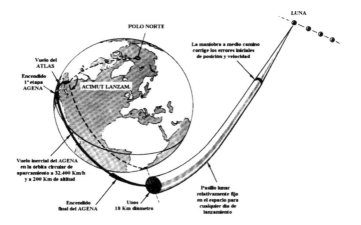

Figura 18. El pasillo lunar.
Era un túnel imaginario de 16 Km de diámetro y 533.000
Km de longitud, situado a 185 Km sobre la superficie de la
Tierra, dentro del cual cualquier sonda que se moviera a
12,266 Km/s ±7 m/s, alcanzaría la superficie lunar.

Tras un periodo de reflexión de seis meses
durante el cual los ingenieros del JPL revisaron la
circuitería de estas sondas, el 28 de julio de 1964 un
Atlas-Agena (foto 26) lanzó la *Ranger*-7 dirigida al
entonces llamado Mar Incógnito. El vuelo fue perfecto y las cámaras funcionaron enviando más de
4.000 fotografías a la Tierra (foto 27), las más cercanas de las cuales (inmediatamente antes del impacto)
permitían distinguir cráteres de un metro de diámetro en un encuadre de solo 30 x 50 m. El éxito de
este vuelo tuvo resonancia internacional, pues en la
siguiente reunión de la Unión Astronómica Interna-

Foto 26.
El lanzador
Atlas-Agena.
Altura, 31 m.
Diámetro, 4,9 m.
Masa, 125 Tm.
Motor, 1 princ. + 2 aux.
Ergoles, LOx + queroseno.
Motores auxiliares,
Ergoles, LOx + queroseno.
Encendido, 150 s.
Empuje, 200 Tm-f.

Fue el primer gran cohete lanzador estadounidense.

cional (UAI) se acordó cambiar el nombre de este mar lunar por el de *Mare Cognitum.*

El éxito de esta séptima sonda envalentonó a los directores del proyecto, que destinaron la *Ranger*-8 al futuro escenario del desembarco humano, el Mar de la Tranquilidad, con un ángulo de incidencia de 42 grados, de modo que durante la aproximación permitiera explorar una región extensa de dicho mar. El vuelo de esta sonda, lanzada el 17 de febrero de 1965, fue de la misma calidad que la anterior y las más de 7.000 imágenes que envió pudieron ser corregidas abordo giran-

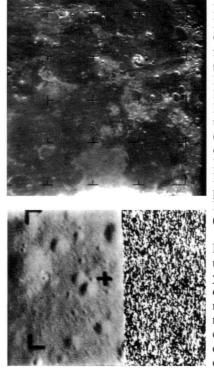

Foto 27. El Mare [In] Cognitum fotografiado por la sonda Ranger VII. La sonda Ranger VII llegó felizmente a la Luna y se estrelló en un terreno magmático (izqda.) que se conocía como Mare Incognitum (Mar Desconocido) y que pasó a denominarse Mare Cognitum ("Mar Conocido").

La foto inferior cubre un área de 30 x 50 m y muestra detalles del tamaño de un metro. El final ruidoso indica que el impacto ocurrió durante la transmisión de esta foto.

do la plataforma de las cámaras para contrarrestar el efecto del desplazamiento lateral de la sonda.

Para la última sonda de la serie, la *Ranger* 9, los científicos del Servicio Geológico de los Estados Unidos (USGS) y los astrónomos del Observatorio de Mount Wilson consiguieron que los directores del proyecto la destinaran al intrigante circo Alfonso, para examinar el pico que Kozyrev viera enrojecer y expeler gas carbónico rojizo. El vuelo de este ingenio, lanzado el 21 de marzo, volvió a rayar en la perfección y las 5.800 fotografías que tomó demostraron palpablemente que dicho pico central (foto 28) no era una colada volcánica, por lo que la emisión de gas carbónico fue realmente un escape y no una erupción.

Foto 28.
La sonda *Ranger* VII explora el circo Alfonso.
Esta fotografía, tomada a 250 Km de altura y 1 minuto y 35 segundos antes del impacto (que ocurriría en el punto marcado por el círculo blanco), cubre un área de 120 x 110 Km.
En ella se observa que el pico central del circo está formado por material anortosítico y no magmático, lo que excluye su formación volcánica.

Las sondas *Luna* de la Unión Soviética aterrizan en la Luna

La gran ventaja adquirida por los soviéticos en la carrera espacial seguiría patente en este segundo asalto a nuestro satélite. Si los Estados Unidos consiguieron hacer impacto en la superficie lunar casi cinco años después de que lo hiciera la URRS, esta se disponían ahora a aumentar su superioridad preparando sondas capaces de aterrizar suavemente en la superficie y analizarla[144]. Se trataba de las sondas *Luna* (léase *Luná*) de 1.600 Kg de peso (frente a los 355 de las *Ranger*), provistas de retrocohetes para frenar durante el descenso sobre la superficie. Sin embargo, la malaventura que había perjudicado a sus colegas estadounidenses hasta 1963, afectó por igual a los soviéticos. El lanzamiento del primer modelo, la *Luna*-4, en abril de 1963, falló porque se perdió el radioenlace y la sonda quedó en órbita terrestre.

Dos años después el tendón de Aquiles fueron los retrocohetes, no arrancando los de la *Luna*-5 en mayo de 1965, o haciéndolo antes de tiempo los de la *Luna*-7 en octubre, o demasiado tarde los de la Luna-8 en diciembre. En el caso de la *Luna*-6, en junio, fue el motor de corrección de trayectoria, que

---

[144] En la terminología anglosajona se denomina *hard landing* ("aterrizaje duro") o *crash landing* ("aterrizaje por percusión") a los de las sondas de impacto, como las *Lunik* y *Ranger*, que siguen una trayectoria parabólica (rápida), toda vez que solo pretenden hacer impacto en el blanco. Seguidamente nos ocuparemos de los denominados *soft landing* ("aterrizaje suave"), vuelos que siguen una trayectoria elíptica (lenta) para que la velocidad de llegada sea baja y la sonda pueda aterrizar mediante una complicada maniobra de retrofrenado.

no se apagó y envió la sonda a órbita solar. En suma, cinco intentos y otros tantos fracasos.

Sin embargo, otra nave llamada *Zond*-3 (figura 19), perteneciente a otro proyecto distinto, que trataba de fotografiar la parte de la cara oculta que aún se desconocía, tuvo éxito. Su trayectoria (figura 20) fue planeada para que el 20 de julio de 1965 sobrevolara la zona en cuestión a unos 11.000 Km de distancia máxima, cuando empezaba a ser iluminada por el Sol (Luna creciente), para que las fotografías tuvieran mejor resolución (foto 29, p. 181) que las que tomó la sonda *Lunik*-3 bajo iluminación vertical (Luna llena). Tomó 25 fotografías y luego continuó su trayectoria quedando en órbita solar. Retransmitió las fotos dos veces, desde 2,2 y 31 millones de Km de distancia. Con ellas la Academia de Ciencias de la

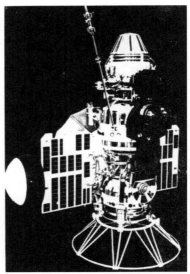

Figura 19. La estación automática *Zond*-3.
Longitud, 2,5 m.
Diámetro de la base, 1 m.
Masa, 960 Kg.
Motor, iónico.
Instrumentos:
magnetómetros,
espectrógrafo,
radiómetro,
sensor de meteoritos.

El Proyecto *Zond* ("Sonda") consistía en una serie de vehículos interplanetarios, no tripulados, destinados a explorar la Luna y los planetas vecinos, Venus y Marte.

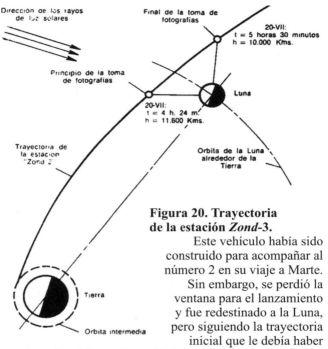

Figura 20. Trayectoria
de la estación *Zond*-3.
Este vehículo había sido
construido para acompañar al
número 2 en su viaje a Marte.
Sin embargo, se perdió la
ventana para el lanzamiento
y fue redestinado a la Luna,
pero siguiendo la trayectoria
inicial que le debía haber
llevado a Marte. Tomó 25 fotografías desde 11.600 Km
antes de la llegada, hasta 10.000 Km después.

URSS pudo publicar el Mapa de la Cara Oculta de
la Luna[145] (figura 21, p. 182).

El primer vuelo con éxito destinado al aterrizaje
correspondió a la sonda *Luna*-9 (figura 22, p. 183),
que fue lanzada el 31 de enero de 1966 por un cohete
Molniya (figura 23, p. 184). Este lanzador no era sino

---

[145] *Karta Obratnoi Storony Luny.*

**Foto 29. Panorama de la cara oculta de la Luna
captado por la estación *Zond*-3.**
Este mosaico fotográfico fue tomado con la cámara de
106 mm de focal a la distancia de 9.200 Km. La gran zona
obscura es la cuenca del Mar Oriental y la pequeña junto
al limbo la cuenca Grimaldi. Procesados posteriores
de estas fotos han mostrado también la enorme
cuenca Aitkens, cercana al polo Sur lunar.

una versión del conocido R-7 (*Semyorka*), a la que se
le había añadido una cuarta etapa capaz de enviar sondas a la Luna y a los planetas vecinos (Venus y Marte).
Una vez en órbita terrestre de aparcamiento, el
motor de la cuarta etapa se encendió cuando la nave
transitaba por el punto antilunar, enviando la sonda

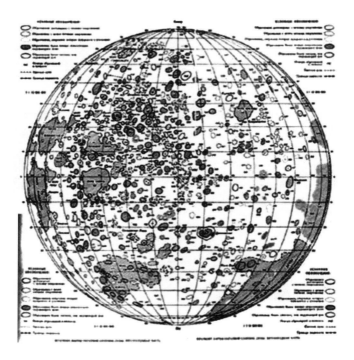

Figura 21. El mapa de la cara oculta lunar.
Con las fotografías tomadas por la nave cósmica
Zond-3, los selenógrafos de la Academia de Ciencias
de la URSS consiguieron completar el Mapa
de la cara oculta de la Luna, en el que introdujeron
la toponimia que más tarde ha sido reconocida
por la Unión Astronómica Internacional (IAU).

en una trayectoria translunar (figura 24, p. 185) que
duraría 79 horas. Durante el viaje la sonda maniobró
dos veces, la primera para orientar el motor en la dirección adecuada para corregir la trayectoria y la
segunda para colocarse en posición de descenso. A

Figura 22.
La sonda *Luna*-9.
Longitud, 2,7 m.
Diámetro, 58 cm.
Masa, 1480 Kg.
Motor, KTDU.
Ergoles, aminas + NO$_3$H.
Empuje, 4.500 Kg-f.
Duración frenado, 45 seg.

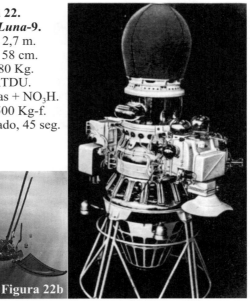

Figura 22b

Figura 22b. Cápsula: Diámetro, 58 cm • Masa, 100 Kg
Instrumentos, cámara de TV • espejo orientable

75 Km de altura medidos por el radar, la sonda encendió los retrocohetes e inició el descenso sobre el Océano de las Tormentas. Cuarenta y ocho segundos después, cuando la velocidad se había reducido a 14 m/s, un palpador tocaba el suelo, los retrocohetes se apagaban y la cápsula ovoidal situada en la parte superior (figura 25, p. 185) se desprendía y rodaba por el suelo. Al estar lastrada como un tentetieso, el ovoide adoptó la posición adecuada, se abrió en cuatro pétalos (figura 22b) descubriendo una cámara de TV y cuatro antenas. Era el primer objeto posado por el hombre en otro astro. Al día siguiente, 4 de

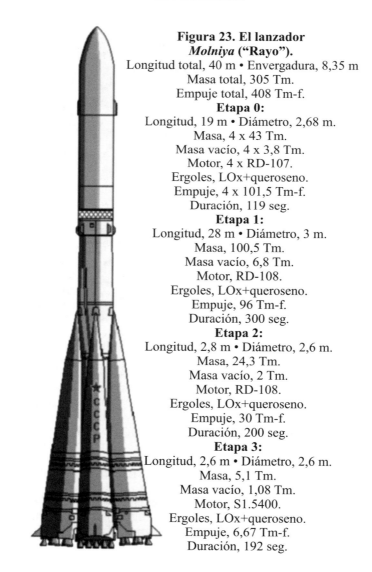

Figura 23. El lanzador
Molniya **("Rayo").**
Longitud total, 40 m • Envergadura, 8,35 m
Masa total, 305 Tm.
Empuje total, 408 Tm-f.
Etapa 0:
Longitud, 19 m • Diámetro, 2,68 m.
Masa, 4 x 43 Tm.
Masa vacío, 4 x 3,8 Tm.
Motor, 4 x RD-107.
Ergoles, LOx+queroseno.
Empuje, 4 x 101,5 Tm-f.
Duración, 119 seg.
Etapa 1:
Longitud, 28 m • Diámetro, 3 m.
Masa, 100,5 Tm.
Masa vacío, 6,8 Tm.
Motor, RD-108.
Ergoles, LOx+queroseno.
Empuje, 96 Tm-f.
Duración, 300 seg.
Etapa 2:
Longitud, 2,8 m • Diámetro, 2,6 m.
Masa, 24,3 Tm.
Masa vacío, 2 Tm.
Motor, RD-108.
Ergoles, LOx+queroseno.
Empuje, 30 Tm-f.
Duración, 200 seg.
Etapa 3:
Longitud, 2,6 m • Diámetro, 2,6 m.
Masa, 5,1 Tm.
Masa vacío, 1,08 Tm.
Motor, S1.5400.
Ergoles, LOx+queroseno.
Empuje, 6,67 Tm-f.
Duración, 192 seg.

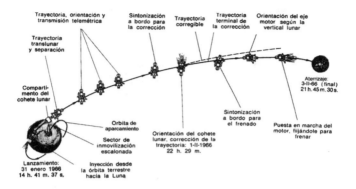

Figura 24. Vuelo y maniobras de la sonda *Luna*-9.
La trayectoria elíptica seguida por esta sonda necesitó
79 horas para alcanzar la Luna. Gracias a ello la
velocidad de llegada era baja y se pudo reducir a
14 m/s para aterrizar, mediante retrofrenado.

**Figura 25.
Aterrizaje de la
cápsula *Luna*-9.**
Al tocar el palpador
el suelo lunar, la
cápsula ovoidal se
desprendió de la nave
y rodó por la superfi-
cie hasta quedar
asentada sobre el

lastre. Seguidamente se abrieron los cuatro pétalos
y emergieron cuatro antenas y una cámara de TV.

febrero comenzó la transmisión de fotografías del
suelo lunar (foto 26, p. 186).

Si la ventaja de la Unión Soviética en la carrera
espacial se acrecentó con el aterrizaje de la sonda

**Foto 26. Primera fotografía de la superficie lunar
tomada in situ por la nave *Luna*-9.**
En ella se veían rasgos de tamaño milimétrico en los se
descubrió que la superficie lunar es dura, pues el ovoide no
había penetrado en el suelo. Tampoco se veía polvo, pero
sí infinidad de hoyos y ondulaciones de todos los tamaños.

Luna-9, todavía creció más dos meses después con la
puesta en órbita lunar del primer ingenio artificial, la
Estación Espacial *Luna*-10 (figura 25). Este vehículo,
lanzado por un cohete *Molniya* el 31 de marzo, iba
provisto de todo un laboratorio diseñado para analizar
el entorno lunar y las emisiones corpusculares del
Sol. Su vuelo (figura 26, p. 188), dirigido hacia el
punto de libración (o punto 1 de Lagrange) para evitar
el riesgo de rebasar la órbita lunar y quedar prisionera
del campo gravitatorio solar (figura 27, p. 189), mar-
có la pauta que después seguirían los vehículos *Apollo* de NASA. Los experimentos científicos que realizó la Estación Espacial *Luna*-10 fueron pioneros en
su campo, confirmando que la intensidad del campo
magnético lunar oscila entre 50 y 100 gammas, con
variaciones entre 24 y 38 y que las radiaciones
gamma que emite corresponden a rocas de tipo
basáltico y descartan la presencia de rocas graníti-
cas. Además, a partir de su entrada en órbita, el 3 de

Figura 25.
La estación espacial *Luna*-10.
Longitud, 2,7 m.
Diámetro máx., 1 m.
Masa, 1582 Kg.
Masa mód. orb., 245 Kg.
Masa instrum., 145 Kg.
Instrumentos:
Magnetómetro triaxial,
analizador de plasma solar,
detector de rayos gamma,
detector micrometeoritos.
Otros:
oscilador para reproducir las
notas del himno soviético
(La Internacional) durante el
XXIII Congreso del Partido
Comunista de la URSS.

abril, pudo realizar las primeras medidas de la cola del campo magnético terrestre (figura 27, p. 189).

El rastreo de la Estación Espacial *Luna*-10 arrojó la existencia de perturbaciones gravitatorias que merecían un estudio particular. En respuesta, el 24 de agosto fue lanzada otra estación automática, la *Luna*-11, equipada con instrumentos análogos a los de su hermana precedente. El 28 entró felizmente en órbita lunar de 160 x 1200 Km y 10° de inclinación. Desgraciadamente un objeto extraño alojado en la tobera de uno de los motores de orientación impidió a esta sonda apuntar a la Luna con sus cámaras de TV, de modo que solamente los demás instrumentos recogieron información. Como resultado del rastreo de ambas sondas por las estaciones OKIK se averiguó que la forma de la Luna no es perfectamente redonda (figura 28, p. 190), sino alargada y que su eje mayor apunta al centro de la Tierra.

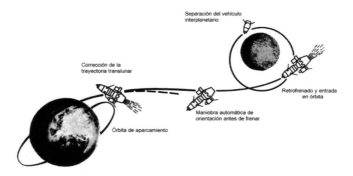

Figura 26.
Trayectoria translunar de la estación espacial _Luna_-10.
La trayectoria translunar elíptica iba dirigida hacia
el primer punto de Lagrange del sistema Tierra-Luna.
Al llegar a este punto tras una corrección de medio curso
y con velocidad muy baja, la sonda comenzó a "caer"
en el campo gravitatorio lunar mientras maniobraba
automáticamente para colocarse en posición de retrofrenado.
Al circunvolar la Luna la nave encendió el cohete de
retrofrenado, quedando capturada en una órbita
de 350 x 1017 Km, 72° de inclinación y 178 minutos
de periodo. La duración total del vuelo fue de 80 horas.

Dos meses después, el 25 de octubre, una tercera Estación Espacial, _Luna_-12, entró en órbita lunar de 100 x 1740 Km y 10° de inclinación, provista
de una cámara de TV de alta definición (1100 líneas)
estabilizada en tres ejes, con la que comenzó a fotografiar una región de la cara visible lunar (foto 27,
p. 191) adecuada para el aterrizaje de una nave tripulada. Además llevaba un experimento especial, un
motor eléctrico acoplado a un engranaje mecánico
para averiguar el rendimiento de este mecanismo en
el vacío. Su utilidad sería una sorpresa.

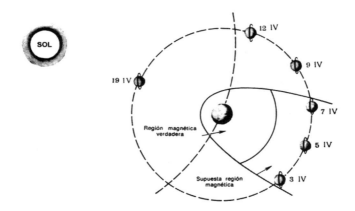

**Figura 27. Paso de la Estación Espacial *Luna*-10
por la cola magnética terrestre.**
El movimiento de translación de la Luna alrededor
de la Tierra fue aprovechado por los científicos soviéticos
para analizar la estructura de la cola del campo magnético
terrestre, los días 3-7 de Abril, en los que detectaron
la magnetopausa, y la onda de choque, día 19.

El colofón de esta serie de vuelos lunares que
seguía manteniendo a la URSS a la cabeza de la
carrera espacial fue la Estación *Luna*-13. Se trataba
de una sonda gemela de la *Luna*-9, salvo en que en
la cápsula de aterrizaje (figura 29, p. 192) llevaba
una cámara estereoscópica, un penetrador para per-
forar el suelo (la regolita[146]) entre 20 y 30 cm por
medios pirotécnicos, calibrado para medir su dureza

---

[146] Se llama así a una capa poco compacta de hasta 12 m de espesor, formada por materiales triturados y revueltos por el bombardeo meteorítico que cubre la superficie lunar.

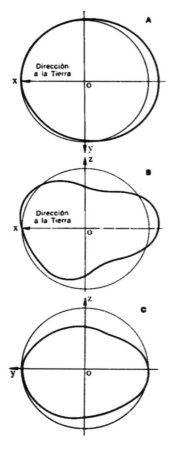

Figura 28.
La forma de la Luna.
Superficie equipotencial del campo gravitatorio lunar en los planos ecuatorial (A), meridional central (B) y meridional transversal (C). Este resultado, elaborado a partir de los datos de rastreo de las estaciones orbitales *Luna*-10 y *Luna*-11, indica que el centro de masas de la Luna no coincide con el centro geométrico de la misma y que su eje mayor se encuentra orientado hacia el centro de la Tierra. La deformación radial con respecto a la circunferencia está exagerada mil veces.

y evaluar su consistencia, y un densitómetro para determinar la densidad de la regolita. Aterrizó el 24 de diciembre en el Océano de las Tormentas, 400 Km al norte de su gemela y transmitió cinco panoramas lunares (foto 28, p. 192) en uno de los cuales se podía ver la sombra de la sonda proyectada sobre el suelo. El penetrador excavó un pasillo de 45 cm en el suelo lunar, de lo que se calculó que su densidad era de 1 g/cm^3.

**Foto 27. Panorama de la cara visible lunar
captado por la estación *Luna*-12.**
Las fotografías de la cámara de TV de alta definición permitían ver en la superficie de la luna detalles de entre 15 y 20 m de tamaño. Los Directores del programa únicamente publicaron las fotos tomadas el día 29 de octubre, que mostraban la zona de Aristarco y el Mar de las Lluvias.

El programa se cerró ese año con el lanzamiento, el 7 de abril desde Tyuratum, de la sonda orbital *Luna*-14, gemela de la Luna-10, que realizó mediciones del campo gravitatorio lunar y de las comunicaciones por radio con la Tierra.

EL PROYECTO *LUNAR SURVEYOR*. ESTADOS UNIDOS ACORTA DISTANCIAS CON LA URSS

El segundo peldaño de la escalera a la Luna que se había planteado NASA se denominó *Lunar Surve-*

Figura 29. La Estación *Luna*-13.
El módulo de aterrizaje llevaba una cámara estereoscópica
y dos brazos extensibles provistos de un penetrómetro
y un densitómetro, respectivamente.

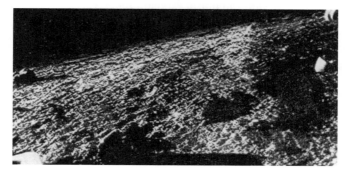

Foto 28.
Panorama lunar captado por la estación *Luna*-13.
En este panorama del Océano de las Tormentas se ve un
terreno granular más suave que el que mostró su gemela
Luna-9. Por desgracia, una de las cámaras falló,
imposibilitando las tomas estereoscópicas.

yor. El objetivo del Proyecto *Lunar Surveyor* era posar en la superficie de la Luna una sonda automática, o sea, capaz de descender y aterrizar por sí misma, provista de instrumentos para realizar análisis de cohesión y composición del suelo lunar, que determinaran la viabilidad del aterrizaje de un vehículo tripulado. El Laboratorio de Propulsión a Chorro (JPL) fue encargado de diseñar la sonda *Lunar Surveyor* (figura 30), cuya primera unidad estuvo lista para volar a mediados de 1966, cuando ya nuevamente se habían adelantado triunfalmente los soviéticos con su exitosa *Luna*-9.

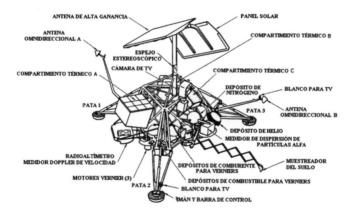

Figura 30. Diagrama de la sonda *Lunar Surveyor*.
Altura, 3,05 m • Distancia entre patas, 4,3 m.
Masa, 300 Kg • Masa instrumental científico, 154 Kg.
Motor principal, propergol sólido.
Motores vernier (3), ergoles líquidos.
Cámaras, 2 con objetivos de 25 y 100 mm de focal.
Brazo extensible, capacidad de perforación, 18 cm.
Surveyor-5-6-7, analizador del suelo por dispersión alfa.

Afortunadamente, los directivos del Proyecto *Lunar Surveyor* pudieron disponer de una segunda etapa más potente que el *Agena* para el lanzador *Atlas*, el *Centaur* (figura 31), diseñado por el Lewis Research Center[147] de NASA, con la que el límite de masa para la carga útil subió a 800 Kg. En efecto, este cohete sería el primero en el mundo que utilizó oxígeno e hidrógeno líquidos como propergol para su doble motor RL-10 de Pratt & Withney.

El 30 de mayo se lanzó la sonda *Lunar Surveyor*-1 (foto 29), cuyo patrón de vuelo era muy semejante al de su rival soviética. El retromotor de propergol sólido se encendió a 75 Km de altura, hasta que la velocidad del vehículo se redujo a 70 m/s. Entonces se desprendió y el descenso continuó decelerado por los motores vernier, que se apagaron a 4 m del suelo, cuando la velocidad era de

**Foto 29.
La sonda *Lunar Surveyor* en el museo Smithsonian.**
Fabricada por la Hughes Aircraft Company para el JPL, estaba diseñada para descender de modo automático sobre la superficie lunar y posarse suavemente en ella apoyándose en tres patas. Este método de aterrizaje sirvió de ensayo para los futuros vehículos lunares de las expediciones *Apollo*.

---

[147] El nombre actual de esta factoría es Glenn Research Center.

**Figura 31.
Esquema del
lanzador
Atlas-Centaur.**
Altura, 22,9 m.
Diámetro, 3,05 m.
Capacidad,
1,134 Tm.

Atlas:
Longitud, 29 m.
Diámetro, 3,05 m.
Diámetro máx.
(base), 4,87 m.
Masa, 3856 Kg.
Motor, Roc-
ketdyne LR105 +
2x Rocketdyne
LR89.
Empuje total,
199 Tm-f.
Ergoles, LOx +
queroseno.
Duración motor
central, 240 seg.
Duración motores
aux., 157 seg.

Centaur:
Longitud, 9 m.
Diámetro, 3,05 m.
Masa, 13,5 Tm.
Motor, 2 x RL-10
Ergoles, LH_2 +
LOx.
Empuje, 2 x 6,8
Tm-f.

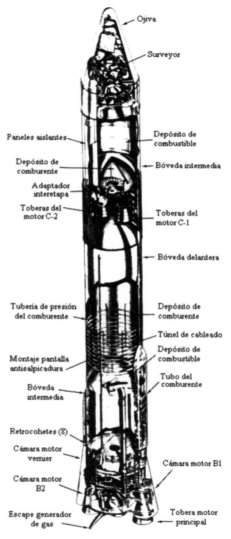

- Ojiva
- Surveyor
- Paneles aislantes
- Depósito de combustible
- Depósito de comburente
- Bóveda intermedia
- Adaptador interetapa
- Toberas del motor C-2
- Toberas del motor C-1
- Bóveda delantera
- Tubería de presión del comburente
- Depósito de comburente
- Túnel de cableado
- Depósito de combustible
- Montaje pantalla antisalpicadura
- Tubo del comburente
- Bóveda intermedia
- Retrocohetes (8)
- Cámara motor vernier
- Cámara motor B1
- Cámara motor B2
- Escape generador de gas
- Tobera motor principal

1,5 m/s, para que sus exhaustaciones no perturbaran la estructura ni la composición química del mismo. El vuelo siguió en caída libre y las patas, provistas de amortiguadores y almohadillas, absorbieron el impacto del choque contra el suelo a 4,4 m/s. El aterrizaje tuvo lugar el 2 de junio en el Océano de las Tempestades, desde donde transmitió más de once mil fotografías de muy buena resolución, algunas de ellas en color.

De las siete sondas que componían el Proyecto *Lunar Surveyor*, cinco consiguieron completar su misión, habiéndose estrellado por motivos diversos las número 2 y 4. A partir de la número 5 se les añadió un analizador del suelo lunar, formado por un isótopo radiactivo (curio[252]) que lo irradiaba y un detector de dispersión de partículas alfa que recogía el espectro de la radiación devuelta por los materiales lunares. Las cuatro sondas primeras aterrizaron en la faja ecuatorial entre el 2 de Junio de 1966 y el 7 de noviembre de 1967, explorando los puntos candidatos para el desembarco de futuras tripulaciones, en el Océano de las Tempestades (*Surveyor*-1 y *Surveyor*-3), en el Mar de la Tranquilidad (*Surveyor*-5) y en el Golfo Central (*Surveyor*-6). Esta última realizó además un salto de 2,4 m para efectuar estudios de compacidad del suelo[148].

La séptima y última sonda *Surveyor* fue "sacrificada" a la Ciencia y enviada a posarse en las *terrae* al

---

[148] Realmente este salto no habría sido necesario si se hubiera podido obtener datos del aterrizaje de la sonda *Surveyor*-3, cuyo radar fue confundido por la alta reflectancia del suelo y cortó el motor tarde, después de haber tomado tierra, obligando a la sonda a efectuar dos saltos, uno de 10 m y otro de 3, antes de apagarlo.

Norte del circo Tycho[149] (foto 30), fuera de la banda de aterrizaje *Apollo* y donde la escabrosidad del suelo hacía temer el fracaso de la maniobra. Pero el éxito del vuelo de la sexta sonda, que aterrizó a 4,5 Km de su objetivo, envalentonó al Comité de Selección de Objetivos del Proyecto a aceptar una de las propues-

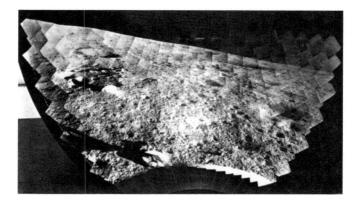

Foto 30. Panorama tomado por el *Surveyor*-7.
Mosaico fotográfico compuesto por algunas de las fotografías que transmitió dicha sonda. Cada foto mide 5 cm de lado y abarca 6 grados. En el horizonte se ve el terraplén del circo Tycho. Obsérvese la gran extensión de las sombras al amanecer. El bastidor cóncavo evita la distorsión.

---

[149] Circo prominente de 85 Km de diámetro, con paredes de 4.800 m de altura, situado en el hemisferio Sur de la Luna y visible a simple vista por el haz de radiaciones blancas que convergen en él. Su importancia geológica radica en que se le tiene por una de las últimas grandes estructuras de impacto formadas en la Luna. El nombre que lleva es en honor del astrónomo danés Tycho Brahe (1546-1601).

tas de los geólogos del USGS y del JPL. Lanzada el 10 de enero de 1968, la sonda *Surveyor-7* realizó un vuelo y un aterrizaje impecables, quedando a solo 2,5 Km del blanco. El único inconveniente surgió al desplegar el medidor de dispersión de partículas alfa, que se había atascado, pero afortunadamente se solucionó al extender el brazo excavador.

Además de las 65.000 fotografías transmitidas, los resultados científicos más destacados, aportados por el brazo excavador y el medidor de dispersión de partículas alfa del Proyecto *Lunar Surveyor*, fueron que la consistencia de la regolita es suficiente para resistir el aterrizaje de una expedición tripulada y que la composición química de las rocas lunares es basáltica (abundante en silicatos de magnesio y hierro) en los mares y anortosítica (silicatos de aluminio y calcio) en las tierras. Así se empezaba a perfilar el mapa geológico de la Luna.

EL PROYECTO *LUNAR ORBITER*. PRIMER ATLAS DIGITAL DE LA LUNA

Otro de los peldaños de la escalera que conducía a la Luna era la cartografía completa de la superficie de este astro, precisamente la de las zonas seleccionadas para el aterrizaje de los vehículos tripulados y ello fue el objetivo principal del Proyecto *Lunar Orbiter*. En un principio y tratando de matar dos pájaros de un tiro, se había tratado de encomendar esta tarea al módulo orbital del Proyecto *Lunar Surveyor*, pero el dictamen de los ingenieros de Hughes Aircraft había sido desfavorable debido a la ajustada capacidad de la etapa *Agena*,[150] ya comprometida con los 300 Kg de la sonda *Surveyor*: la

---

[150] Todavía no se disponía del *Centaur*.

masa máxima de la nueva carga útil estaría restringida a 57 Kg. Este límite era inaceptable, sobre todo porque el nuevo proyecto debería utilizar un equipo fotográfico de película química para servicio de larga duración, distinto del equipo de TV que portaban las sondas *Ranger* (tubo de imagen vidicón), diseñado para funcionar solamente unos minutos. Por tanto, habría que recurrir a una sonda orbital exclusiva, la *Lunar Orbiter* (foto 31).

Foto 31. La sonda Lunar Orbiter.
Construidos por Boeing Company, estos ingenios montaban equipos bien comprobados en otros proyectos. Por ello, su tasa de éxito fue muy elevada (99%), pues las cinco unidades que se fabricaron viajaron a la Luna, entraron en órbita y cumplieron su objetivo sin fallos.

Así se pudo montar un dispositivo de película de 70 mm con revelado automático en seco (proceso Kodak Bimat) y digitalización abordo. El requisito óptico para el objetivo de alta definición era 1 m en el centro de la imagen y película de baja sensibilidad para evitar el blanqueo por la radiación solar. Esto último implicaba velocidad de disparo lenta y sistema de corrección de apuntado dependiente de la velocidad de vuelo, para evitar el emborronamiento. Por otra parte, si se había de cartografiar la cara oculta cuando la sonda queda fuera de cobertura de las estaciones de la Tierra, era necesario un dispositivo programador de actividades durante el vuelo. Por último, dado que cuando se puso en marcha el Proyecto *Lunar Orbiter*, a mediados de 1964, el Laboratorio JPL se hallaba implicado en los proyectos *Ranger* y *Lunar Surveyor*, se hizo cargo de la gestión el Langley Research Center.

Los cuatro primero satélites, lanzados por cohetes *Atlas-Agena*, se situaron en órbita ecuatorial al objeto de reconocer y cartografiar los lugares seleccionados para el desembarco humano. El último se colocó en órbita polar, para que pudiera fotografiar la superficie total de nuestro satélite. El primero de ellos se lanzó el 10 de agosto de 1966 y pronto asombró al mundo con la calidad de sus fotografías. Sobre todo con una tomada especialmente para mostrar la Tierra en el horizonte. El segundo, el 6 de noviembre, también sorprendió con otras de accidentes topográficos tan importantes, como el circo Copérnico[151] (foto 32). Además de fotografiar el 99% de la superficie lunar, estas sondas confirmaron las anomalías gravimétricas de la superficie, que se denominaron "mascons" (contracción de las voces inglesas *mass-concentration*) y midieron que la densidad de micrometeoritos alrededor de la Luna no es peligrosa para los vuelos tripulados, pues aunque es mayor que en el espacio interplanetario, es menor que en la vecindad de la Tierra.

---

[151] Nombre latinizado en honor del insigne astrónomo polaco fundador del sistema heliocéntrico, Nicholaus Koppernigk (1473-1543).

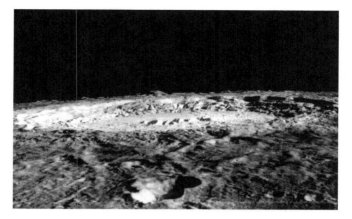

Foto 32.
El circo Copérnico visto por el *Lunar Orbiter*-2.
Esta otra fotografía oblicua muestra el esplendoroso
circo Copérnico, de 93 Km de diámetro y 3760 m
de profundidad, con un grado de detalle como jamás
se había visto hasta entonces.

TABLA CRONOLÓGICA

CRONOLOGÍA DE VUELOS A LA LUNA (1594)

Nombre	Fecha lanz.	Lanzador	Notas
Lunik-1	02-01-1959	*Semyorka* +RO-5	Pasó a 6.000 Km del centro de la Luna.
Pioneer-4	03-03-1959	*Juno II*	Pasó a 60.000 Km del centro de la Luna.
Lunik-2	12-09-1959	*Semyorka* +RO-5	Impacto en el Pantano de la Putrefacción.
Lunik-3	04-10-1959	*Semyorka* +RO-5	Vuelo de pasada. Fotos de la cara oculta.
Ranger-7	28-07-1964	*Atlas-Agena*	Impacto en el Mar Conocido.
Ranger-8	17-02-1965	*Atlas-Agena*	Impacto en Mar de la Tranquilidad.
Ranger-9	21-03-1965	*Atlas-Agena*	Impacto en el circo Alfonso.
Zond-3	18-07-1965	*Tyazheli Sputnik*	Completó la foto-cartografía de la cara oculta.
Luna-9	31-01-1966	*Molniya*	Aterrizaje en el Océano de las Tempestades.
Luna-10	31-03-1966	*Molniya*	Órbita de 2738 x 2088 Km, inclinación 72º.
Surveyor-1	30-05-1966	*Atlas-Centaur*	Aterrizaje en el Océano de las Tempestades.
Lunar Orbiter-1	10-08-1966	*Atlas-Agena*	Órbita de 1860 x 52 Km, inclinación 12º.
Luna-11	24-08-1966	*Molniya*	Órbita de 2931 x 1898 Km, inclinación 27º.
Luna-12	22-10-1966	*Molniya*	Órbita de 2938-1871 Km, inclinación 10º.
Lunar Orbiter-2	06-11-1966	*Atlas-Agena*	Órbita de 1860 x 52 Km, inclinación 12º.
Luna-13	21-12-1966	*Molniya*	Aterrizaje en el Océano de las Tempestades.
Lunar Orbiter-3	05-02-1967	*Atlas-Agena*	Órbita de 1860 x 52 Km, inclinación 21º.
Surveyor-3	17-04-1967	*Atlas-Centaur*	Aterrizaje en el Océano de las Tempestades.
Lunar Orbiter-4	04-05-1967	*Atlas-Agena*	Órbita de 6111 x 2706 Km, inclinación 85,5º.
Lunar Orbiter-5	01-08-1967	*Atlas-Agena*	Órbita de 6023 x 194,5 Km, inclinación 85º.
Surveyor-5	03-09-1967	*Atlas-Centaur*	Aterrizaje al Norte del circo Tycho.
Luna-14	07-04-1968	*Molniya*	Órbita de 870 x 160 Km, inclinación 42º.

8

Vosjod y *Gemini*. Estados Unidos aventaja a la Unión Soviética

Hemos visto que al relevar en el gobierno de los Estados Unidos a la administración republicana del presidente Eisenhower, la nueva administración democrática de Kennedy tomó el testigo en la carrera espacial con una gran desventaja frente a sus rivales soviéticos. Ante el mundo, la superioridad de estos había quedado patente no solo por su anticipación en la puesta en órbita del primer satélite artificial (*Sputnik*-1), en el lanzamiento al espacio del primer ser vivo (la perrita *Laika*), en el envío de la primera sonda al espacio exterior (*Lunik*-1), en alcanzar la Luna con el primer proyectil interplanetario (*Lunik*-2) y en fotografiar la cara oculta de la Luna (*Lunik*-3), sino también por la enorme capacidad de colocar en órbita terrestre ingenios de gran masa, frente al exiguo porte de sus equivalentes estadounidenses[152].

---

152 En la opinión pública norteamericana esta superioridad se translucía en el campo bélico, donde se sospechaba que los mísiles

Dispuesto a llevar a su país al puesto honorífico que él estaba convencido de que le correspondía en aquella competición[153], es imaginable que John Kennedy, tras ampliar el presupuesto de NASA a 1460 millones de dólares[154], reuniera a su equipo de asesores espaciales para pergeñar el plan de acción. Del discurso que dirigió al Congreso el 25 de mayo de 1961 (cuatro meses después de asumir la Presidencia), colegimos que el Presidente les plantearía la situación en términos similares a los siguientes:

—Decidme algo que los rusos no puedan hacer y nosotros sí, porque si me proponéis algo que también puedan hacer ellos, entonces lo harán antes que nosotros.

Y probablemente y tras meditarlo concienzudamente, alguien le respondería:

—Sr. Presidente, ponga Vd. un hombre en la Luna. Eso no pueden hacerlo los rusos.

---

balísticos intercontinentales (ICBM) soviéticos habían conseguido amplia ventaja sobre sus contrapartes estadounidenses. Aunque las incursiones de los aviones espía U-2 habían dejado claro a los mandos militares que tal desfase no existía, la propaganda que había llevado a la administración demócrata a la Casa Blanca se había basado en el equilibrio estratégico, por lo que Kennedy hubo de iniciar el despliegue de los modernísimos mísiles *Minuteman* (de propergol sólido y los primeros guiados por ordenador digital) e iniciar el desarrollo del programa de interceptores *Nike-Zeus*.

[153] El lector debe haber advertido ya que, si bien la URSS había llevado la delantera en esta carrera por el prestigio patrio, la ventaja de la industria estadounidense sobre la soviética era evidente por el grado de perfección de los resultados que habían alcanzado sus elaborados dispositivos frente a los de sus competidores, fabricados sin la pugna previa a la contratación a que se

Explicaremos en seguida por qué un vuelo tripulado a la Luna parecía entonces imposible, y no solo para los soviéticos, sino también para los mismos norteamericanos en el estado de desarrollo tecnológico en que se encontraban, pues a la sazón solo habían logrado el vuelo suborbital de Allan Shepard. Sin embargo, la última frase de un fragmento de dicho discurso de Kennedy (foto 33) nos da la clave para pensar que el Proyecto *Apollo* se fraguó así. Ese fragmento decía:

—Creo que esta nación debería comprometerse a conseguir el objetivo, antes de que finalice este decenio, de poner un hombre en la Luna y devolverlo sano y salvo a la Tierra. Ningún otro proyecto espacial será más impresionante durante este periodo para la humanidad, ni más importante para la exploración del espacio a largo plazo; y ninguno será más difícil ni más caro de alcanzar[155].

---

enfrentaban las industrias americanas que los construían. Desde esta perspectiva resulta interesante reflexionar que si las sondas *Ranger*, *Surveyor* y *Lunar Orbiter*, se hubieran adelantado a las *Lunik*, *Luna* y *Zond*, los soviéticos se habrían enfrentado a la desagradable coyuntura de enviar ingenios a la Luna a explorar algo que ya se había explorado y con medios mucho mejores.

154 Eliminando el recorte presupuestario del 82% (de 1.300 a 240 millones de dólares) introducido por Eisenhower para satisfacer necesidades militares. La ampliación presupuestaria de NASA para sufragar el Proyecto *Apollo* representó cierta merma en el presupuesto de defensa que el estamento militar aceptó, como veremos, considerando la capacidad de disuasión que tendría una base militar en la Luna.

155 *I believe that this nation should commit itself to achieving the goal, before this decade is out, of landing a man on the Moon and returning him safely to Earth. No single space project in*

Foto 33. John F. Kennedy ante el Congreso.
El Proyecto *Apollo* nació el 25 de mayo de 1961,
cuando en su discurso ante el Congreso, Kennedy
solicitó su apoyo para recuperar la hegemonía científico-
tecnológica de los Estados Unidos ante el mundo libre.

Y lo corrobora otro discurso en la Universidad
de Rice, el 12 de septiembre de 1962:
 –Elegimos ir a la Luna en esta década y hacer
 otras cosas, no porque sean fáciles, sino porque son difíciles[156]...

---

this period will be more impressive to mankind or more impor-
tant in the long-range exploration of space; and none will be
so difficult or expensive to accomplish.
[156] *We choose to go to the moon in this decade and do the other*
things, not because they are easy, but because they are hard ...

DA, EOR y LOR. Tres maneras de viajar a la Luna, pero solo una posible

La razón de la enorme dificultad que entrañaba el envío de un hombre a la Luna y su regreso a la Tierra subyace en la propia esencia de la astronáutica: la relación entre las masas de ambos astros y el rendimiento del propergol químico obligan a que por cada kilogramo que deba regresar de la Luna, tengan que despegar de la Tierra más de 700 Kg. De modo que para ir a la Luna y regresar de ella, una nave espacial de 5 Tm tripulada por dos astronautas necesitaba un cohete cuya masa en la rampa de lanzamiento fuera de más de 3.500 Tm. O desde otro punto vista, por cada kilogramo posado en la superficie de la Luna que se quisiera devolver a casa, deberían despegar de la Tierra 125 Kg.

En efecto, los especialistas del Negociado de Vuelos Espaciales Tripulados (*Manned Space Flight Directorate*) habían calculado que una nave de 5 Tm, capaz de posarse en la Luna en un vuelo directo[157] con dos astronautas abordo y despegar para regresar a la Tierra, necesitaría 35 Tm de propergol, 11 Tm para entrar en órbita lunar y aterrizar y 24 Tm para despegar y regresar. Por tanto, su masa en la superficie de la Luna sería de 29 Tm, lo que requeriría un lanzador 125 veces más masivo, o sea de 3.600 Tm, para cuyo despegue se necesitaría unos motores capaces de proporcionar el monstruoso empujón de ¡5.400 Tm-f! Y en 1961 no se podía soñar siquiera con un lanzador capaz de tal proeza.

En consecuencia, para poner en marcha el Proyecto *Apollo* basado en el método DA, sería preciso recurrir a un tipo de lanzador, denominado *Lunex*[158], provis-

---

[157] Que denominaron DA, *Direct Ascent* (Ascenso Directo).
[158] Que estaba en vías de desarrollo por la USAF desde antes de la creación de NASA.

to de motores de propergol sólido, un campo de la astronáutica completamente inexperimentado que requeriría largos años de investigación y pruebas. Pero así no se alcanzaría el objetivo dentro del plazo previsto por el Presidente, por lo que el proyecto fue abandonado.

Una solución más viable era utilizar los gigantescos motores F-1, entonces todavía en desarrollo por von Braun para su futuro lanzador *Saturn*. El nuevo gigante, al que se bautizó con el nombre de *Nova*, utilizaría estos ingenios diseñados para quemar queroseno y oxígeno líquido, capaces de aportar un empuje unitario de 680 Tm-f. Pero se necesitarían ocho motores F-1 para cada cohete, lo que suponía un coste elevadísimo.

El propio von Braun presentó una alternativa al método DA, que se conoció como EOR[159], consistente en desdoblar el gigantesco lanzador *Nova* en dos *Saturn* menores y más baratos. Se trataba de ensamblar el vehículo lunar en órbita terrestre mediante dos lanzamientos consecutivos, uno con el vehículo capaz de ir a la Luna, posarse en ella y volver a la Tierra, y otro cohete-cisterna, cargado con el propergol necesario para el viaje. Ambos debían adosarse en la órbita de aparcamiento para repostar, antes de que el vehículo lunar emprendiera el viaje a la Luna. Sin embargo cuando se hicieron los cálculos detallados de este método, se descubrió que harían falta más de dos cohetes *Saturn* para ensamblar un vehículo lunar capaz de llevar a cabo el objetivo. Por consiguiente, el método EOR no ahorraba nada.

La solución provino del Langley Research Center, cuyos especialistas propusieron un tercer méto-

---

[159] Siglas de *Earth Orbit Rendez-vous* (Encuentro en Órbita Terrestre).

do denominado LOR[160]. La ventaja de este plan (foto 34) consistía en no posar en la Luna el vehículo aprovisionado con el propergol necesario para regresar a la Tierra y así ahorrar masa al despegue. Para ello hacía falta que el vehículo interplanetario estuviera formado por dos módulos, uno con capacidad de regreso a la Tierra y otro con capacidad de aterrizaje en la Luna. Ambos se separarían en órbita lunar para que el módulo de aterrizaje, tripulado por dos astronautas, descendiera sobre la superficie a cumplir una misión "científica". El módulo de regreso, tripulado por un tercer astronauta, quedaría en órbita lunar con el propergol de regreso. Cumplida su misión, el módulo de aterrizaje despegaría de la Luna para encontrar-

Foto 34. La propuesta LOR.

El Dr. John C. Houbolt (1919-), padre de la modalidad de viaje a la Luna mediante encuentro en órbita lunar, ideó un vehículo interplanetario formado por tres módulos: el módulo de mando (CM), el módulo de servicio (SM) y el vehículo para la excursión lunar (LEV), que finalmente también hubo de ser desdoblado en dos módulos.

---

[160] Siglas de *Lunar Orbit Rendez-vous* (Encuentro en Órbita Lunar).

se con el orbitador, al que transbordarían los astronautas. Seguidamente abandonarían el ya inútil módulo de aterrizaje lunar y regresarían a la Tierra en el módulo abastecido.

Los cálculos detallados demostraron que el método LOR era el único viable, siempre que se pudiera dirigir desde la Tierra el encuentro de ambos vehículos en órbita lunar. A partir de entonces el programa *Apollo* se basó en esta modalidad, que exigía dominar las técnicas de maniobras orbitales y de acoplamiento entre vehículos distintos. A este fin, el Proyecto *Apollo* iría precedido por el Proyecto *Gemini* de maniobras y atraques entre dos vehículos.

Los hipergoles y el desastre Nedelin

En la Unión Soviética de principios de 1960 las exigencias militares desfavorecían el empleo del misil R-7 de Korolev, por la servidumbre que suponía la utilización de ergoles líquidos criogenizados. La tendencia de estos gases a la evaporación espontánea a temperatura normal en el interior de los depósitos, obligaba a vaciarlos y repostarlos en caso de surgir un retraso de más de dos horas en el lanzamiento y espaciaba el segundo intento en 24 horas cuando menos. Y esto, junto con el despliegue de toda la parafernalia de bombas y compresores necesarios para mantenerlos fríos antes del lanzamiento, resultaba inaceptable en el caso de los ICBM, que para ser útiles debían estar listos en plazos de tiempo muy breves.

Siguiendo esta corriente de desarrollo, Glushko, siempre en desacuerdo con Korolev, había anunciado su intención de abandonar la línea de producción de motores de ergoles criogénicos, para adoptar la de motores de hipergoles, es decir, de compuestos químicos de ignición espontánea por simple contacto.

Estos ergoles, peróxido de nitrógeno e hidracina[161], aunque presentaban el inconveniente de ser extremadamente tóxicos y corrosivos, ofrecían la ventaja de poder ser almacenados en depósitos especiales durante largos plazos de tiempo, listos para el lanzamiento. Por esta razón habían sido preferidos por el Comandante en Jefe de las Fuerzas de Misiles Estratégicos de la URSS, Mariscal de Artillería Mitrofan Ivanovich Nedelin (1902-1960).

Korolev rechazó utilizar los motores de hipergoles en su lanzador, por sus peligrosas características, y substituyó los motores de Glushko por los de un fabricante algo menos experimentado, Nikolai Dmitriyevich Kuznetsov (1911-1995). Su rechazo dio lugar a que otros dos constructores de lanzadores, Vladimir Nikolaev Chelomei (1914-1984) y Mijail Kuzmich Yangel (1911-1971), se hicieran cargo de la producción de motores de hipergoles para las fuerzas armadas, fabricando los modelos UR-500 y R-16, respectivamente.

El primer ensayo con lanzamiento real de un súper-misil R-16 se llevó a cabo a marchas forzadas el 24 de octubre de 1960, bajo una enorme presión política ejercida desde Moscú por el *Premier* Krushchev, ansioso de acudir a la nueva Conferencia de Paz a celebrar en Ginebra, con un as en la manga. El resultado fue desastroso. Una fuga del corrosivo hipergol, detectada en los conductos de la segunda etapa, obligó a acelerar los pasos de la cuenta atrás. Entonces, para ganar tiempo, pero soslayando todas las medidas de

---

[161] La hidracina es un compuesto de nitrógeno e hidrógeno (N_2H_4) que arde espontáneamente en atmósfera de peróxido de nitrógeno (N_2O_4) o de oxígeno líquido. Existen varios derivados de ella que reaccionan con diferentes comburentes. Nótese que empleamos fórmulas moleculares y no las empíricas NH_2 y NO_2.

seguridad, Nedelin autorizó a varios equipos de técnicos a permanecer en la plataforma de lanzamiento durante las pruebas y, lo que es peor, a realizar diversas partes de la cuenta atrás a la vez. Debido a ello, un secuenciador electrónico quedó configurado en la posición final durante el ejercicio simultáneo de las operaciones iniciales y ello provocó que los motores de la segunda etapa del cohete se encendieran y que sus exhaustaciones a 3.000 grados se proyectaran sobre la primera etapa, produciéndose una aterradora explosión del propergol de esta, que incineró en el acto a todos los situados en un radio de 100 m alrededor de la plataforma de lanzamiento, incluido el Mariscal, que se hallaba en su puesto de mando móvil a solo 25 m del cohete. El desastre fue ocultado por el gobierno y las muertes se justificaron atribuyéndolas a un accidente aéreo, pero veremos que el empleo de hipergoles continuó en las pruebas militares de ambos bandos.

EL PROYECTO *VOSJOD*. TODO VALE SI SIRVE PARA ADELANTAR A LOS AMERICANOS

Los temores que pudo haber albergado el Presidente Kennedy de que los rusos se les adelantaran en cualquier empresa en que pudieran tomar parte se materializaron en 1964, cuando NASA ya había ensayado el lanzamiento de la primera cápsula del Proyecto *Gemini*. El 12 de octubre la Unión Soviética estrenó su nuevo Proyecto *Vosjod* ("Orto" o "Salida" de un astro), con el lanzamiento de la primera *Korabl-Sputnik* de esta serie[162] por un cohete *Vosjod* SL-4, un *Se-*

---

162 Realmente era la segunda, pues la primera prueba de este proyecto, designada como *Kosmos*-47, se había lanzado ocho horas antes.

myorka cuya tercera etapa había sido mejorada hasta darle la capacidad de poner en órbita una carga útil de siete toneladas.

La nave cósmica *Vosjod*-1 (figura 32) era realmente una nave *Vostok*, a la que se le había instalado un retrocohete de propergol sólido en la parte superior para suavizar el aterrizaje de la "bolita" (*sharik*). Con objeto de aumentar la capacidad hasta tres tripulantes, que en el caso que nos ocupa eran Komarov, Feoktistov y Egorov, se había prescindido del dispositivo de escape por eyección del asiento en caso de emergencia durante el lanzamiento. Con el vuelo *Vosjod*-1 Korolev consiguió imponerse a la cúpula militar soviética, para quienes únicamente debía volar personal militar, embarcando a dos cosmonautas civiles, un ingeniero espacial (Feoktistov) y un médico (Egorov). Una particularidad del mismo, insólita por la condición precaria que revela, fue que los tripulantes no disponían de escafandra ni de traje espacial, ya que el reducido tamaño de la *sharik*, concebida para un único tripulante, no dejaba sitio para

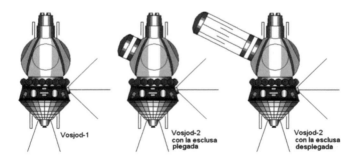

Figura 32. La *Korabl-Sputnik Vosjod*.

Altura, 5 m	Masa, 1320 Kg	Autonomía, 21 días	Esclusa, *Vosjod*-2
Diámetro, 2,43 m	Capacidad, 3 tripulantes	Alimentación, baterías	2,5 m x 0,7 m

213

ello. Esto delata que si bien el propósito declarado de este vuelo era la experimentación biológica, su finalidad principal fue adelantarse a los vehículos multiplaza de la serie *Gemini* estadounidense. Aunque el lanzamiento tuvo éxito y la nave cósmica (bautizada como *Rubyn*, "Rubí") entró en órbita de 178 x 336 Km y 64,7° de inclinación, alcanzando así la cota de apogeo más alta hasta la fecha, la misión se dio por terminada a las 24 horas, aparentemente por razones de seguridad[163]. El aterrizaje en paracaídas y retrofrenado se produjo sin novedad, con los tres tripulantes dentro de la "bolita".

Cinco meses más tarde la URSS lanzó la segunda nave de la serie, la *Vosjod*-2 (figura 32), tripulada por dos cosmonautas, Pavel I. Belyayev (1925-1970) y Alexei A. Leonov (1934-), que esta vez vestían trajes espaciales de doble capa y escafandra. Como en el caso anterior, se trataba de aventajar a sus rivales estadounidenses, ahora efectuando el primer paseo espacial. Para ello, la nave (llamada *Almaz*, "Diamante") había sido dotada de una esclusa inflable, instalada enfrente de la escotilla de entrada y el traje espacial de Leonov era también inflable para mantener la temperatura. Una cámara de TV situada sobre la escotilla de salida de la esclusa captaría todo el paseo. La maniobra de salida (figura 33) se llevó a cabo sin incidentes, pero una vez fuera (foto 35) Leonov acusó un calor excesivo y percibió una peligrosa ri-

---

[163] Mientras volaban los tres cosmonautas, en tierra ocurrían acontecimientos políticos insospechados. El 13 de octubre un golpe de estado incruento apartó del gobierno al *Premier* Nikita Krushchev, aprovechando sus vacaciones en el Mar Negro. Los cosmonautas fueron informados a través de un mensaje críptico extraído del texto de Hamlet (I, 4): "Hay algo más en el cielo y en la Tierra [Horacio] de lo que ha soñado tu filosofía".

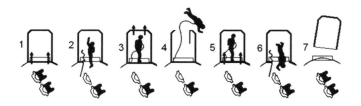

Figura 33. El paseo espacial de Leonov.

1.- Despliegue de la esclusa por inyección de oxígeno. Los cosmonautas permanecen sentados.
2.- Leonov abre la escotilla y penetra en la esclusa vistiendo su traje espacial.
3.- Belyayev cierra la escotilla y abre las válvulas de escape de la esclusa.
4.- Leonov abre la compuerta de la esclusa y sale al exterior sujeto por el "cordón umbilical".
5.- Leonov regresa a la esclusa y cierra la compuerta. Belyayev inyecta oxígeno.
6.- Belyayev abre la escotilla de la cabina y Leonov entra en la nave.
7.- Belyayev cierra la escotilla y expulsa la esclusa.

Foto 35. El paseo espacial de Leonov.

Sujeto por un "cordón umbilical" telefónico y telemétrico de 1,5 m de longitud, Alexei Leonov flotó en el espacio durante 12 minutos en la segunda órbita de su vuelo, convirtiéndose en el primer hombre que paseó por el espacio.

gidez del traje debida al aire que lo hinchaba. A los diez minutos de estar en el espacio, la rigidez era tan grande que le era imposible mover los brazos para abrir la compuerta de la esclusa y se encontraba empapado en sudor. Le fue preciso entreabrir la válvula de escape del traje para poder manipular la compuerta y entrar… de forma inadecuada, o sea, de cabeza. Así, en la estrechez de la esclusa no pudo volverse a cerrar la compuerta hasta que el traje perdió rigidez. Total, doce minutos.

Pero los inconvenientes continuaron. Al completarse la órbita final (la número 16), el mecanismo automático de frenado falló y los cosmonautas hubieron que prepararse para ejecutarlo a mano, pero ya a la siguiente revolución. Como resultado, el aterrizaje se produjo en una zona no prevista de los montes Urales, no pudiendo ser rescatados hasta la mañana siguiente, por lo que permanecieron toda la noche helados y rodeados de lobos.

Una vez batidos los Estados Unidos en ambos campos astronáuticos, vuelos multiplaza y paseo espacial, las autoridades espaciales soviéticas dieron por terminado el Proyecto *Vosjod* suspendiendo los vuelos 4, 5 y 6.

EL PROYECTO *GEMINI*. ESTADOS UNIDOS TOMA VENTAJA EN LA CARRERA ESPACIAL

El tercer peldaño de la escalera de superaciones que se habían propuesto completar los directivos de NASA para alcanzar la Luna era la maestría en maniobras de acoplamiento entre dos vehículos en órbita. Para ello se necesitaba disponer de una nave mucho más versátil que la *Mercury*, con la que efectuar maniobras delicadas con precisión y capaz de transportar a dos astronautas durante largos plazos de tiempo. Tal

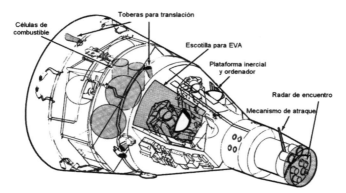

Figura 34. Esquema de la cápsula *Gemini*.
Longitud, 5,8 m • Diámetro máx., 3,05 m.
Masa, 3760 Kg • Motores, 20 (4 + 16).
Hipergoles: 4 x sólido • 16 x N2O4 + hidracina.
Empuje: Retro 4 x 1,114 Tm-f.
OAMS, 8 x 45 Kg-f • verniers, 8 x 11 Kg-f.
Equipo para navegación inercial.

vehículo fue la cápsula *Gemini* (figura 34), construida por McDonnell Aircraft Co. y llamada así por ser biplaza. Estaba dotada de dieciséis motores de bajo empuje para ajuste de órbita y maniobra (OAMS[164]), alimentados por peróxido de nitrógeno e hidracina y cuatro de propergol sólido para la reentrada, y además, de células de combustible para producir electricidad independientemente de la disponibilidad de radiación solar. Se trataba de un vehículo de la segunda generación (foto 36, p. 218), que se diferenciaba de la cápsula *Mercury* en que no solo era capaz de modificar su

---

[164] Siglas de Orbit Attitude and Maneuvering System ("Dispositivo para Orientación y Maniobras en Órbita").

orientación por rotación alrededor de tres ejes, sino también de alterar su órbita para aproximarse a un objetivo o alejarse de él[165]. Así mismo disponía de pertrechos y de un sistema regenerador de atmósfera y reciclado de residuos con los que podía sostener a la tripulación hasta quince días.

Con todo su equipamiento novedoso, que incluía sistema de navegación inercial y radar de des-

Foto 36. La cápsula *Gemini* en el museo *Smithsonian*.

Esta nave de la segunda generación iba provista de 20 motores: 4 de empuje medio para frenado y 16 de ajuste de órbita:
2 aceleradores
2 deceleradores
2 de deriva a babor
2 de deriva a estribor
8 de orientación (verniers) para cabeceo, virada y balanceo.

---

[165] La orientación de un vehículo en el espacio se efectúa mediante aplicación de un par de fuerzas producido por dos motores instalados en puntos diametralmente opuestos del fuselaje, que actúan en sentidos contrarios dando lugar a un movimiento de rotación alrededor de uno de los tres ejes del vehículo (cabeceo, deriva o balanceo), sin alterar la velocidad orbital. La corrección de la órbita se efectúa mediante motores no compensados y de mayor empuje, para que puedan modificar la velocidad orbital tanto en magnitud como en dirección. Por esta razón en astronáutica esta clase de maniobras se designa como Δv (delta v). Ver Apéndice.

cubierta y atraque, la masa de esta nave rebasaba las 3,7 toneladas, muy superior a las 1,134 Tm que era la capacidad del lanzador *Atlas-Agena*. Por tanto hubo de recurrirse al misil *Titan* de las USAF, propulsado por hipergoles, del que surgió el cohete *Titan II-Agena* (figura 35) capaz de poner en órbita esta cápsula.

Figura 35. El lanzador *Titan II-Agena* con la cápsula *Gemini*.

Longitud total, 49 m.
Masa total, 180 Tm.

Primera etapa:
Longitud, 22,28 m.
Diámetro, 4,07 m.
Masa, 118 Tm.
Masa vacío, 6,7 Tm.
Motor, 2 x LR87-7.
Hipergoles,
N_2O_4 + aerocina.
Empuje, 221 Tm-f.
Duración, 139 seg.

Segunda etapa:
Longitud, 19,50 m.
Diámetro, 4,07 m.
Masa, 57,4 Tm.
Masa vacío, 6 Tm.
Motor, 1 x LR87-LH2.
Hipergoles, LOx + LH_2.
Empuje, 68 Tm-f.
Duración, 300 seg.

Tercera etapa:
Agena
(ver figura 39).

El primer lanzamiento de prueba, no tripulado, del conjunto tuvo lugar el 8 de abril de 1964, con el único incidente de que la velocidad comunicada por el lanzador fue ligeramente superior a la esperada. El 12 de octubre de ese mismo año, antes de que los ingenieros de NASA consiguieran probar sus correcciones, la Unión Soviética lanzó la nave *Vosjod*-1 con tres tripulantes, consiguiendo así apuntarse otro nuevo éxito en la carrera espacial. La segunda prueba estadounidense tuvo lugar el 19 de enero de 1965, en un vuelo suborbital de 18 minutos. Con la excepción de un apagón en el Centro de Control que obligó a transferir sus funciones a un buque de rastreo, el único fallo que se registró fue que las células de combustible no funcionaron.

En esta fecha, NASA disponía de un grupo de dieciséis astronautas para los vuelos tripulados, trece de los cuales habían sido reclutados recientemente[166]. El primer lanzamiento tripulado ocurrió el 23 de marzo de 1965, con Virgil Grissom (1926-1967) como comandante y John Young (1930)como piloto, en la nave *Molly Brown*[167]. El objetivo era probar el motor de corrección de orbita, para lo que se procedió a encenderlo al final de la primera revolución, durante 1 minuto 15 segundos. El resultado fue satisfactorio, pues los parámetros de la órbita inicial, 161 x 224 Km, se redujeron a 158 x 169 Km y el periodo de 88,3 minutos a 87,8. En el cuadro final de este capítulo resumimos los datos de los diez vuelos tripulados del Proyecto *Gemini* y de los dos del Proyecto *Vosjod*.

---

[166] Por fortuna, la obligatoriedad de pertenecer a las fuerzas armadas para ser astronauta había sido sobreseída y así pudieron enrolarse aspirantes civiles, como Neil Armstrong (1930-) y el malogrado Elliot See (1927-1966). Los dieciséis seleccionados para el Proyecto *Gemini* fueron Leroy Cooper, Virgil Grissom, Walter Schirra, Neil Armstrong, Francis Borman, Charles Conrad, James Lovell, James McDivitt, Thomas Stafford, Edward White, John Young, Edwin Aldrin, Eugene Cernan, Richard Gordon, Michael Collins y David Scott.

[167] Este nombre, impuesto por Grissom para conjurar la mala suerte que le persiguió en su vuelo con la cápsula *Liberty Bell*, que se fue a pique al final del vuelo *Mercury* 4, es el de la pasajera del *Titanic* que se reveló contra la inacción de los tripulantes de los botes salvavidas, insuficientes pero escasamente ocupados, intentando rescatar a algunos de los infelices náufragos que chapoteaban en el mar, al no haber sido asignados a ningún bote.

Para el segundo vuelo se había programado dos actividades, duración igual a la de un vuelo a la Luna y un *rendez-vous* (encuentro) con la tercera etapa del lanzador. Pero comoquiera que los soviéticos acababan de ganar el premio del primer paseo espacial con su nave *Vosjod*-2, para no quedar rezagada NASA decidió adelantar el suyo, denominado EVA (*Extra-Vehicular Activity*), al vuelo *Gemini*-4 (foto 37), en el que Edward White (1930-1967) permaneció 22 minutos fuera de la cápsula. Pero como esta actividad no estaba prevista y la nave carecía de esclusa, su compañero James McDivitt (1929) hubo de utilizar también el traje espacial con escafandra. Más adelante Michael Collins (1930) permanecería 49 minutos, Richard Gordon (1929) 99 minutos y Edwin Aldrin (1930) cinco horas y media.

Foto 37. EVA, el paseo espacial de Ed. White. Impulsado por una botella de gas, pero sujeto por un cordón umbilical de 8 m de longitud, Ed White deambuló por el espacio durante 21 minutos durante el vuelo de la cápsula *Gemini*-4. Cuando el gas de la botella se consumió (a los 3 minutos), White utilizó el cordón para desplazarse.

Los reveses ocurrieron en los intentos de atraque al blanco *Agena* (provisto de puertos de atraque), de la cápsula *Gemini*-6. El cohete *Agena*, que debía haberse lanzado en primer lugar, no se encendió, por lo que hubo que suspender el vuelo tripulado. Para soslayar esta adversidad se prolongó el vuelo siguiente, *Gemini*-7, con Borman (1928-) y Lovell (1928-), de modo que se solapara con el vuelo *Gemini*-6A (reprogramado y lanzado once días después) con Schirra (1923 -2007) y Stafford (1930-), y ambos ejecutaran la maniobra de encuentro, ya que no de atraque. Tras una persecución espacial de 7 horas y 15 minutos (tres órbitas), la distancia inicial de 2.000 Km quedó reducida a unos pocos metros, demostrando la posibilidad de encuentro en órbita.

Pero la mala suerte con el *Agena* continuó durante el vuelo *Gemini*-8 con Armstrong (1930-) y Scott (1932-), pues al atracar en dicho blanco (foto 38), lanzado 90 minutos antes, uno de los motores de orientación del *Agena* no se apagó y continuó funcionando, produciendo el volteo del conjunto al alocado ritmo de ¡una voltereta por segundo! Armstrong consiguió desatracar, pero las piruetas seguían y para detenerlas solo cabía una solución: los retrocohetes y finalizar el vuelo antes de tiempo. A partir de entonces se modificó el cohete-blanco *Agena*, convirtiéndoselo en el ATDA (*Augmented Target Docking Adapter*, o "Adaptador para atraque a blanco mejorado").

En junio el intento es de la *Gemini*-9, tripulada por Stafford y Cernan (1934-), que también falla porque la ojiva de seguridad del cohete no se ha desprendido y cubre los puntos de atraque. Cernan trabaja durante dos horas en el vacío y ensaya un dispositivo revolucionario llamado Astronaut Maneuvering Unit (AMU), que servía para desplazarse individualmente por el espacio. La misión se da por concluida a las 72 horas.

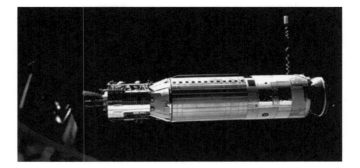

Foto 38. El Agena como blanco de atraque.
El cohete Agena fue modificado para dotar a las cápsulas
Gemini de un blanco con el que practicar las maniobras
de encuentro y atraque. Se lo lanzaba con un vehículo
Atlas, el día anterior o 90 minutos antes que la *Gemini*.

En julio le toca a la *Gemini*-10, tripulada por
Young (1930-) y Collins, quienes logran finalmente
acercarse a su *Agena* y atracar. Después de permanecer atracados durante 39 horas, de practicar atraques
en órbitas diferentes y de salir Collins al espacio en
dos ocasiones, regresan a casa habiendo permanecido 71 horas en el espacio.

En octubre de ese año, la *Gemini*-11, con Conrad (1930-1999) y Gordon a bordo, ejecuta su maniobra de encuentro y atraque con toda exactitud.
En uno de sus dos paseos espaciales Gordon establece la plusmarca de distancia a la Tierra (1.370
Km). Regresan a las 71 horas 17 minutos del despegue.

La última cápsula del programa, la *Gemini*-12, tripulada por Lovell y Aldrin, vuela en noviembre. Aldrin trabaja 5 horas fuera de la nave y prueba varias herramientas en el espacio. Regresan a
las 94 horas.

TABLA CRONOLÓGICA

CRONOLOGÍA DE VUELOS TRIPULADOS
MULTIPLAZA.

Vuelo	Tripulantes	Lanzam.	Duración	Órbs.	Objetivos
Vosjod -1	V. Komarov K. Feoktistov B. Egorov	12 Oct 1964	24h 17m	16	Tripulación civil y militar. Experimentos. biológicos
Vosjod -2	P. Belyayev A. Leonov	18 Mar 1965	1d 02h 02m	17	Paseo espacial (Leonov) 12 min.
Gemini-III	V. Grissom J. Young	23 Mar 1965	0d 04h 52m	3	Probar OAMS
Gemini-IV	J. McDivitt E. White	02 Jun 1965	4d 15h 56m	62	Duración de un viaje lunar. Encuentro con 3ª etapa. EVA (White). 22 min.
Gemini-V	L. Cooper C. Conrad	21 Ago 1965	7d 22h 55m	120	Vuelo de 1 semana. Probar células combust. Eval. sist. naveg. inercial.
Gemini-VII	F. Borman J. Lovell	04 Dic 1965	13d 18h 35m	206	Encuentro con *Gemini*-VIA Larga duración en espacio.
Gemini-VIA	W. Schirra T. Stafford	15 Dic 1965	3d 0h 21m	47	Encuentro con *Gemini*-VII.
Gemini-VIII	N. Armstrong D. Scott	16 Mar 1966	0d 10h 41m	6 3/4	Atraque con el *Agena*.
Gemini-IX	T. Stafford E. Cernan	03 Jun 1966	3d 0h 22m	47	Atraque con ATDA. Prueba de la AMU.
Gemini-X	J. Young M. Collins	18 Jul 1966	2d 22h 47m	43	Encuentro con el *Agena*. Idem con *Agena Gemini*-8. EVA (Collins). 49 min.
Gemini-XI	C. Conrad R. Gordon	12 Sep 1966	2d 23h 17m	44	Atraque inmediato. 2 x EVA (Gordon). 99 m Reentrada automática.
Gemini-XII	J. Lovell E. Aldrin	11 Nov 1966	3d 22h 35m	59	Atraque manual. 3 x EVA (Aldrin) 5h 30m Trabajos en el espacio.

9

Apollo ¿o Marte?

Hemos visto que treinta años después de que los Estados Unidos hubieran perdido su oportunidad de encabezar la investigación espacial con los ensayos de Robert Goddard, debido sin duda a la cortedad de miras de sus dirigentes políticos, la Administración Kennedy trataba de recuperar ese retraso merced al mayor esfuerzo tecnológico y financiero conocido en la historia de la exploración del espacio: el Proyecto *Apollo*, cuyo coste total se ha estimado entre 20.000 y 25.000 millones de dólares de 1969. Por desgracia, el propósito principal de este colosal programa de exploración espacial tuvo otras dos vertientes nunca confesadas, una militar alentada por el poder disuasorio que podría ejercer una fuerza nuclear basada en la Luna[168], y otra

---

[168] Opinión vertida por el teniente coronel S.E. Singer, de la *Defense Atomic Support Agency*, en un artículo titulado *The Military Potencial of the Moon* (El Potencial Militar de la Luna), publicado en la revista *Air University Quaterly Review*, nº 11, correspondiente al verano de 1959., págs. 31-53.

política, de recuperar la posición de privilegio en la carrera espacial que convenía a la estrategia política estadounidense en la escena internacional.

Tras estas premisas se entiende que una vez alcanzado el objetivo político de desembarcar hombres en la Luna antes que los soviéticos y descartada la utilización de su superficie como plataforma "disuasoria" de agresión, por su vulnerabilidad y por el largo tiempo (casi tres días) que necesitaría una andanada nuclear para viajar de la Luna a la Tierra[169], durante el cual sería relativamente fácil de detectar y neutralizar en vuelo, el proyecto *Apollo* fuera yugulado cuando aún quedaba por llevarse a cabo cuatro vuelos programados (*Apollo* 18-*Apollo* 21), dejando un alardeado programa subyacente de investigación científica sin continuidad ni coherencia. Como todos los que hemos visto hasta ahora, se trató de un proyecto sometido a exigencias militares y veleidades políticas, en el que la opinión científica careció del peso específico que hubiera sido deseable.

---

[169] En su artículo, el teniente coronel Singer se había apoyado en una alocución del General de Brigada de la USAF, Homer A. Boushey (1909-2000), que había tenido lugar el 28 de enero de 1958 en el Aeroclub de Washington, en la que había planteado una idea de la utilización militar de la Luna que venía abriéndose camino en las mentes de los estrategas de este país: "Aquél que domine la Luna dominará la Tierra". La argumentación con que sostuvo este criterio llevaba implícito el sometimiento de la Luna a la soberanía estadounidense: "La Luna puede proporcionarnos una base de represalias de ventajas inigualables. Si dispusiéramos de una base en la Luna, o bien los soviéticos habrían de lanzar un abrumador ataque nuclear contra ella desde Rusia, dos días o dos días y medio antes de atacar a los Estados Unidos (y tal lanzamiento no podría escapar a la detección), o bien

Al concebir este formidable y peligroso proyecto, la cuestión principal que guió a los diseñadores de NASA fue la seguridad de los astronautas en todo momento. En pos de tal garantía identificaron "puntos negros" en el viaje a la Luna y buscaron soluciones que ofrecieran protección razonable para la vida de los tripulantes. Aquí analizaremos solo tres de ellos. El primer "punto negro" era, sin duda, el caso de un fallo durante el lanzamiento, que afectara a la trayectoria y obligara a hacer estallar el cohete para evitar daños en poblaciones cercanas. Este accidente ya se había tenido en cuenta en el Proyecto *Mercury* y se había solucionado con el dispositivo LES (*Launch Escape System*), consistía en dotar a la cápsula de un cohete auxiliar capaz de transportarla rápidamente a distancia de seguridad, para descender en paracaídas.

El segundo punto considerado fue el fallo total de las comunicaciones por radio con la nave *Apollo*, una vez que esta hubiera rebasado el punto llamado TLI (*Trans-Lunar Injection*), de "inyección" en la trayectoria translunar. Para este caso la solución que se pro-

---

Rusia podría atacar primero a los Estados Unidos, única e inevitablemente para ser objeto de destrucción segura y masiva, unas 48 horas después". Esta propuesta fue recusada por el Dr. Lee A. Du-Bridge (1909-1994), presidente del Instituto de Tecnología de California (CalTech), en los siguientes términos: "Si se lanzara un proyectil desde la Luna contra un blanco en la Tierra, necesitaría cinco días para alcanzar su destino. Y, para entonces, la guerra podía haber terminado ya". Parece claro que el Dr. DuBridge pensaba en un vuelo elíptico de energía mínima (trayectoria de Hohmann), mientras que el General Boushey consideraba un vuelo parabólico de 2,5 días apropiado para un aterrizaje por impacto (caso de las sondas *Pioneer* lanzadas por el cohete *Thor-Able*), o incluso más "tenso", de 1,4 días (caso de la sonda *Pioneer*-4, lanzada por el cohete *Juno-II* del Ejército).

curó fue utilizar una "trayectoria de retorno automático"[170], basada en los vuelos al Primer Punto de Lagrange, que ya utilizaran las sondas *Luna* soviéticas, modificada para entrar en órbita lunar con velocidad superior a la de escape (2,3 Km/s) en el perilunio[171] (figura 36), lo que la devolvería automáticamente a la Tierra. Como hemos visto, el riesgo de escape del Sistema Tierra-Luna para quedar atrapado por la gravedad solar, que encierra la órbita de Hohmann, aconsejaba utilizar esta trayectoria.

El tercer punto que se preveía era la pérdida de las comunicaciones por radio, cuando la nave *Apollo* estuviera fuera de cobertura de la Red de Estaciones de Seguimiento (MSFN[172]). La solución fue asegurar cobertura por radio durante todo el viaje para enlazar con el Centro de Control, establecido en Houston (Texas), ampliando dicha red (figura 37, p. 230) a catorce estaciones, cuatro barcos y ocho aviones EC-135 (ARIA[173]). Más adelante se añadirían otras seis estaciones procedentes de otros servicios espaciales, o nuevas.

EL GIGANTE *SATURN*-V.
LA APOTEOSIS DE VON BRAUN

Una vez que los dirigentes del Proyecto *Apollo* se decidieron por el método LOR para el viaje a la

---

[170] *Free Return Trajectory* en inglés.

[171] Punto de la órbita o trayectoria más próximo a la superficie de la Luna, también llamado pericintio (Cintia es el nombre poético de la Luna).

[172] *Manned Space Flight Network*, o sea, Red de Vuelos Espaciales Tripulados.

[173] Apollo Range Instrumentation Aircraft, o Avión con Instrumentos de Alcance para *Apollo*.

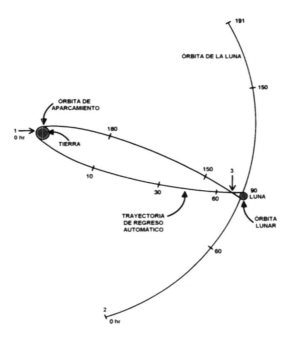

Figura 36. Trayectoria de Regreso Automático.

1.- Punto TLI a las 0 h.

2.- Posición de la Luna a las 0 h.

3.- Punto 1 de Lagrange.

4.- Perilunio.

Partiendo de la órbita de aparcamiento terrestre, el vehículo enciende el motor en el punto TLI (1) a las 0h de viaje translunar. La Luna se halla en el punto (2).

La nave viaja hasta el punto 1 de Lagrange (3), a donde llega a las 75 h.

Allí es capturada por la atracción lunar y llega al perilunio (4) a las 90 h.

Como su velocidad es superior a la de escape de la Luna, regresa a la Tierra a las 191 h.

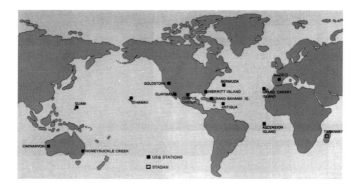

**Figura 37. La Red de Estaciones de Rastreo
para Vuelos Tripulados.**
Comprendía 11 estaciones equipadas con antenas con platos
de 9 m, que proporcionaban cobertura durante el vuelo
en órbita terrestre y 3 equipadas con antenas con platos de
26 m (Goldstone, Madrid y Honeysuckle Creek), que
proporcionaban doble cobertura a la distancia de la Luna,
pues al estar espaciadas 120° en longitud sobre la Tierra,
siempre había dos en comunicación con el vehículo *Apollo*.
La red incluía además 4 barcos equipados para el rastreo
(*Vanguard, Huntsville, Mercury* y *Redstone*) y 8 aviones con
instrumentación especial, en los puntos ciegos de la red.

Luna, von Braun (foto 39), ahora director del *Marshall Spaceflight Center* (Huntsville, Alabama), pudo encaminar su trabajo hacia el desarrollo de los gigantescos motores F-1 y J-2, que fabricaría Rocketdyne, y que impulsarían al formidable cohete *Saturn*, en sus versiones IB y V (figura 38, p. 232). Las enormes dimensiones que se preveían desde el primer momento resultaron escasas, cuando se consideró la necesidad de efectuar el despegue "a cámara lenta" para evitar la sobrecarga gravitatoria a la tripulación.

Foto 39. Werhner von Braun y su criatura. Las monstruosas toberas de 4,3 m de diámetro de cada uno de los cinco motores F1 que montaba la primera etapa (S-IC) del cohete *Saturn*-V, empequeñecen la figura de su creador, el mítico ingeniero alemán de controvertida reputación, Werhner von

Braun. Su interés por convencer a la opinión pública de la necesidad de batir a la Unión Soviética en la Carrera a la Luna se puso de manifiesto cuando preguntado "¿qué espera que encuentren los astronautas aterrizar en la Luna?", von Braun respondió: "Rusos".

El planteamiento comenzaba con que para enviar hasta la Luna las 45 Tm de masa de la futura nave *Apollo*, se necesitaría un lanzador cuya primera etapa, llamada S-IC (*Stage* IC), fuera capaz de desarrollar al despegue 3400 Tm-f de empuje, para lo que sería necesario embridar cinco gigantescos caballos F-1 y proveerlos de más de 2000 Tm de forraje en forma de propergol criogenizado.

En el caso de esta etapa von Braun había optado por utilizar queroseno como combustible, pues aunque el hidrógeno líquido posee un impulso espe-

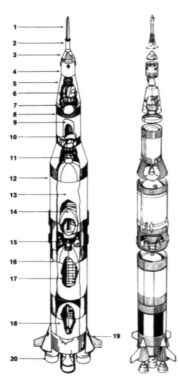

Figura 38.
El gigante *Saturn* V.
Longitud total, 110,65 m.
Masa total, 2.877 Tm.
Empuje al despegue, 3400 Tm-f.
Vehículo *Apollo*:
   1.- Cohete de escape.
   2.- Escudo protector.
   3.- Cabina de mando (CM).
   4.- Compartimiento servicio (SM).
   5.- Estructura adaptadora.
   6.- Vehículo lunar.
Lanzador *Saturn* V
   7.- Anillo de instrumentos (IU).
   8.- Tercera etapa (S-IVB).
   9.- Depósito combustible (LH_2).
   10.- Depósito comburente (LOx).
   11.- Motor J-2 (90 Tm-f).
   12.- Segunda etapa (S-II).
   13.- Depósito combustible (LH_2).
   14.- Depósito comburente (LOx).
   15.- Motores J-2 (5 x 90 Tm-f).
   16.- Primera etapa (S-IC).
   17.- Depósito combustible (LH_2).
   18.- Deposito comburente (LOx).
   19.- Aletas estabilizadoras.
   20.- Motores F-1 (5 x 680 Tm-f).
Primera etapa S-IC:
Longitud, 42 m • Diámetro, 10 m.
Masa total, 2238,5 Tm.
Masa vacío, 128,5 Tm.

Segunda etapa S-II:
Longitud, 25 m • Diámetro, 10 m • Masa total, 472 Tm • Masa vacío, 35,7 Tm.
Tercera etapa S-IVB:
Longitud, 18 m • Diámetro, 6,6 m • Masa total, 115,6 Tm • Masa vacío, 11,1 Tm.
Anillo porta-instrumentos (IU):
Altura, 0,91 m • Diámetro, 6,6 m • Masa, 1,9 Tm.
Estructura adaptadora (SLA):
Longitud, 8,4 m • Diámetro superior, 4 m.
Diámetro inferior, 10 m • Masa, 1,8 Tm.
Cohete de escape (LES):
Longitud, 10,3 m • Diámetro, 1,2 m • Masa, 4 Tm.
Motor, propergol sólido • Empuje, 3 x 22,25 Tm-f.

cífico[174] mayor que el del queroseno, su menor densidad[175] precisaría un depósito demasiado voluminoso, cuyo peso anularía la ventaja. Pero conseguir el empuje unitario de 680 Tm-f requería alcanzar la temperatura de 3.900° C en la cámara de combustión, para que así la velocidad de salida de los gases fuera de 3600 m/s. Y esto obligaba a quemar el combustible al increíble ritmo de ¡13,6 Tm por segundo! y a inyectar el propergol a la presión de ¡60 atmósferas! A este furibundo régimen, los cinco caballos F-1 agotaban sus existencias de forraje en 150 segundos. Con este tamaño, más el dispositivo de refrigeración, la masa de cada motor era de 9 Tm y, sin embargo, el excelente diseño del ingeniero germano consiguió que la relación de masas de la etapa fuera ¡de 0,06![176]. Gracias a ello se alcanzó una velocidad final de 980 m/s a la cota de 70 Km de altura.

Para la segunda etapa, S-II (*Stage* II), von Braun había proyectado los motores J-2, alimentados por hidrógeno y oxígeno líquidos, que desarrollaban 90 Tm-f de empuje unitario. En el caso de esta etapa optó por el hidrógeno líquido como combustible, aprovechando que el tamaño de este depósito era mucho menor que el de la primera etapa[177]. Para alcan-

---

174 Se denomina impulso específico de un propergol al tiempo durante el cual 1 Kg del mismo puede mantener el empuje de 1 Kg-f. El impulso específico de la mezcla hidrógeno y oxígeno líquidos vale 391 segundos y es 1,3 veces superior al de la mezcla de queroseno y oxígeno, que vale 300 segundos.

175 El hidrógeno líquido es doce veces más ligero que el queroseno.

176 Es decir, que la masa de la etapa vacía fuera solo el 6% de la masa total y su factor de mérito de 2,8.

177 Creemos que vale la pena entrar en algún detalle sobre la fabricación de la etapa S-IIC, para que el lector pueda adquirir su propia idea de las enormes complicaciones de diseño que

zar dicho empuje cada motor J-2 debía quemar 170 Kg por segundo de hidrógeno y 935 Kg/s de oxígeno, su cámara de combustión debía trabajar a 3.180° C y la inyección efectuarse a la presión de 50 atmósferas. Ahora, para alcanzar la velocidad final de 7 Km/s y la cota de 176 Km, la duración del vuelo propulsado por esta segunda etapa debería ser de 6 minutos, por lo que la capacidad de sus depósitos de propergol tendría que ser de 70 Tm para el hidrógeno y 366 Tm para el oxígeno, líquidos. Como era de esperar, el peso del depósito de hidrógeno líquido redujo el factor de mérito de esta etapa a 2,59.

Al término del vuelo propulsado por las etapas anteriores, la tercera etapa, S-IVB debía encender su único motor J-2 durante unos 140 segundos para entrar en la órbita de aparcamiento EO (*Earth Orbit*) de 190 x 190 Km. A partir de este momento di-

---

implicaba el empleo de hidrógeno líquido (LH_2) y oxígeno líquido (LOx) como ergoles, que solo se pudieron superar merced a un apoyo tecnológico de vanguardia y que explican la escasa profusión de su uso en favor del queroseno y del oxígeno líquido. Tales dificultades se derivaban de la criogenia de fluidos heterogéneos y consistían en enfriar dos depósitos de tamaños muy distintos y colocados muy próximos, a temperaturas muy diferentes. En efecto, el tamaño de ambos depósitos venía fijado por la abastecimiento que debían aportar y por la densidad de ambos gases en estado líquido. Aunque la relación estequiométrica entre las masas de comburente (O_2, de masa atómica 16) y de combustible (H_2, de masa atómica 2) es 8, la densidad del LH_2 (0,071 g/cc) es 16 veces inferior a la del LOx (1,14 g/cc). En consecuencia, el depósito de LH_2 debía ser por lo menos de tamaño doble que el depósito de LOx. No obstante, la ventaja de inyectar mayor cantidad del ergol liviano (LH_2) para mejorar el empuje, aconsejó instalar un depósito de LH_2 mayor aún, de capacidad tres veces superior (1000.000 l) a la

cho motor debería enviarla a la Luna, por lo que este ingenio sería el único que tendría capacidad para encenderse y apagarse en dos ocasiones, la primera para alcanzar la órbita de aparcamiento, momento EOI, (*Earth Orbit Insertion*) y la segunda para efectuar la inyección del vehículo *Apollo* en la trayectoria translunar, momento TLI (*Trans-Lunar Injection*).

A partir de este esquema básico nació el gigantesco cohete *Saturn*, llamado así por constituir el paso siguiente al lanzador *Jupiter*, que debería poner en órbita de aparcamiento un vehículo *Apollo* de 45 Tm, capaz de ir a la Luna y volver. El triple proyecto salió a concurso de las compañías privadas, siendo adjudicadas las partidas como sigue: la primera etapa a Boeing Company, la segunda a North American Aviation y la tercera a Douglas Aircraft.

---

capacidad del depósito de LOx (331.000 l), que ocupaba el 75% del volumen de la etapa S-IIC. Ahora bien, para que la inyección fluyera de modo constante, tanto el combustible (LH_2) como el comburente (LOx) se debían almacenar a su temperatura de ebullición, -253° C (20° K) para el LH_2 y -183° C (90° K) para el LOx. Y aquí surgía la gran dificultad, pues la temperatura de solidificación del oxígeno, -219° C (54° K), es más alta que la de ebullición del hidrógeno, lo que entrañaba el riesgo de congelar el comburente, cuyo depósito se encontraba debajo y a muy corta distancia (fig. 38) del enorme depósito de LH_2. En suma, había que mantener una diferencia de temperaturas de 70° a una distancia muy corta, para lo que resultaba imprescindible aislar ambos depósitos entre sí, pero sin exceder el límite de peso asignado a esta etapa. La solución fue diseñar un único mamparo de separación entre dichos depósitos, formado por una estructura ligera de aluminio revestida de resina fenólica altamente refractaria, que permitió mantener ambos ergoles a sus respectivas temperaturas de ebullición.

EL VEHÍCULO *APOLLO*, UN HÍBRIDO ESPACIAL

De acuerdo con el diseño que esbozó el Dr. Houbolt, al alcanzar la órbita lunar de aparcamiento el vehículo *Apollo* tendría que dividirse en dos módulos, uno orbital, con capacidad de regresar a la Tierra con tres tripulantes y otro lunar, con la de aterrizar en la superficie de la Luna y despegar de ella, con dos astronautas. El estudio detallado de estos dos sub-vehículos vino a demostrar que, para facilitar las maniobras, ambos deberían ser dobles a su vez, constituidos por una cabina habitable y un compartimiento motor, respectivamente.

El módulo orbital (figura 39), como lo denominaremos de ahora en adelante, estaría compuesto por la Cabina de Mando (CM, *Command Module*) y el Compartimiento de Servicio (SM, *Service Module*), que en conjunto (figura 40, p. 238) se conocerían por las siglas CSM (*Command and Service Module*). Cada uno de ellos debería ser capaz de efectuar maniobras de orientación, para lo que dispondrían de motores con dieciséis toberas montadas en cuatro bloques de a cuatro y alineadas con los tres ejes del vehículo[178]. Pero además, el módulo de servicio debía poseer otro motor mucho más potente, diseñado para efectuar tres tipos de maniobras que requerían modificar la velocidad del vehículo *Apollo*: correcciones de medio camino (MCC[179]) a lo largo de las trayectorias translunar y transterrestre, frenado en el perilunio de modo que dicho vehículo quedara atrapado en órbita lunar por la gravedad de este astro y regreso a

---

[178] El lector ya conoce que tales ejes se corresponden con los tres grados de liberad de que goza un vehículo espacial, o aéreo, o sea, cabeceo, deriva y balanceo. Ver Apéndice.

[179] *Mid-Course Corrections*.

Figura 39.
Esquema del
vehículo orbital
Apollo (CSM).

Longitud total,
10,76 m.
Diámetro, 3,9 m.
Masa total, 30,3 Tm.

Cabina de Mando
(CM):

Altura, 3,2 m.
Diámetro, 3,9 m.
Masa, 5,8 Tm.
Motores, 12.
Hipergoles, N_2O_4
+ hidracina.
Empuje, 12 x 42 Kg-f.
Capacidad, 3 plazas.
Baterías (Ag-Zn),
3 x 40 A-h.

Módulo de Servicio
(SM):

Longitud, 7,56 m.
Diámetro, 3,9 m.
Masa, 24,5 Tm.
Masa vacío, 6 Tm.
Motor propulsión,
AJ10-37.
Hipergol motor
principal, N_2O_4
+ Aerocina.
Empuje, 10 Tm-f.
Motores vernier, 16.
Ergoles motores
vernier, N_2O_4 +
hidracina.
Empuje, 12 x 45 Kg-f.
Suministros,
Hipergol motor principal, 400 Kg.
Hipergol motores vernier, 122 Kg.
Pilas de combustible para generar energía eléctrica, 3 x 1,4 Kw
LH_2 + LOx.

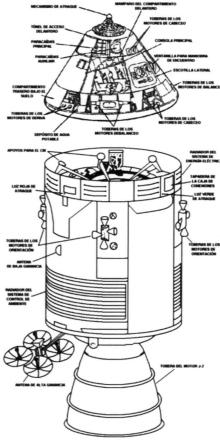

237

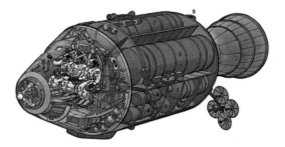

Figura 40. El vehículo orbital CSM ensamblado.
1.- Comandante • 2.- Piloto vehículo orbital
3.- Piloto vehículo lunar • 4.- Células de combustible
5.- Depósito de LOx • 6.- Depósito de LH_2
7.- Depósito combustible • 8.- Depósito comburente
9.- Toma de combustible

la Tierra (TEI[180]) una vez finalizada la estancia en la Luna. Por tanto, este motor y los de orientación necesitaban el uso de hipergoles para facilitar sus múltiples encendidos y von Braun tuvo que decidirse a utilizar aerocina 50[181] como combustible y peróxido de nitrógeno (N_2O_4) como comburente, cuyas exhaustaciones tóxicas no importaban en órbita lunar y, a cambio, ofrecían la ventaja de no requerir dispositivos de encendido con sus peligrosas chispas. El contrato de este vehículo fue ganado por North American Rockwell.

El módulo lunar LM[182] (figura 41), llamado también LEM[183], se desdoblaría en una etapa de descen-

---

180 *Trans Earth Insertion*, o inserción en la trayectoria hacia la Tierra.
181 Una mezcla a partes iguales de hidracina y UDMH (dimetilhidracina asimétrica).
182 *Lunar Module.*
183 *Lunar Excursion Module.*

so y otra de ascenso. La primera debería poseer un motor capaz de frenar en la órbita lunar para provocar el descenso (caída) y de reducir la velocidad durante el mismo hasta aterrizar a 3 m/s con los dos astronautas y sus pertrechos. La etapa de ascenso debería poseer otro motor con la capacidad necesaria para elevarse sobre la etapa anterior, con los dos excursionistas y sus muestras de rocas lunares abordo y mantenerse en órbita hasta acoplarse al módulo orbital. Ambas etapas deberían disponer además de motores de orientación para su guiado y tanto unos motores como otros, habrían de admitir encendido múltiple mediante hipergoles. La contratación de este vehículo fue ganada por Grumman.

Durante el lanzamiento (figura 42, p. 241) la fricción con las capas bajas de la atmósfera obligaba a dar

Figura 41. El Vehículo Lunar (LEM).

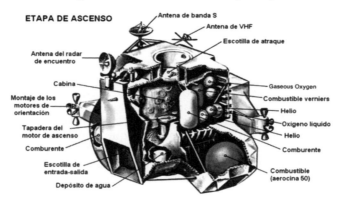

Etapa de ascenso:
Altura, 3,54 m • Diámetro, 4,27 m • Masa, 4,55 Tm • Motor Ascenso, 1
Hipergoles, N_2O_4 + aerocina • Empuje, 1,6 Tm-f • Motores vernier
Empuje, 16 x 45 Kg-f • Hipergoles, N_2O_4 + hidracina • Capacidad, 2 plazas

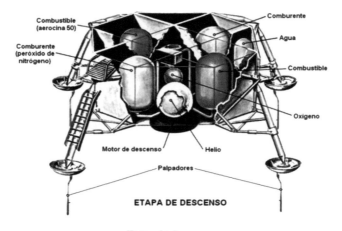

Etapa de descenso:
Altura, 2,83 m • Diámetro, 4,21 m • Masa, 10,15 Tm • Motor Descenso, 1
Hipergoles, N_2O_4 + hidracina • Empuje, 4,5 Tm-f

Total:
Altura, 6,37 m • Diámetro máx, 4,27 m
Envergadura, 9,07 m • Masa, 14,7 Tm

resguardo a los elementos sensibles, o no aerodinámicos. Así, la cabina de mando (CM) estaba protegida por un escudo cónico adosado al cohete de escape (LES) y la forma nada aerodinámica del vehículo lunar (LM) iba encerrada en una carena adaptadora cónica que lo cobijaba. Después de que se desprendiera la etapa IC y una vez alcanzada la altura a la que funcionaría el paracaídas en caso de emergencia, se expulsaba el cohete de escape junto con el escudo cónico, procurando visibilidad a la cabina de mando.

Las maniobras complicadas de encuentro, atraque y desatraque que justificaban los ensayos efectuados en órbita terrestre durante el Proyecto *Gemini* comenzaban tras haber entrado en la trayectoria

**Figura 42.
El vehículo *Apollo* en la
configuración de
lanzamiento.**
La cabina de mando estaba
protegida por un escudo cónico
acoplado al cohete de escape
(LES). El vehículo lunar (LM)
iba con las patas plegadas en el
interior de la estructura
adaptadora.

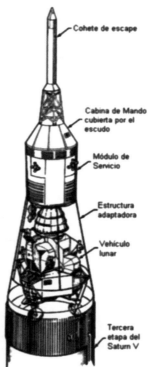

Cohete de escape

Cabina de Mando
cubierta por el
escudo

Módulo de
Servicio

Estructura
adaptadora

Vehículo
lunar

Tercera
etapa del
Saturn V

translunar. En primer lugar
(figura 43, p. 242) la estructura adaptadora se abría en
cuatro pétalos a 45 grados;
en segundo lugar, el vehículo orbital se separaba de la
etapa S-IVB y giraba 180
grados; en tercer lugar, el
vehículo orbital se acoplaba
a la escotilla de atraque del
vehículo lunar y se alejaba
de la etapa S-IVB. Durante
la trayectoria translunar el vuelo se iniciaba en esta
disposición (figura 44, p.243), con los astronautas en
la Cabina de Mando orientados hacia la Tierra.

LA TRAGEDIA DE *APOLLO*-1. LA CARRERA A LA LUNA SE COBRA LAS PRIMERAS VÍCTIMAS

Los primeros ensayos con lanzamiento no tripulado comenzaron muy pronto, el 27 de octubre de
1961. En ellos se utilizó un modelo de cohete, el

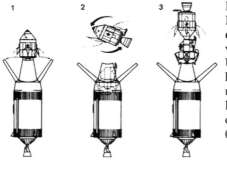

Figura 43. Maniobras durante el vuelo TLI. Una vez en vuelo hacia la Luna y utilizando siempre los motores de orientación:

(1) el vehículo orbital CSM se separa de la etapa S-IVB;

(2) el vehículo orbital CSM efectúa la transposición, o giro de 180 grados;

(3) el vehículo orbital CSM se acopla a la escotilla de atraque del vehículo lunar LM y ambos se alejan de la etapa S-IVB.

Saturn IB[184], menos potente que el *Saturn* V, pero mucho más barato que él, capaz de poner en órbita terrestre el vehículo *Apollo* para ir probando los diferentes elementos integrantes del mismo, pero sin posibilidad de viajar a la Luna. Entre esta fecha y el 30 de septiembre de 1965 se efectuaron diez lanzamientos de prueba, todos ellos no tripulados.

El primer vuelo tripulado se programó para el 21 de febrero de 1967, con una tripulación (foto 40) compuesta por Virgil Grissom (comandante), Edward White (piloto del vehículo orbital) y Roger Chaffee (piloto del vehículo lunar). Tres semanas antes, el 27 de

---

[184] Este lanzador constaba de una primera etapa provista de ocho motores H-1 que desarrollaban un empuje conjunto de 724 Tm-f, y una segunda etapa idéntica a la S-IVB del *Saturn*-V.

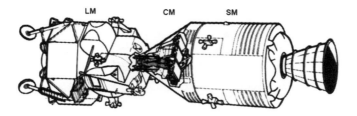

Figura 44. Configuración de crucero.
Durante el vuelo translunar la cabina de mando CM queda
orientada hacia la Tierra, de modo que los astronautas
no veían la Luna, hacia la que volaban.

enero, estaba prevista una prueba del funcionamiento
autónomo de la cabina de mando, es decir, sin cables
ni tuberías que suministraran energía ni medios vitales desde el exterior y un ensayo de salida en emergencia. White, el más próximo a la escotilla, debía incorporarse de su tumbona y, ayudado por Grissom,
destrabar las seis asas que bloqueaban la compuerta
interior, que se abría hacia dentro[185], y depositarla en
el suelo. Seguidamente deberían abrir la compuerta exterior y salir en el siguiente orden: White, Chaffee y
Grissom. Toda esta actividad era muy sencilla y no debía durar más de 90 segundos.

Ese día 26, a las 06:00, se inició la cuenta atrás
de la simulación que debería llegar al despegue figurado a las 14:00, sin embargo, una avería en los

---

[185] Para evitar riesgos como el del caso de la cápsula *Liberty Bell*
(cuya puerta salió volando), pilotada precisamente por Grissom, NASA había diseñado la escotilla de la cabina *Apollo* con
doble compuerta, una con abertura hacia el interior y otra hacia el exterior.

Foto 40. La malograda tripulación de *Apollo* 1. De izquierda a derecha: Edward White (1930-1967) Virgil Grissom (1926-1967) Robert Chaffee (1935-1967)

Estos tres astronautas fueron las primeras víctimas occidentales de la carrera a la Luna.

equipos de tierra introdujo un retraso de dos horas, por lo que los tres astronautas, vistiendo sus trajes espaciales (ese día le correspondió a White llevar puestos los sensores médicos), entraron en la cápsula algo después de las 13:00 y reptaron hasta instalarse en sus tumbonas, Grissom a la izquierda, White en el centro y Chaffee a la derecha, junto a la radio.

Durante más de una hora trabajaron con la escotilla abierta, hasta que a las 14:50 la cerró el personal auxiliar para elevar la presión de la cabina a 1,1 atmósferas de oxígeno puro[186], que era lo que se respiraba en todos los vehículos espaciales de los Estados Unidos ¿Por qué oxígeno puro? Porque es ininflamable, aunque en caso de incendio, tiende a alimentarlo. ¿Por qué sin nitrógeno? Porque así se

---

[186] Esta presión se reducía luego a 0,3 atm. en los vehículos espaciales para evitar el riesgo de combustión espontánea de algunos materiales.

evita la necesidad de descompresión al abandonar la nave para salir al espacio. Y, además, a lo largo de todo el viaje se ahorran 220 Kg de nitrógeno.

Ya por la tarde surgió una avería en las comunicaciones por radio, que dio pie a Grissom para bromear:

–Oídme, ¿cómo queréis enviarnos a la Luna, si ni siquiera podéis conectarnos con la estación de tierra? Acabad de una vez[187].

Por fin, pasadas las 18:00, cuando el reloj de la cuenta atrás marcaba T-00:15, se desconectó la cabina de la alimentación eléctrica exterior y se la conectó a su sistema generador de corriente, como estaba programado. Cinco minutos más tarde se hizo un alto para dejar que se enfriara el glicol refrigerante, que era muy inflamable, lo que permitió cierta relajación entre los no intervinientes.

De pronto, a las 18:31, se registró la voz asustada de Chaffee:

– ¡Fuego! ¡Huelo a humo![188]

Todos los encargados del Centro de Vuelos sintieron que el corazón les daba un vuelco. Dos segundos después llegaba la voz de White:

– ¡Fuego en la carlinga![189]

Tres segundos más tarde, una voz no identificada gritó:

– ¡Hay un fuego peligroso en la nave![190].

---

187 *"Hey! How do you expect to get us to the moon if you people can't even hook us up with the ground station? Get with it out there".*

188 *Fire! I smell fire!*

189 *Fire in the cockpit!!*

190 *There's a bad fire in the spacecraft.*

Las últimas voces que quedaron registradas aquel funesto día decían:
– ¡Estamos ardiendo! ¡Sacadnos de aquí![191].

En cuestión de segundos, una chispa eléctrica procedente quizá de un cable pelado, o acaso de un conmutador, de los que había centenares, había convertido la monotonía en tragedia y originado el desastre. La mayor parte de los materiales que constituían la nave, ignífugos en atmósfera normal, como el nylon, el velcro, el plástico y el RTV[192], resultaron ser inflamables espontáneamente en atmósfera de oxígeno puro a presión normal. Tristemente, aunque los tripulantes detectaron el fuego enseguida, no lograron abrir la escotilla ya que el calor elevó la presión interior a dos atmósferas convirtiendo el vehículo en una ratonera, y murieron asfixiados. Para mayor desgracia, la brigada de personal contra-incendios (de Pan American World Airways), que hubiera estado equipada para trabajar en la atmósfera venenosa que rodeaba al vehículo y que impedía prestar a ayuda a los voluntarios improvisados que acudieron, no estaba presente ese día, porque … todo era tan rutinario …

A 1400 Km de Cabo Cañaveral, en Houston (Texas), el Director de Vuelos Tripulados, Christopher Kraft (1924-), veía horrorizado e impotente como las pulsaciones de Ed White cesaban a los catorce segundos de haber sido detectado el fuego. La carrera espacial se había cobrado sus tres primeras víctimas[193], para

---

191 *We're on fire! Get us out of here!*
192 *Room Temperature Vulcanization*. Adhesivo vinílico vulcanizado a temperatura normal, empleado para proteger las conexiones eléctricas contra la humedad.
193 El secretismo que asfixiaba el intercambio entre los experimentadores de uno y otro bando impidió a los americanos conocer que

cuyo epitafio podrían servir las siguientes palabras de Gus Grissom, pronunciadas tras su vuelo con la cápsula *Gemini*-3:

– Si muriéramos, la gente debe aceptarlo ... La conquista del espacio merece el riesgo[194].

APOLLO RENACE DE SUS CENIZAS

La tragedia de la prueba de *Apollo*-1 sumió a NASA en su primera crisis profunda. Era necesario revisar los 30 Km de cableado distribuido por la Cabina de Mando y rediseñar, en su caso, todos los elementos y sistemas de los vehículos tripulados que pudieran arder espontáneamente en atmósfera de oxígeno puro. Y ello suponía un trabajo titánico que comprometía la fecha tope expresada en el discurso del entonces ya también malogrado Presidente Kennedy: "... antes de que finalice este decenio". Para los 150.000 científicos, ingenieros y técnicos que colaboraron en la colosal tarea, cumplir el legado del carismático presidente se convirtió en un reto que pudo cumplirse gracias a la suficiencia del nuevo Director del Programa *Apollo* y mago de la ingeniería, George Michael Low (1926-1984). Bajo su gestión, diecinueve meses después de la tragedia (y dieciocho de haber aceptado el cargo), el vuelo *Apollo*-7[195] estaba

---

los soviéticos ya habían experimentado anteriormente otro accidente fatal por fuego en atmósfera de alto contenido en oxígeno, en el que había perdido la vida el cosmonauta Valentin Bondarenko (1937-1961), en el Instituto de Investigaciones Biológicas de Moscú.

[194] *If we died, people should accept it ... The Space conquest deserves such a risk.*

[195] Los vuelos *Apollo*-2 y *Apollo*-3 nunca existieron; *Apollo*-4, lanzado el 9 de noviembre de 1967, fue el primer vuelo en solitario del

listo para una prueba tripulada en órbita terrestre, no sin la oposición de algunos detractores.

En efecto, el siguiente paso debía ser la prueba de ensamblaje en órbita terrestre del vehículo orbital (CSM), lanzado por un cohete *Saturn*-IC en el vuelo *Apollo*-7, con el vehículo lunar (LM) lanzado un día después por un segundo *Saturn*-IC, en el vuelo *Apollo*-8. Pero desgraciadamente en aquella fecha no se había corregido aún la avería que cortó antes de tiempo el encendido del motor de descenso de aquella nave en el vuelo *Apollo*-5 y, en consecuencia, no se disponía de vehículo lunar para la prueba.

Parecía que el desembarco en la Luna estaba condenado a no ocurrir en el decenio de los sesenta, hasta que George Low, quizá acuciado por "la necesidad", presentó una decisión arriesgada para hacer honor al discurso de Kennedy: si el vuelo *Apollo*-7 tenía éxito con el vehículo orbital, la expedición *Apollo*-8 volaría a la Luna a ensayar la trayectoria de retorno automático aunque sin el LM, sino con una masa muerta equivalente. Y el vuelo *Apollo*-9 probaría en órbita terrestre la funcionalidad del flamante LM, cuando estuviera disponible. Evidentemente se iba a correr un gran riesgo, toda vez que la reentrada de un vehículo procedente de la Luna, no se había ensayado aún[196] y hubiera sido de me-

---

gigante *Saturn*-V; *Apollo*-5, lanzado el 22 de enero de 1968 con el cohete *Saturn*-IB, realizó el vuelo de prueba del vehículo lunar LM, cuyo motor de descenso se apagó demasiado pronto; y *Apollo*-6, lanzado el 4 de abril del mismo año por un *Saturn*-V, detectó fallos estructurales en la carena que cubría este vehículo, al repetir el vuelo de *Apollo*-4 con él, así como vibraciones longitudinales de todo el lanzador e irregularidades en la combustión de motor J-2 de la etapa S-IVB.

[196] Realmente se había simulado una reentrada "desde órbita lunar" al final del vuelo *Apollo*-4, con ocasión del primer uso del cohete *Saturn*-V. Pero la prueba solo consistió en lanzar la cabina CM

jor criterio ejercitarla mediante un vuelo no tripulado, pero la fecha dada por Kennedy ...

La tripulación del vuelo *Apollo*-7, Schirra, Eisele (1930-1987) y Cunningham, (1932-) lanzado el 11 de octubre, había sido la suplente en el caso del malaventurado *Apollo*-1, por lo que quizá no pudiera evitar cierto presentimiento pesimista al volar en otro *Saturn*-1B, ahora caído en desgracia. El presagio se materializó para el comandante en un mareo espacial y un catarro inoportuno que coadyuvaron a crear un ambiente de irritación en la cabina de mando[197] durante los diez días que duró el viaje. No obstante, el objetivo de encuentro en órbita terrestre con la etapa S-IVB y las ocho pruebas de encendido y apagado del motor J-2 se cumplieron satisfactoriamente.

El éxito de este vuelo animó a Low y a su jefe, el Director Adjunto del Programa *Apollo*, Samuel Phillips (1921-1990), a seguir adelante con la idea de enviar la expedición *Apollo*-8 a la Luna en diciembre, para consternación de los dirigentes políticos, el Administrador saliente de NASA James Web y su sucesor en el cargo Thomas Payne (1921-1992), quienes sentían erizárseles el cabello ante el posible fracaso de la hazaña preconizada por Kennedy siete años antes. Para ellos, aterrizar en la Luna en 1970 no hubiera tenido el mismo valor.

Pero la decisión probó haber sido acertada cuando los tripulantes de la expedición *Apollo*-8, Borman,

---

desde un apogeo de 18.000 Km, acelerándola a la velocidad que habría traído si hubiera venido desde la Luna (40.000 Km/h). Pero no se pudo probar la corrección de medio camino, o *Mid-Course Correction* (MCC), que habría tenido lugar en un vuelo transterrestre (TEI) real.

[197] Tal falta de aptitud para vuelos de larga duración excluyó a esta tripulación de futuras expediciones.

Lovell y Anders (1933-), se convirtieron en los primeros humanos que vieron la Tierra desde la Luna, los rasgos de la superficie lunar a menos de 100 Km, incluida la de la cara oculta, y regresaron a la Tierra para contarlo, en aquellas navidades[198].

Ya en 1969, el año decisivo para los verbólatras de Kennedy, el vuelo *Apollo*-9, con McDivitt, Scott y Schweickart, realizó la validación integral en órbita terrestre del vehículo *Apollo* (CSM-LM) y de los trajes lunares autónomos (sin cordón umbilical), dando paso a la expedición *Apollo*-10, de los veteranos Stafford, Young y Cernan, para ensayar las maniobras lunares de desatraque, descenso hasta 16 Km de la superficie[199], ascenso, encuentro y atraque en órbita lunar, precursoras del verdadero desembarco en Selene.

Soyuz, el drama de Komarov

Hemos visto que en un intervalo de ocho meses, desde el 11 de octubre de 1968 en que despegó el *Apollo*-7 hasta el 18 de mayo de 1969 en que voló el *Apollo*-10, los Estados Unidos lanzaron cuatro vuelos tripulados, dos de ellos a la Luna. ¿Se resignó la Unión Soviética a perder esta baza de la carrera espacial? El desmantelamiento del telón de acero, ocu-

---

[198] La tripulación de la expedición *Apollo*-8 celebró abordo la festividad de *Christmas Eve* con la lectura de los diez primeros versos del Génesis, acto que fue retransmitido por TV.

[199] Esta aproximación se efectuó en el Mar de la Tranquilidad, exactamente sobre el mismo punto en que aterrizaría después la tripulación *Apollo*-11. Se pudo así practicar el reconocimiento del lugar a corta distancia, así como de la trayectoria de arribada y salida del lugar (que se bautizó US#1).

rrido después de la *perestroika*, y la nueva política de transparencia (*glasnost*) de Rusia nos han permitido conocer que no.

En 1961, tras el discurso de Kennedy, existía en la URSS una pugna a cuatro bandas por la adjudicación del objetivo de los vuelos tripulados. Por un lado, Korolev trataba de persuadir a Krushchev de la posibilidad de desarrollar un superlanzador N-1[200] para adelantarse a los esfuerzos americanos en el vuelo tripulado a la Luna, pero el estamento militar se oponía a invertir recursos en un proyecto tan costoso como inútil para la guerra[201]. Por otro lado, Glushko, Chelomei y Yangel proponían el uso de motores de hipergoles, que sabemos rechazaba Korolev por su alto riesgo en vuelos tripulados. Como resultado, el proyecto N-1 quedó escaso de fondos.

Cuando en 1965 las naves *Gemini* de los Estados Unidos superaron por primera vez en tecnología a las *Korabl-Sputnik Vosjod* soviéticas, el nuevo Ministerio de Construcciones Mecánicas creado por el Gobierno de Leonidas Brezhnev[202] (1907-1982) optó

---

[200] La inicial N proviene de la palabra rusa *nositel* ("portador"). En el diseño de este cohete Korolev habría de superar enormes dificultades, originadas por la imposición de los mandos militares de que todos los módulos que lo compusieran deberían llegar al cosmódromo de Baikonur por tren.

[201] No obstante, el lanzador N-1 de Korolev quedó en estado "latente" debido a que Krushchev presentó a la jerarquía militar el proyecto de una Estación Espacial, *Zvezda* ("Estrella"), capaz de portar armas nucleares. Y para este proyecto se requería un lanzador capaz de poner en órbita baja una carga útil de 75 Tm, de lo que solo sería capaz el N-1.

[202] Recordemos que Nikita Krushchev había sido apartado del poder el 12 de octubre de 1964, el mismo día que despegó la cosmonave *Vosjod*-1, aprovechando sus vacaciones en el Mar Negro.

por dos planes, uno de vuelo circunlunar tripulado, basado en el lanzador UR-500[203] diseñado por Chelomei y las cosmonaves *Soyuz* ("Unión") diseñadas por Korolev y otro destinado a aterrizar, basado en el lanzador N-1 y el vehículo lunar L3, ambos de Korolev. El primer lanzamiento del vuelo circunlunar se preveía para octubre de 1967, cincuentenario de la Revolución Socialista.

Por desgracia para los planes soviéticos, el legendario Sergei Pavlovich Korolev falleció el 14 de enero de 1966, debido a una complicación inesperada después de una operación quirúrgica rutinaria[204]. Su puesto fue ocupado por su ingeniero delegado Vasiliy Mishin (1917-2001), quien siendo un profesional altamente cualificado, carecía de las dotes de mando y de la mano izquierda de Korolev. Vamos a ver que estas insuficiencias tendrán consecuencias fatales para el programa lunar soviético.

Efectivamente, los dos primeros vuelos de prueba de la nueva nave cósmica *Soyuz*-A, lanzados bajo los nombres genéricos de *Kosmos* 133 y *Kosmos* 140, detectaron un consumo irregular de propergol en el sistema de orientación, que obligó a hacer estallar la primera nave y a acortar la duración del vuelo de la segunda, cuya reentrada defectuosa hubiera costado la vida a sus tripulantes, de haberlos llevado abor-

---

[203] Las siglas UR significan *Universalniy Raket* ("Cohete Universal"). Se trata del modelo precursor del lanzador *Proton*.

[204] A sus 59 años de edad, Korolev tenía la salud muy quebrantada, tanto por los sufrimientos del *gulag*, como por el exceso de trabajo. Ya en 1960 había padecido un ataque cardíaco y se le había diagnosticado insuficiencia renal. Más tarde sufrió trastornos intestinales, arritmia cardiaca y, finalmente un pólipo intestinal (¿o un cáncer?) del que fue operado por el propio ministro de sanidad. Murió a los nueve días de la operación.

do[205]. No obstante estas imperfecciones, el primer vuelo tripulado fue adelantado al 23 de abril de 1967, un mes después de que la nave *Kosmos* 140 se hubiera hundido en los hielos del mar de Aral, porque había que hacerlo coincidir con el aniversario de Lenin.

Los ingenieros del OKB-1, alarmados, dirigen un comunicado a Mishin y a los Jefes del Partido exponiendo unos doscientos fallos de diseño, pero son desoídos. El flojo carácter del nuevo *Konstruktor* le lleva a ponerse del lado de los políticos y da el visto bueno al vuelo. Vladimir Komarov (foto 11, p. 132), el piloto cosmonauta, recibe la noticia del rechazo del aplazamiento como una sentencia de muerte. En vano Yuri Gagarin, piloto de reserva, trata de substituirle. "No se atreverán a exponer a un Héroe de la Unión Soviética". Su solicitud es denegada y, *alea jacta est*, Komarov es lanzado en la cosmonave *Soyuz*-1 el 23 de abril, por un cohete *Soyuz*, descendiente del ya bien conocido del lector R-7, o *Semyorka*.

Inmediatamente después de la entrada en órbita surge la primera avería: uno de los brazos del panel solar no se despliega y deja en precario la energía eléctrica disponible para el utillaje de la nave. Y, como se temía, el sistema de estabilización automática falla y es necesario recurrir a la estabilización manual. Pero este mecanismo resulta insuficiente. El peligro de reentrada con orientación inadecuada y abrasamiento consiguiente se cierne sobre Komarov, que padece el mareo espacial al no conseguir estabilizar su nave.

En tierra se prepara una expedición de rescate con la *Soyuz*-2 tripulada por Bykovski, Jrunov (1933-2000) y Eliseev (1934), que siguiendo el programa

---

205 Aunque no se debió a un fallo de la nave *Soyuz*, también sucedió un desastre en la prueba anónima efectuada el 15 de diciembre de 1966. A la orden de "ignición" (*zazhiganie*), el fallo de

debería haber sido lanzada al día siguiente con el fin de aproximarse a la *Soyuz*-1 y transbordar dos cosmonautas mediante EVA. Pero se termina por descartar la operación porque se teme que surja el mismo accidente, ahora con dos tripulaciones y se achaca la inacción al mal tiempo. Entonces se decide abortar el vuelo a la decimoctava revolución y aceptar el riesgo del descenso. La esposa del cosmonauta, Valentina, es traída al centro de mando y se le adjudican unos minutos de comunicación privada para la despedida.

A su debido tiempo, el compartimiento de descenso de la *Soyuz*-1 se separa, los retrocohetes se encienden y comienza el descenso con la capacidad de estabilización muy mermada. Pero Komarov consigue mantener la orientación y sobrevive a la reentrada. Ahora hay que desplegar los paracaídas. Ordenadamente, el cosmonauta lanza primero el auxiliar, luego el principal, que falla porque no funciona un sensor de su mecanismo. Komarov, maldiciendo a todos los responsables de tantas averías no detectadas a tiempo, trata de desplegar el secundario, que se abre, pero los cables se enredan con los del auxiliar... Entonces, comprendiendo que va a morir, trata desesperadamente de maniobrar su vehículo para desenredarlos... pero infructuosamente porque este responde mal a las órdenes de reorientación. Para mayor

---

una válvula de desvío del circuito LOx impidió que se encendieran los 16 motores de los cohetes laterales de lanzador, por lo que solamente lo hicieron los cuatro motores del cuerpo central y no hubo despegue. Inmediatamente se dio orden de desactivar todo e inundar la plataforma. Casi una hora después, Mishin y Antolii Kirillov, Jefe del Primer Directorado de Baikonur, salieron del búnker para inspeccionar el estado del cohete y, creyendo que ya no había peligro, dieron orden de reponer los brazos mecánicos de sujeción de la torre de lanzamiento, para evitar que el viento perjudicara al lanzador. Entonces,

pena, los retrocohetes de frenado al aterrizaje, que hubieran debido dispararse a dos metros de altura para reducir la velocidad, tampoco se encienden y el vehículo se estrella fatalmente contra el suelo a 145 Km/h provocando una explosión y la muerte instantánea del bravo cosmonauta.

El Proyecto *Soyuz* quedó suspendido durante año y medio, hasta que se corrigieran los defectos que habían costado la vida a Komarov. Mientras tanto, los vuelos no tripulados a la Luna continuaron, aunque no sin desastres. El 7 de Febrero de 1968 falló una tentativa de lanzar un nuevo orbitador lunar, pero el segundo intento, efectuado dos meses después, tuvo éxito y se convirtió en la sonda *Luna*-14. Su objetivo principal fue probar el equipo para comunicaciones que llevaría el futuro vehículo lunar de desembarco L3 y un extraño motor eléctrico que anunciaba el empleo de un vehículo automóvil lunar. Antes de que finalizara ese año, otras dos sondas orbitales, *Zond*-5 y *Zond*-6, de 2,5 Tm, fueron lanzadas con éxito para probar la trayectoria translunar con retorno a la Tierra que seguiría dicho vehículo y fotografiar la superficie lunar. Por desgracia, la cabina de la segunda perdió presión al aterrizar asfixiando a los especimenes biológicos que llevaba y se estrelló en el suelo al fallar el paracaídas, pero las fotografías se pudieron recuperar.

---

cuando el personal técnico subía por la estructura para dar servicio, sucedió la terrible desgracia de que uno de los brazos inclinó el vehículo 7 grados y ello activó automáticamente el cohete de escape, que se elevó con la nave *Soyuz* a 600 m. Pero también inició la secuencia de dos minutos para el encendido del motor de la tercera fase. En tan corto tiempo y aunque se produjo la desbandada general, no todos lograron ponerse a cubierto cuando sucedió la explosión del lanzador. Mishin y Kirillov se salvaron por los pelos.

Los vuelos tripulados continuaron el 26 de octubre de 1968, con la cosmonave *Soyuz*-3, pilotada por Georgiy Beregovoi (1921-1995), que debía encontrarse y atracar con la aplazada *Soyuz*-2, lanzada sin tripulación el día anterior. Aunque el encuentro fue satisfactorio, pues el guiado desde tierra llevó ambos vehículos a alcance visual (200 m), el atraque resultó imposible. Consumido el propergol de maniobra, el vuelo concluyó con el objetivo irresuelto y Beregovoi cargó con la culpa, no siendo seleccionado en adelante.

Al año siguiente llegó el éxito. El 14 de enero fue lanzada la nave *Soyuz*-4, pilotada por Vladimir Shalatov (1927-), y un día después la *Soyuz*-5, con los jóvenes cosmonautas Boris Volynov (1934-), Aleksei Eliseev (1934-) y Evgeni Jrunov (1933-2000), que vestían trajes espaciales de diseño nuevo, llamado *Yastreb* ("Azor"), en el que se había corregido los fallos que experimentó Leonov. El encuentro y el atraque de las dos naves se llevó a cabo sin incidentes, Eliseev y Jrunov transbordaron a la *Soyuz*-4 mediante un paseo espacial (EVA), por primera vez en la historia de la exploración espacial, y ambas aterrizaron felizmente.

10

Apollo-11.
Estados Unidos gana la carrera espacial

A partir de las fotografías recibidas de los vuelos *Ranger*-8, *Surveyor*-5 y *Lunar Orbiters*, los geólogos del USGS habían elegido como zona de aterrizaje para la primera expedición, por su tersura, una franja de 50 kilómetros cuadrados situada al Sur del Mar de la Tranquilidad, entre los cráteres Maskelyne[206] y Sabine[207]. De todos modos, el reconocimiento a corta distancia de la misma, efectuado por las expediciones

---

[206] Nombre impuesto en honor de Sir Nevil Maskelyne (1732-1811), quinto Astrónomo Real inglés. Corresponde a un cráter de 24 Km de diámetro, con paredes aterrazadas de 2.500 m de profundidad y pico central, situado en 2° N y 30° E.

[207] Nombre impuesto en honor del astrónomo irlandés Sir Edward Sabine (1788-1883). Corresponde a un cráter de 30 Km de diámetro y con paredes de 1.300 m de profundidad, sito en 1° N y 20° E.

Apollo-8 y *Apollo*-10, había detectado la existencia de 325 cráteres de 35 Km de diámetro medio, además de hoyos, grietas y ondulaciones. Para distinguir estos accidentes y evitarlos durante el aterrizaje pilotado, las condiciones óptimas de iluminación del suelo serían cuando el ángulo de incidencia de los rayos solares estuviera comprendido entre 70 y 80 grados, lo que ocurre cuando la edad de la lunación[208] es de seis días. Como esta condición se repite a cada lunación, en términos astronáuticos se decía que hay una ventana de lanzamiento[209] cada 29,5 días.

Ahora, teniendo en cuenta que el vuelo siguiendo la trayectoria translunar de regreso automático (figura 36, p. 229) necesita noventa horas (casi cuatro días) para llegar a la Luna, el lanzamiento de la expedición *Apollo*-11 se debería efectuar cuando la edad de la lunación fuera de dos días. Pero había otra condición indiferente a las consideraciones astronómicas o astronáuticas: los patrocinadores políticos impusieron que la fecha del desembarco en la Luna debería hacerse coincidir en lo posible con el Día de la Independencia, el 4 de julio (fase menguante). Como solución de compromiso entre ambas "necesidades" se fijó como fecha para el lanzamiento el 16 de julio a las 13:32 de Tiempo Universal (T.U.).

---

[208] Se denomina edad de la lunación al tiempo transcurrido desde el último novilunio hasta el momento considerado. Una lunación completa, o periodo entre dos novilunios consecutivos, constituye un ciclo de 29,5 días, durante el cual la Luna pasa por todas sus fases. En astronomía este ciclo se llama periodo sinódico y también mes lunar.

[209] En astronáutica, se denominan ventanas de lanzamiento a los plazos de tiempo en que es posible efectuar el lanzamiento de un cohete particular, para que pueda cumplir una misión determinada. Si no se puede aprovechar una ventana, entonces es preciso esperar a la siguiente para proceder al lanzamiento.

LA EXPEDICIÓN *APOLLO*-11 DESPEGA PARA LA LUNA

A finales de mayo de 1968, la actividad que soportaba Rocco Petrone (1926-2006), Director de Vuelos Tripulados del Centro Espacial Kennedy (KSC[210]), en Cabo Cañaveral, era abrumadora. Al ritmo de un lanzamiento *Apollo* cada dos meses, las etapas del cohete *Saturn-V* asignado a una expedición, llegaban al Cabo (foto 41) antes de que el lanzador recién montado, asignado a la expedición anterior, desalojara el gigantesco edificio VAB (*Vehicle Assembly Building*), un enorme rascacielos de 50 pisos de altura (foto 42, p. 260) en el que se procedía a su comprobación y ensamblaje. Una vez armado, dos tractores-plataforma (foto 43, p. 260) de 3.000 Tm de peso, que empequeñecerían las peanas del Coloso de Rodas, transportaban las 6.000 Tm del cohete (sin

Foto 41. Transporte de las etapas del lanzador *Saturn*-5.
Las gigantescas etapas S-IC (izquierda) y S-II se transportaban por barco desde sus respectivas factorías hasta Cabo Cañaveral. La etapa S-IVB se trasladaba por aire, en un avión modificado especialmente para este uso, que por su aspecto recibió el nombre de Super Guppy "la Preñada".

---

[210] Siglas de *Kennedy Space Center*.

Foto 42. El taller VAB.
La etapa S-IC está siendo descolgada en el Edificio para Montaje del Vehículo (VAB) sobre su posición en el gigantesco tractor que transportará el cohete *Saturn*-5 y la nave *Apollo* al complejo de lanzamiento elegido. Allí constituirá la plataforma de lanzamiento.

Foto 43. Transporte de un vehículo *Apollo*.
Moviéndose a 1,6 Km/h, los 15 hombres que manejaban la ciclópea estructura tardaban casi 4 horas en recorrer los 5,6 Km que separan el taller VAB del punto de lanzamiento. A media hora de éste le seguía otro tractor idéntico con la segunda torre nodriza.

propergol) y su torre nodriza (MSS[211]) al complejo número 39 (foto 44), desde donde se efectuaría el lanzamiento. Allí, un ejército de ingenieros y técnicos abordaba las estructuras nodriza equipado con miles de instrumentos para preparar el cohete, incluido el

---

[211] Siglas de *Mobile Service Structure*, o "Estructura móvil de servicio".

Foto 44. El Centro Espacial Kennedy. Constituido por dos plataformas de lanzamiento de cohetes y el taller VAB (en primer plano), este centro (KSC) de NASA ocupa el Complejo número 39.

Su construcción se autorizó en 1958, en un ala de las instalaciones para lanzamiento de misiles que la USAF poseía en Cabo Cañaveral (al fondo).

llenado de los tanques de queroseno tres semanas antes del lanzamiento. Los depósitos del propergol volátil se llenaban a la cuenta atrás T-11 horas, a la vez que se retiraba la estructura MSS.

A mil cuatrocientos kilómetros del KSC, en la ciudad tejana de Houston, se hallaba el Centro de Control de Expediciones, MCC[212] (foto 45), un emporio informático que recibía telemedidas y enviaba telemandatos a los vehículos espaciales a través de la red de Estaciones de Seguimiento[213]. El cerebro de este centro neurálgico era el Complejo de Ordenadores de Tiempo Real (RTCC[214]), que como su nombre indica, elaboraba "en directo" las correcciones que era necesario introducir en los parámetros de vuelo durante el viaje a la Luna y regreso a la Tierra. Para

---

[212] Siglas de *Mission Control Center*.

[213] Esta Red para Vuelos Espaciales Tripulados, denominada en inglés MSFN (*Manned Space Flight Network*), se coordinaba en otro centro subalterno establecido en la ciudad de Goddard (Maryland), denominado *Goddard Space Flight Center* (GSFC).

[214] Siglas de *Real-Time Computer Complex*.

Foto 45. El MCC de Houston. El MCC o Centro de Control de la Expedición era el "Puente de Mando" para los vuelos *Apollo*, donde se tomaban todas las decisiones vitales para el desarrollo de las actividades. Contaba con 19 grupos de puestos de trabajo de personal especialista.

ello, el personal del MCC responsable de los distintos dispositivos de abordo, tanto de NASA como de las empresas constructoras, trabajaba a cuatro turnos[215] durante todo el tiempo que duraba una expedición, desde que comenzaban los preparativos hasta el regreso.

A primeras horas de la mañana del 16 de julio de 1969, tres hombres de unos 39 años de edad, 1,80 m de estatura y 80 Kg de peso y cuyos rostros reflejan sosiego (foto 46), atienden a las consejos que les ofrece el Administrador de NASA, Thomas Payne, mientras toman su desayuno (carne, huevos revueltos, zumo de naranja, café y tostadas) en las instalaciones de Cabo Cañaveral. Ante todo, su preocupación debe ser su propia seguridad. Si algo fuera mal, deben suspender su viaje y regresar inmediatamente a la Tierra, con la seguridad de que serán reasignados al siguiente vuelo lunar. Neil Armstrong, ingeniero civil y co-

---

[215] Los cuatro turnos de Inspectores de Vuelo (*Flight Controllers*) que trabajaban en el MCC se identificaban mediante los colores Blanco, Negro, Oro y Plata.

Foto 46.
La tripulación de la
expedición *Apollo*-**11.**
De izquierda
a derecha:
Comandante:
Neil Alden Armstrong
Piloto del Vehículo
Orbital: Michael Collins
Piloto del Vehículo Lunar:
Edwin Eugene Aldrin

mandante de la expedición, Michael Collins, teniente coronel de la USAF y piloto del vehículo orbital, y Edwin Aldrin, coronel de la USAF y piloto del vehículo lunar, asienten complacientemente. Los tres han volado en las cápsulas del Proyecto *Gemini* y saben muy bien de qué va un viaje espacial.

A las 06:30 EDT ("Hora del Este"), vistiendo los voluminosos trajes espaciales y caladas las escafandras, salen del ascensor que los ha elevado los cien metros que dista del suelo de la plataforma la escotilla de acceso a la cabina de mando, bautizada como *Columbia*. Armstrong, que como comandante siente gravitar sobre sus hombros la responsabilidad de la expedición, y Collins, que está seguro de que todos salvarán la piel (o por lo menos él la suya), se introducen en la recinto cónico y se instalan en sus tumbonas ayudados por el personal de la torre. Aldrin, que siente palpitar debajo del enrejado las entrañas del gigante *Saturn*-V y ve erguirse por encima de su cabeza la afilada estructura de la nave *Apollo*, dispone de quince minutos para contemplar las filas de automóviles que se alinean en las carreteras de acceso y en las playas, así como los varios millares de asistentes que se han reunido en la explanada, con la convicción de que van a vivir un momento histórico. Media hora después los tres hombres están instalados en sus tumbonas y ligados a ellas. La sensación de que algo paranormal está a punto de suceder es agobiante y la mente trabaja a un ritmo fantástico.

A las 08:32 (T-01:00 en la cuenta atrás), los pitidos del sistema Vox[216], procedentes del Centro Director del Lanzamiento (*Launch Control Center*), situado a nueve kilómetros del complejo 39, reclaman la atención de los tres astronautas, impidiéndoles cualquier abstracción. El personal de la torre cierra la escotilla y da presión a la cabina (1,1 atm, 60% O_2 y 40% N_2). Sus rostros son los últimos que verán hasta su regreso de la Luna. Se comprueba que no hay fugas y se purgan otros gases atmosféricos. Al completar felizmente la operación, se enciende una nueva luz verde en el gran panel de luces de colores que preside la sala del Centro Director del Vuelo, donde 463 técnicos e ingenieros del Proyecto y de las ocho compañías constructoras trabajan a toda presión bajo la supervisión de Rocco Petrone. Junto a él se sientan altos cargos del Ministerio de Defensa (DoD) y de NASA, entre quienes no puede faltar Werhner von Braun.

La cuenta atrás sigue implacable en el gran reloj digital del complejo 39. A las 09:27 (T-00:05) el brazo superior de acceso de la torre, por el que han entrado los astronautas, se retira girando hacia atrás. La emoción crece por momentos entre las decenas de miles de espectadores oficiales y no oficiales, que se apelotonan en la explanada y en las playas. A 790 m de la plataforma, protegidos en un reducto militar en-

---

[216] Interruptor acústico que enciende el micrófono cuando se empieza a hablar, emitiendo un pitido de aviso para quienes están a la escucha. Tiene la ventaja de permitir la libertad de ambas manos y el inconveniente de cortar la primera palabra, si no se adopta la precaución de precederla de cierto preámbulo fonético.

terrado y recubierto de arena, los catorce miembros del grupo de rescate otean por sus periscopios, listos para intervenir con sus tractores blindados y equipos incombustibles en auxilio de los astronautas, en caso de explosión del cohete. Helicópteros y vehículos anfibios de rescate, tripulados por brigadas de bomberos, se hallan también en estado de alerta.

Dentro de la cabina de mando *Columbia*, a un centenar de metros sobre el suelo, los tres astronautas yacen afianzados a los brazos de sus tumbonas. Saben que debajo de ellos bullen casi tres mil toneladas de líquidos altamente inflamables, que en el peor de los casos pueden estallar desarrollando la energía equivalente a la de una bomba de 534 kilotones. Para este evento se ha previsto el cohete de escape, cuya palanca de accionamiento queda junto a la rodilla izquierda de Armstrong. Basta un leve giro de 30 grados en sentido antihorario para que se active y lleve a la cabina lejos del pequeño Krakatoa en que se puede convertir el *Saturn*. Ahora Collins repara en que el voluminoso bolsillo que les ha sido añadido en la pernera izquierda del traje espacial queda, en el caso de Armstrong, peligrosamente cerca de dicho mando y parece que un ligero roce de su pierna podría dar al traste con la expedición involuntariamente. Collins tiene presencia de ánimo para bromear:

–Puedo ver las cabeceras de los periódicos: Lanzamiento a la luna que cae al océano. Error de la tripulación, se sinceran los portavoces del programa. Se informa que el último mensaje de Armstrong, antes de abandonar la rampa fue, ¡Eeeepa![217]

---

[217] *I can see the headlines now: "MOONSHOT FALLS INTO OCEAN." Mistake by crew, program officials intimate. Last transmission from Armstrong prior to leaving the pad reportedly was Oops!*

A las 09:28 (T-00:04) Rocco Petrone autoriza a que se transmita a Houston la señal "¡Listos para el Lanzamiento!"[218], que es comunicada a todos los puestos que participan en el vuelo. Desde el MCC en Houston, el Jefe de Operaciones responde que el panel de indicadores muestra todas las luces verdes. A partir de las 09:28:40, cuando el reloj de la cuenta atrás señala T-00:03:20, los sucesos ocurren con tanta rapidez que los humanos no pueden intervenir en la secuencia y resultan meros espectadores de los acontecimientos. Ahora solo los ordenadores del RTCC pueden "tomar decisiones" sobre lo que va a ocurrir, lo que significa que el proceso pasa a desarrollarse de modo automático.

Al oír por megafonía la señal T-14 segundos, los 3.500 espectadores invitados, entre quienes figuran representantes de 56 países, incluidos tres del "telón de acero", dirigen sus prismáticos hacia el vehículo de 180 millones de dólares, que se erige colosal hacia el cielo, envuelto en una fina capa de escarcha indicadora que en su interior siguen reinando las bajas temperaturas. Miles de manos cruzan los dedos deseando suerte a su tripulación.

Los altavoces restallan: "diez ... nueve ...". Inmediatamente los cinco motores F-1 de la primera etapa escupen llamaradas anaranjadas, entre enormes borbotones de humo negro y espesas nubes de vapor de agua blanco. Las respiraciones se contienen, se besan crucifijos y algunos presentes se santiguan. Instantes después llega la voz del locutor anunciando:
– "¡Ignición, hay ignición!"[219]

Seguida de un poderoso rugido que sobrecoge a los más cercanos.

---

[218] *Go for Launch!*
[219] *Ignition, ... we have ignition!*

Los altavoces continúan impertérritos la cuenta atrás, mientras los humanos siguen siendo espectadores de aquella fantástica, por grandiosa, escena:
– *"... five, ... four, ... three, ... two, ... one, ... zero!"*.

Al final de esta cuenta los cinco motores F-1 han aumentado su régimen hasta alcanzar plena potencia: 180 millones de C. V. De un frío cerebro de silicio, que no participa de la emoción del momento, emana puntualmente una orden y un robot mecánico, igualmente insensible a las turbaciones emocionales, abre sus brazos de acero abandonando al cohete a su suerte. La gigantesca estructura de 36 pisos de altura se eleva lenta y majestuosamente en el aire (foto 47). La voz del locutor no puede contener el entusiasmo al anunciar a

Foto 47. Lanzamiento de la expedición *Apollo*-11. El 16 de julio de 1969, a las 13:32:00 T. U. (09:32 T. L.) el gigante *Saturn*-5 se eleva majestuosamente de la plataforma de lanzamiento. Tumbados en la cabina de mando los tres astronautas contienen la respiración. Saben que para evitar sobrecargas gravitatorias a la tripulación, von Braun ha planeado el despegue a cámara lenta y que han de transcurrir diez interminables segundos antes de que el gigante libre la torre nodriza, expuestos a una colisión con la hasta entonces beneficiosa estructura.

voz en cuello: "Todos los motores en marcha. ¡Despegue, hay despegue![220].

Dentro del cilindro de 42 m de longitud de la etapa S-IC, cinco turbo-bombas equivalentes a 30 locomotoras Diesel envían verdaderos ríos de propergol, 13,6 Tm por segundo, a las ardientes cámaras de combustión. Allí, a 3.900° C de temperatura, son convertidas en un chorro ígneo de 340.000 Tm-f de empuje, que sostiene en el aire a la nave espacial en aparente vulneración de la ley de la Gravitación Universal.

Allá fuera, en la explanada, el rugido se ha trocado en trueno ensordecedor al convertirse en ruido el 1% de la energía desarrollada por los motores. Entre los invitados al lanzamiento, aturdidos por aquel estruendo, también se hace largo el tiempo. Alguien grita: "¡Sigue, pequeño, sigue!"[221]. Y dócilmente el vehículo acelera su marcha al librar la torre. En el Centro Director, la tensión acumulada estalla en aplausos.

EL VIAJE A LA LUNA

El cohete lanzador *Saturn*-V ha despegado (figura 45-punto 1) dentro de un segundo del tiempo previsto y eleva su mole de 2.900 toneladas, equivalente a un tren expreso con 50 vagones, ante el estupor de los asistentes. A medida que se aleja el trueno comienza a ser soportable y los invitados pueden despegarse las manos de los oídos. Ahora apenas se distingue su blanca silueta por delante del penacho de fuego que emiten sus toberas. Unos segundos después desaparece entre las nubes, pero el hechizo que embarga a los asistentes no lo hará en varios minutos.

---

[220] *All engines running, Liftoff, we have a liftoff!!*
[221] *"Go, baby, go!"*

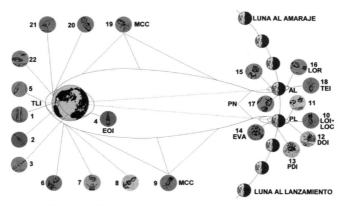

Figura 45. Perfil de una expedición *Apollo*.

1. Lanzamiento
2. Separación etapa S-IC
3. Expulsión del cohete LES
4. Entrada en órbita (EOI)
5. Inyección en la trayectoria translunar (TLI)
6. Separación CSM-LM
7. Transposición del CSM
8. Atraque del CSM en LM y expulsión del S-IVB

9. Correcciones a medio camino (MCC)
10. Perilunio (PL). Inserción en órbita lunar (LOI) y circularización (LOC)
11. Separación LM-CSM
12. Descenso del LM
13. Aterrizaje
14. Exploración (EVA)
15. Despegue

16. Encuentro y atraque LM–CSM
17. Expulsión del LM
18. Inserción en la trayectoria trans-Tierra (TEI)
19. Correcciones a medio camino (MCC)
20. Expulsión del SM
21.- Reentrada
22. Amaraje y rescate

Dentro de la cabina de mando *Columbia* los tres astronautas notan las trepidaciones y sacudidas a que somete la resistencia del aire al vehículo y oyen crecer el zumbido de fondo. Se sienten lanzados, en sus cinturones de seguridad, hacia ambos lados, como si viajaran en un automóvil conducido por un demente a lo largo de una callejuela tortuosa. Pero todo aquel zarandeo solo dura unos instantes, pues antes de que transcurra un minuto las vibraciones se amortiguan. El gigante *Saturn*-V ha rebasado la velocidad del sonido. La altitud en este momento es de 7 Km, lo que arroja una tasa de trepada que haría enrojecer a cualquier piloto de interceptor.

A los 2 minutos y 37 segundos del despegue se percibe en el Cabo un destello, seguido de una detonación en las alturas. Los altavoces calman la inquietud de algunos pesimistas: la primera etapa ha agotado su propergol y ha sido expulsada. Dentro de la nave *Apollo* los astronautas respiran con alivio los escasos segundos en que se produce el cambio de etapas. Saben que la altitud a que se encuentran es de 67 Km, que la velocidad adquirida es de 2,7 Km/s (9.760 Km/h) y que pronto volverán a experimentar los efectos de la aceleración 2g. Seguidamente, mientras las 128 Tm de la primera etapa inician la caída al Atlántico desde los 67 Km de altitud, la segunda etapa, S-II, arranca sus cinco motores J-2 que la impulsan con un empuje conjunto de 450.000 Tm-f.

Al adentrarse en las capas de baja densidad de la atmósfera, el cohete de escape es disparado automáticamente (figura 45-2, p. 269), junto con el escudo cónico que protege la cápsula *Apollo*. La aceleración aumenta ahora mucho más rápidamente que con la primera etapa, ya que la nave ha perdido un 78% de masa y el punto 2g se alcanza rápidamente. Y luego el 2,5g, con lo que los astronautas se sienten incapaces de incorporarse en sus asientos-tumbona. La sangre, acumulándoseles en la espalda por efecto de la supergravedad, deja sin riego la parte anterior de sus cuerpos, siendo esta la razón de que viajen tendidos en decúbito supino y sobre tumbonas moldeadas exactamente a sus anatomías, de modo que ninguna parte de la piel quede sin apoyo, pues le sobrevendría inmediatamente una hemorragia. Al llegar a 3g, la falta de riego en los lóbulos frontales del cerebro se les manifiesta como una reducción del campo visual y al alcanzar los 4g, como una pérdida momentánea de la percepción de los colores.

Afortunadamente la supergravedad no excede de 4g, pues consumiendo su propergol al ritmo de 1,17

Tm/s, la etapa S-II agota sus depósitos en 6 minutos y 11 segundos, con lo que los astronautas recobran la visión normal. Saben muy bien que han alcanzado una altitud de 180 Km y una velocidad de 6,9 Km/s (25.000 Km/h). También conocen que su vehículo ya no vuela en sentido vertical, sino que ha cabeceado en el acimut adecuado para moverse en el plano Tierra-Luna. Una nueva detonación, ahora sorda y la etapa S-II queda abandonada (figura 45-3, p. 269) para que el motor de la S-IVB pueda encenderse y comunicar al vehículo el empellón de 1,1 Km/s que necesita para alcanzar la órbita de aparcamiento. Segundos después arranca este motor, aportando su empuje de 90 Tm-f, mientras el "cadáver" de la etapa S-II cae al Sur de las Azores.

Durante esta fase del lanzamiento, el vehículo *Apollo* ha sobrevolado las Estaciones de Merrit Island, Bermuda y Antigua, cuyos datos de rastreo alimentan al centro de computación (RTCC), que ha dirigido la maniobra de cabeceo en el plano orbital. Para la entrada en órbita será el buque *Vanguard*, situado al Sur del Mar de los Sargazos. Los datos captados por las antenas de esta estación flotante confirman al Centro de Control (MCC) de Houston que el motor de la tercera fase está funcionando perfectamente. Cuando a los 2 minutos 25 segundos la velocidad alcanza los 7,6 Km/s, se radia la orden de cortar el encendido, pero antes de que se pueda verificar la entrada en la órbita de aparcamiento, el *Vanguard* pierde el contacto. Un minuto después lo recupera la Estación de Gran Canaria, desde donde se comprueba que el vehículo *Apollo* ha cumplido el acontecimiento EOI (*Earth Orbit Insertion*) a las 09:44 EDT (figura 45-4, p. 269). En Houston, el operador encargado de las comunicaciones por voz, el *CapCom*[222], restablece inmediatamente la comunicación con los astronautas:

---

[222] Contracción de *Capsule Communicator* ("Comunicador con la Cápsula").

– *Apollo*-11, Houston. ¿Cómo estáis ahí arriba? Cambio[223].

La voz de Armstrong responde jovial:
– Hola Houston, *Apollo*-11. Este *Saturn* nos ha dado una buena trotada. No nos quejamos de ninguna de las tres etapas de este paseo. Ha sido precioso. Cambio[224].

Durante la primera revolución alrededor de la Tierra, la atmósfera de la Cabina de Mando pasa a ser de oxígeno puro, a 0,34 atmósferas de presión. Las Estaciones de la red van desfilando bajo el vehículo y enviando sus datos a los ordenadores del centro de computación. Al mismo tiempo, los astronautas cumplimentan una interminable lista de comprobación de equipos para cerciorarse de que todo funciona después de las vibraciones y sacudidas a que los ha sometido el lanzamiento. Finalmente, a la mitad de la segunda revolución alrededor de la Tierra, el *CapCom* comunica a los astronautas el resultado de las consultas efectuadas por el Director del Vuelo Eugene Kranz (1933-) a los responsables de los distintos equipos:
– *Apollo*-11, Houston, listos para la inyección translunar. Cambio.[225]

A las 12:22 EDT, el motor de la etapa S-IVB se enciende por segunda vez, ahora durante 6 minutos, siguiendo los cómputos del RTCC. La maniobra TLI

---

[223] *–Apollo-15, Houston. How are you up there? Over.–*

[224] *–Hey Houston, Apollo-11. This Saturn gave us a magnificent ride. We have no complaints with any of the three stages on that ride. It was beautiful. Over.–*

[225] *Apollo-11, Houston. You are GO for TLI. Over.*

(*Trans Lunar Injection*) se desarrolla mientras el vehículo sobrevuela el Pacífico (figura 45-5, p. 269),
bajo el seguimiento de la Estación de Hawai y de los
buques *Mercury* y *Redstone*, destacados a aquella
zona previamente. Al final de la combustión, Aldrin
registra que la altitud de la nave es de 288 Km y su
velocidad de 10,844 Km/s, suficiente para llegar al
Punto de Libración del sistema Tierra-Luna e inferior a la de escape de la Tierra (que a esa altitud es de
10,9 Km/s), por tanto, la fase TLI se da por cumplida satisfactoriamente. Si la trayectoria ha sido bien
calculada y ejecutada, la gravedad lunar desviará al
vehículo *Apollo* hacia la Luna. Si ha habido error en
el cálculo o en la ejecución, la Luna no estará allí y
la expedición *Apollo*-11 regresará a la Tierra sin cumplir su objetivo.

Al alejarse el vehículo *Apollo* de la Tierra entran
en acción las tres Estaciones con antenas de plato de
26 m situadas fuera de la banda ecuatorial, Goldstone
(California), Madrid (España) y Honeysuckle Creek
(Australia), asegurando con su relevo que durante el
viaje de ida y vuelta a la Luna no habrá puntos muer-
tos en las comunicaciones ni en el rastreo, pues siempre habrá dos de ellas en contacto por radio.

Al resguardo de esta seguridad, a las 03:17 ET[226]
(figura 45-6, p. 269) se da comienzo a la siguiente maniobra considerada crítica. Una pequeña carga pirotécnica separa el vehículo orbital de la tercera etapa
(S-IVB), cuyos cuatro pétalos se abren (figura 43-1,
p. 242) descubriendo el vehículo lunar al que han bautizado como *Eagle* ("Águila"). A continuación (figura 45-7, p. 269), Collins, el piloto de la nave *Columbia*, realiza la maniobra de detener el retroceso del

---

[226] *Elapsed Time*, o sea Tiempo Transcurrido desde el despegue (o
cuenta adelante).

vehículo orbital a unos 20 m de la etapa S-IVB y girarlo 180 grados (figura 43-2, p. 242) para enfrentarlo al *Eagle*. Al girar media vuelta surge la Tierra ante los ojos atónitos los astronautas (foto 48), que a 2.000 Km de distancia brilla esplendorosamente azul, sin que les sea perceptible el hecho de que se están alejando de ella a 34.000 Km/h. Seguidamente Collins se aproxima lentamente al *Eagle* hasta acoplarse en la escotilla de atraque del mismo (figura 43-3, p. 242). Por último (figura 45-8, p.269), otra pequeña carga pirotécnica separa al vehículo *Apollo* de la exhausta etapa S-IVB. Continúa el viaje translunar.

La trayectoria es tan perfecta que se anulan las correcciones de medio camino MCC[227] (figura 45-9, p. 269), programadas a partir de las 14:43 ET. Once minutos después, a las 14:54 ET el Director del Vuelo en Houston anuncia que el vehículo espacial se halla a 40.740 Km de la Tierra y se mueve a la velocidad de 3,936 Km/s (14.170 Km/h). Esta reducción de la velocidad a la mitad en un plazo de doce horas es normal en un vuelo no propulsado, pues se espera llegar al Punto de Libración con velocidad casi nula, para que desde allí comience la "caída libre" en el campo gravitatorio lunar. A las 20:52 ET, tras un día realmente agotador, los astronautas ponen su vehículo a girar[228] lentamente (0,3 r. p. m.) y se retiran a descansar.

---

[227] *Mid Course Corrections*. Realmente se realizó una ligerísima corrección encendiendo el motor del vehículo orbital durante 3 segundos el día 17, más para probar este motor, que hasta entonces no se había encendido, que por necesidad de corregir la trayectoria.

[228] Esta rotación, denominada *Passive Thermal Control* (PTC), tenía por objeto distribuir uniformemente el calor del Sol por toda la superficie del vehículo, evitando que alguna cara se calentara excesivamente.

Foto 48.
La Tierra vista
por la expedición
***Apollo*-11.**
La Tierra refulge
espléndida en la
negrura del espacio
ante los ojos de los
astronautas de la
expedición
Apollo-11.

A la "mañana" siguiente (solo fue de noche en la Tierra) tras despertarles con música y comunicarles que su distancia a la Tierra a las 23:00 ET era de 118.306 Km y que su velocidad se había reducido a 2,19 Km/s (7.987 Km/h), se les informa de una noticia alarmante: por delante de ellos viaja una sonda soviética de 1,8 Tm, la *Luna*-15, lanzada tres días antes desde Tyuratum, con el objetivo de aterrizar en el Mar de las Crisis. Por fortuna para ellos no va tripulada, pero se espera su entrada en órbita lunar ese mismo día[229].

Ese día y el siguiente son de baja actividad abordo de la cápsula *Columbia*. Un par de retransmisiones de TV filmando la Tierra[230] y una prueba del vehículo lunar, cuyos instrumentos se energizan por primera vez durante el viaje. Todo en orden. Esa "noche", la dis-

---

[229] Después de cierto desconcierto, NASA recibió garantías de la URSS, a través del astronauta Francis Borman (comisionado a Moscú *exprofesso*), de no interferir las comunicaciones con la expedición *Apollo*-11, para lo que mantendrían inactiva su nave hasta que los astronautas abandonaran la Luna.

[230] La foto 60 realmente corresponde a la serie tomada ese día.

tancia al Punto de Libración se ha reducido a 62.600 Km y la velocidad a 911 m/s (3280 Km/h).

El tercer día de viaje (el 19 de julio) las actividades son más intensas. Vista desde la Tierra, la nave *Apollo* cruzó aquella mañana entre la Tierra y la Luna, precisamente al alcanzar el Punto de Libración (figura 45-PN, p. 269), cuando su velocidad de alejamiento era mínima (1,5 Km/s). Ahora es preciso prepararse para la entrada en órbita lunar. Se suprime la rotación de equilibrio térmico (PTC) y se procede a orientar la del vehículo para la maniobra LOI[231] (figura 45-10, p. 269) que tendrá lugar sobre la cara oculta de la Luna. Al virar la nave reciben otra sorpresa: la Luna ocupa tres cuartas partes de su campo de visibilidad. Es una visión fantasmagórica para ellos, que acostumbrados a ver fotografías muy grandes, nunca la habían contemplado como ahora, en relieve y tan cerca que les parecía poder tocarla con la mano. Su gran masa gris tiraba de ellos desde hacía algunas horas.

LA NAVE *APOLLO*-11 ENTRA EN ÓRBITA LUNAR

Desde las Estaciones Espaciales que proporcionaban cobertura a la distancia de la Luna, Goldstone, Madrid y Honeysuckle[232], la entrada en órbita lunar (LOI) de la nave *Apollo* era uno de los momentos críticos del viaje. Se trataba de una maniobra "a ciegas", es decir, efectuada sobre la cara oculta de la Luna, cuando no era posible la comunicación ni había contacto por radio con ella. Los atareados ordenadores del

---

[231] *Lunar Orbit Insertion*, o sea, "Inserción en Órbita Lunar".
[232] Estas tres estaciones, que disponían de antenas parabólicas con plato de 26 m, sostenían el peso de las comunicaciones a la distancia lunar. Para aumentar la fiabilidad de la cobertura por radio, NASA

complejo RTCC calculaban la corrección precisa de velocidad[233] para que el vehículo quedara en órbita lunar y no retornara a la Tierra, a partir de los últimos datos de rastreo proporcionados por dichas Estaciones inmediatamente antes de la ocultación tras el limbo occidental de la Luna. Y esta corrección se aplicaba al llegar la nave al perilunio PL (figura 45-10, p. 269), mediante las 10 Tm-f de empuje del motor del módulo de servicio, encendido en sentido inverso durante unos minutos. Todo ello sin que desde la Tierra se pudiera tener noticia del resultado. Si este motor fallaba o no funcionaba durante el tiempo suficiente, la reaparición de la nave por el limbo oriental de la Luna ocurriría antes del momento calculado. Si funcionaba normalmente, el contacto por radio se restablecía a su debido tiempo. Por ello, la espera era tensa.

En el caso de la expedición *Apollo*-11, los ordenadores de RTCC calculan que la reducción de velocidad debe ser de 890 m/s y para ello hace falta encender el motor del módulo de servicio durante 6 minutos. Una vez actualizado el ordenador de abordo con estos datos mediante la Estación de Madrid[234], el Director de Vuelo autoriza la maniobra.

---

utilizaba también otras tres antenas de 26 m de la Red del Espacio Lejano (*Deep Space Network*), una en cada uno de los tres países, que aportaban sus ultrasensibles equipos *máser* (amplificador de bajísimo ruido equivalente al láser, pero para las ondas de radio). El resto de las Estaciones de la red MSFN, con sus antenas de plato de 9 m, aportaba respaldo adicional a la cobertura por radio. Miles de hombres en todo el mundo velaban por los astronautas.

[233] Denominada Δv, como hemos dicho en la nota 165 (capítulo 8). Ver también Apéndice.

[234] Durante la transmisión de estos datos críticos se retiraban las protecciones de los equipos de la Estación de Madrid, así como de todas las Estaciones que tenían visibilidad de la Luna. Se

–*Apollo*-11, aquí Houston. Todos los dispositivos están listos para doblar la esquina. Os veremos al otro lado.[235]

El contacto por radio con la nave *Apollo*-11 se pierde a las 75:41 ET, cuando faltan 7m 45s para el inicio de la maniobra de frenado. Desde la Estación de Madrid se canta *LOS*[236] y la antena de 26 m comienza a escudriñar el limbo oriental de la Luna (foto 49) a la espera de restablecer el contacto. Si la maniobra ha tenido éxito, el vehículo emergerá a las 76:15:29 ET, si ha fallado lo hará antes. Los minutos transcurren enervantemente lentos, … no hay contacto. A la hora prevista, *AOS*![237], ¡*Apollo*-11 está en órbita lunar!

Para los astronautas de la nave *Apollo* la ocultación por la Luna supone cierta congoja: se han quedado repentinamente solos en el espacio. En estas condiciones la maniobra LOI supone un acto de fe en RTCC y sus impenetrables programadores. ¡Seguro que han calculado bien las cosas! Y también en la fiabilidad del módulo de servicio, cuyo motor solo se ha probado durante 3 segundos. A lo largo de ocho larguísimos minutos revisan la guía del procedimiento a seguir, incapaces de gozar con el grandioso panorama lunar que desfila ante la escotilla de la cápsula. Miles y miles de rasgos jamás vistos por el ojo humano (salvo seis pares de ellos), guardando los secretos de la génesis del Sistema Solar, y otros inalcanzables pasan desapercibidos ante aquellos tres

---

pretendía impedir con ello que una pequeña avería (p. e., el fallo de un ventilador) diera al traste con una operación vital.

[235] *Apollo eleven, this is Houston. All systems are looking good going around the corner. We'll see you on the other side. Over.*

[236] Siglas de *Loss of Signal* ("Pérdida de la señal").

[237] Siglas de *Acquisition of Signal* ("Recepción de la señal").

**Foto 49.
La antena de la
Estación Espacial
de Madrid rastrea
la nave Apollo.**
Tras la ocultación
por la Luna, su
plato de 250 Tm
explora tensamente
el limbo iluminado,
a la espera de la

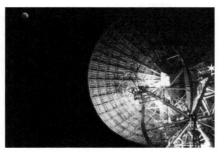

reanudación del contacto por radio con la nave. La hora de
la reaparición revelará al instante si la maniobra de frenado
se ha ejecutado satisfactoriamente.

hombres, cuyas vidas dependen de la escrupulosidad
con que realicen su próxima actividad.

A la hora exacta Armstrong arranca el motor.
La tensión sube de forma sofocante en la cabina hasta que sienten el suave empujón (una fracción de g)
contra sus asientos producida por las 10 Tm-f de
empuje. Con cierta relajación cronometran los seis
minutos que debe durar la ignición y, puntualmente, a las 75:54:45 ET, el comandante corta el encendido. Ahora ávidamente se inclinan sobre el ordenador de navegación inercial y consultan el error de
posición que presenta la nave en sus tres ejes: -1,
+1, +1. ¡Increíble! Pero si las cosas han funcionado
bien, todavía han de transcurrir veinte interminables
minutos antes de que vuelvan a ver la Tierra. Con
los ojos clavados en el horizonte lunar, esperan a
que el reloj digital desgrane los minutos hasta que,
¡por fin! a la hora exacta, el planeta azul despunta
por detrás del grisáceo limbo (foto 50, p. 280). Para
los tres astronautas es la visión más hermosa que
han contemplado en sus vidas. El haz de 10 Kw que
radia la antena de Madrid, "enganchando" el osci-

**Foto 50.
La Tierra vista
desde la Luna.**
La espléndida visión
del planeta azul sobre
el horizonte lunar,
refulgiendo como una
joya contra la negrura
del espacio, reconforta
a los astronautas de la
expedición *Apollo*-11.
Esta foto, que ha dado
la vuelta al mundo, ha
sido erróneamente titulada "salida de la Tierra vista desde
la Luna". Realmente, desde la superficie lunar nunca se ve
salir a la Tierra, sino que esta permanece casi inmóvil en
el mismo punto del cielo, ya que la Luna ofrece siempre
la misma cara a la Tierra.

lador de su transpondedor[238], les inunda de alboro-
zo al traerles la voz del CapCom:
  – *Apollo*-11… *Apollo*-11, aquí Houston, ¿podéis
    oírme? Cambio.[239]
  – Te oímos alto y claro. Cambio.[240]

---

[238] Equipo que enlaza las antenas transmisora y receptora de un satélite artificial, permitiendo que la comunicación con tierra en
ambos sentidos sea coherente (que se mantenga una relación fija
de frecuencias y fases). La condición de coherencia es la clave
para la medida de distancias por el intervalo transmisión-recep-
ción de códigos numéricos y de la velocidad radial mediante el
efecto Doppler-Fizeau sobre la Onda portadora (ver Apéndice).

[239] *Apollo eleven … Apollo eleven, this is Houston, can you read
me? Over.*

[240] *Read you loud and clear. Over.*

Con la maniobra LOI la nave ha quedado atrapada por la gravedad lunar circulando en una órbita elíptica de 306 x 108 Km y periodo de 2,5 horas, todavía demasiado excéntrica para el aterrizaje. Por ello se ha previsto una segunda maniobra Δv, llamada LOC[241], para redondear la órbita encendiendo el motor durante 16 segundos en el tercer paso por el perilunio (figura 45-10, p. 269), para quedar órbita circular de 108 x 108 Km, 2,5° de inclinación y periodo de 2 horas. Ahora los astronautas disponen de tiempo para reconocer la superficie de la Luna y describírsela a los expertos del Centro de Control (MCC) de Houston (foto 51). Finalmente, a las 76:19 ET, tras un día agotador, se retiran a dormir.

Foto 51. Panorama desde la órbita lunar. En su descripción del aspecto de la superficie lunar a los expertos del MCC de Houston, Armstrong aseguró ver otros colores además del gris que domina la visión telescópica desde la Tierra:

–A medida que uno se acerca al punto subsolar, los grises van siendo más claros y se ven marrones y tostados en el suelo.

---

[241] Siglas de *Lunar Orbit Circularization.*

El "Águila" se posa en la Luna: Estados Unidos gana la carrera lunar

El día 20, el gran día, los astronautas son despertados con música. Las actividades comienzan inmediatamente después del desayuno. A las 95:03 ET, Aldrin abre la escotilla del vehículo lunar y penetra en él reptando por el angosto túnel de 76 cm de diámetro, para energizar sus mecanismos. Una hora más tarde le sigue Armstrong y juntos continúan la preparación del equipo IMU (*Inertial Measurment Unit*) de guiado inercial del vehículo.

A las 99:22 ET, cuando están próximos a ocultarse por duodécima vez detrás de la Luna, el vehículo lunar está listo para separarse del vehículo orbital en otra maniobra "a ciegas", pues habrá de efectuarse antes de emerger para dar tiempo a ambos vehículos a distanciarse unos 3000 m antes de iniciar el descenso sobre el Mar de la Tranquilidad. Desde Houston, el CapCom (y futuro astronauta) Charles Duke (1935-), les anuncia de que el Director de Vuelo aprueba la maniobra:

– *Apollo*-11, Houston, estamos listos para la separación. Cambio.[242]

La nave *Apollo* vuelve a esconderse detrás de la Luna, con lo que las comunicaciones se pierden. Aunque los astronautas ya se han acostumbrado al silencio, esta ocasión es muy distinta para Collins, que va a quedarse verdaderamente solo en la cabina de mando durante varias horas. Con la nariz aplastada contra el cristal de la escotilla y la filmadora funcionando sin parar, el navegante solitario presiona a las 99:22 ET el botón que activa la pe-

---

[242] *Apollo eleven, Houston. We're go for undocking. Over.*

queña carga pirotécnica que empuja al vehículo lunar (LM) y ambos ingenios comienzan a separarse paulatinamente (figura 45-11, p. 269). Luego, melancólico, les desea buena suerte:
— Bueno fieras, tomáoslo con calma en la superficie lunar ...[243]

En el vehículo lunar, a partir de ahora *Eagle*, Armstrong efectúa una pirueta para que Collins pueda comprobar que las tres patas de esta nave se han desplegado y las dos secciones de cada una se han enclavado.

Cuando a las 100:16 ET emergen de detrás de la Luna, ambos vehículos se han separado ya 300 m. Desde Houston, Duke les comunica que los inspectores del vuelo han autorizado la maniobra DOI[244] (figura 45-12, p. 269) durante la próxima ocultación. El tiempo de encendido del motor de descenso será de 30 segundos para entrar en una órbita elíptica que les llevará a 15.000 m de altura sobre un punto de la superficie lunar situado sobre la trayectoria, 500 Km antes del blanco. Desde allí hasta el blanco, el vuelo será propulsado (frenado) de modo continuo y pilotado manualmente siguiendo la US#1[245]. Armstrong responde contento:
— De acuerdo, Houston... el Águila tiene alas.[246]

---

[243] *You cats, take it easy on the lunar surface ...*
[244] Siglas de *Descent Orbit Insertion* (inserción en la órbita de descenso).
[245] Designación de una conocida carretera que recorre de Norte a Sur la costa oriental de los Estados Unidos, aplicada extraoficialmente aquí a la trayectoria de aproximación al punto de aterrizaje. La US#1 lunar había sido fotografiada con todo detalle por la expedición *Apollo*-10.
[246] *Roger Houston ... the Eagle has wings.*

En su nave *Columbia*, el solitario Collins, que ha oído la conversación por VHF, piensa que es el águila más extraña que ha visto en su vida.

La nueva ocultación se produce a las 101:27 ET, dando paso a la decimocuarta revolución lunar de los dos vehículos. Al sobrevolar las antípodas del Mar de la Tranquilidad, a las 101:39 ET, Armstrong enciende el motor de descenso, pero de pie dentro del vehículo lunar y sujetos por correas, los dos astronautas no notan el efecto del frenado hasta pasados 26 segundos, cuando el motor desarrolla plenamente su empuje de 4,7 Tm-f . Cuatro segundos más tarde lo apaga. El efecto del frenado se hace evidente al notar el alejamiento de la nave *Columbia*, de modo que esta emerge por el limbo oriental de la Luna antes que la *Eagle* y Collins puede informar a Houston del resultado satisfactorio de la maniobra DOI:

— Houston, *Columbia*. Todo marcha a las mil maravillas. ¡Perfecto![247]

Sin embargo, una hora más tarde el curso de los acontecimientos cambia de cariz. El ordenador de abordo del vehículo *Eagle*, que navega boca abajo y con las patas por delante, no consigue mantener la antena de banda S (figura 66) orientada hacia la Tierra y pierde la comunicación con Houston. Afortunadamente el enlace de VHF con la cabina *Columbia* se mantiene bien y Collins puede retransmitirle la autorización del Director de Vuelo para la maniobra PDI[248].

---

[247] *Houston, Columbia. Everything's going just swimmingly. Beautiful!*

[248] Siglas de *Powered Descent Iniciation* (Inicio del descenso propulsado). A diferencia de las maniobras anteriores en las que el motor funcionaba durante un tiempo breve y luego se apagaba,

A las 102:33 ET la nave *Eagle* alcanza el punto prefijado para dicha maniobra (figura 45-13, p. 269) y da comienzo el descenso rápido y el vuelo pilotado por la US#1. El primer hito es el cráter Maskelyne, al que llegan con tres segundos de antelación. Armstrong reorienta la *Eagle* a la posición de aterrizaje (vertical), con lo que el radar altimétrico comienza a suministrar datos al ordenador inercial. Entonces Aldrin comienza a leer en voz alta las cifras que marca este aparato, para que Armstrong actúe en consecuencia.

De repente, a las 102:38, cuando la altitud que marca el radioaltímetro es de 1.830 m, se enciende en el panel frontal del ordenador una luz ámbar de alarma. Armstrong contiene la angustia y transmite un mensaje calmado, pero que hiela la sangre en las venas de Collins:

– ¡Alarma en el programa! Es una 1202.[249]

En Houston todos los supervisores del vuelo se miran preocupados. El manual de vuelo expone que la respuesta a esta alarma es suspender el descenso. Por suerte, un joven ingeniero que ese día ocupa el puesto GUIDO[250], Steve Bales (1943-), tiene la respuesta. La alarma 1202 significa *"executive overflow"*, o sea sencillamente que el ordenador ha sido solicitado por demasiadas tareas y se ha visto obligado a posponer una. ¡Uf …! Duke respira aliviado cuando responde:

–Enterado, seguimos pese a esa alarma.[251]

---

en la PDI actuaba continuamente para volar hasta blanco y reducir la velocidad de impacto por debajo de 3 m/s.

[249] *Program Alarm! It's a 1202.*

[250] Contracción de *Guidance Offizer* ("oficial de navegación").

[251] *Roger, we're go on that alarm.*

Tras doce minutos de descenso dirigido, deben hallarse sobre el blanco. Un vistazo a la zona les muestra un cráter del tamaño de un campo de fútbol bajo sus pies. Hay que salir de él. Se acelera el motor para conservar la altitud, mientras el vehículo se desliza hacia el Oeste. Al aumentar los gases, el polvo lunar se levanta y les impide la visión. En Houston, el Director de Vuelo Eugene Kranz, observa con preocupación como disminuye la cantidad de propergol disponible: queda para 90 segundos. La voz de Aldrin sigue llegando tranquila, como en un simulacro.

– 165 m, bajando a 9 m/s,… bajando a 5,… 122 m, bajando a 2,7,… avante… 106 m, bajando a 1,2, … 91 m, bajando a 1,… avante 14 m,… bajando a 0,46,… avante 4,… avante 3,3, bajando despacito… 61 m, bajando a 1,3… bajando a 1,7,… 5% de combustible,… 23 m,… avante 1,8,… encendemos luces,… bajando a 0,8,… 12 m, bajando a 0,8, levantamos polvo,… 9 m, bajando a 0.8,… sombra tenue… 1,2 avante,… 1,2 avante,… un poco a la derecha,… va bien …

En Houston, la tensión nerviosa es insoportable. Todavía están a 9 m sobre el suelo lunar y apenas les queda ya propergol. La voz del *CapCom* no consigue ocultar su preocupación cuando les advierte, –¡30 segundos!– … Y por fin se encienden cuatro luces en el tablero, indicando que los palpadores de la *Eagle* han tocado la superficie lunar:

– Luz de contacto … OK, motor parado.[252]

Paran el motor 10 segundos antes de agotar el propergol y las cuatro patas de la nave tocan el suelo. La voz del *CapCom* vuelve a sonar calmada:

---

[252] *Contact light… okay, engine stop.*

– Oímos que estáis abajo, *Eagle*.[253]

La siguiente frase de Neil Armstrong estaba destinada a pasar a la Historia, por lo que suponemos que debió ser objeto de largas consideraciones por su parte, antes de decidirse por ella:

– Houston, aquí Base de la Tranquilidad. ¡El "Águila" se ha posado![254]

El bueno de Duke no debía tener tan pensada su respuesta:

– Enterado, Tranquilidad. Os oímos desde el suelo. Nos teníais aquí a un montón de tíos a punto de ponernos azules. Ahora volvemos a respirar. Muchas gracias.[255]

El Águila se ha posado a las 102:45:58 ET. En tierra, las telemedidas biomédicas indican que las pulsaciones de Armstrong, que habían subido a 156 p. m., se normalizan. A las 103:44 ET, el MCC emite al mundo el informe del aterrizaje feliz sobre el ecuador lunar, en un punto de longitud selenográfica 23° 27' E, es decir, 6,4 Km (4 millas) más allá del blanco.

¡Y PISA, Y PISA EL SUELO DE LA LUNA!

La Humanidad ha invadido un astro extraño por primera vez en su Historia. Con los ojos ávidos de novedad, los tripulantes otean el paisaje lunar

---

[253] *We copy you down, Eagle.*

[254] *Houston, Tranquility Base here. The Eagle has landed!*

[255] *Roger, Tranquility. We copy you on the ground. You've got a bunch of guys about to turn blue. We're breathing again. Thanks a lot.*

(foto 52) por las ventanillas triangulares de su vehículo. Con el Sol a escasa altura, todos los rasgos
proyectan larguísimas sombras que tiñen de negro
los hoyos y confieren al paisaje un aspecto fantas-
mal. Contemplan "una colección de todas las va-
riedades imaginables de rasgos, angulosos y granu-
losos, así como de rocas. El suelo es gris blancuzco
y aparece roturado por millares de pequeños embudos, desde 1 m de diámetro hasta 10". Ambos se
mueren de ganas por abrir la escotilla y trasponer
de una vez el umbral de lo histórico.

Pero antes que nada es imprescindible configurar su nave de modo que pueda despegar inmediatamente en caso de urgencia para reunirse con la *Columbia*, que en ese momento se oculta tras el encogido
horizonte lunar. A las 104:39 ET Armstrong y Aldrin
tienen todo en orden, pero exasperantemente, el programa prevé que es hora de dormir y que el paseo por
la superficie lunar (EVA) será "mañana por la maña-

**Foto 52. Panorama
desde la superficie.**
A través de las
ventanillas de su nave
los astronautas
divisan el horizonte
tan cercano y la
negrísima sombra
(pues en la Luna no
hay luz dispersa) de
su propio vehículo.
Para contraste, el gran
brillo del suelo lunar
obliga a la cámara a disparar a velocidad rápida, por lo
que las fotos no pueden captar las estrellas que brillan
en el cielo obscuro como boca de lobo.

na". ¿Podría alguien dormir a las puertas de su máxima obsesión, a la que ha entregado los últimos años de su vida, teniendo a mano el objeto de sus anhelos y desvelos y tras culminar toda una serie de sobresaltos y zozobras? Creemos que no. Y Armstrong y Aldrin también debieron creerlo así cuando solicitaron al MCC de Houston adelantar la exploración de la superficie para las 107:00 (dentro de unas tres horas) y posponer el sueño. En el MCC, donde todos los rostros eran sonrientes, tardan nueve segundos en pensárselo:

—Lo hemos pensado y os apoyamos. Estamos listos para esa hora.[256]

Los preparativos para descender a la superficie duran dos horas, pues hay que colocarse y probar el traje espacial (figura 45, p. 258) y el equipo PLSS[257] y, de todos modos, es preciso aguardar a que la Luna se eleve sobre Australia, para que la Estación de Honeysuckle y el gran radiotelescopio (con plato de 64 m de diámetro) de Parkes, que va a recibir las imágenes de TV, tengan buena recepción. A las 109:15 ET Armstrong está preparado para abrir la escotilla y salir arrastras a la plataforma ("el porche"). Previamente procede a la evacuación del aire del vehículo a través de un filtro bactericida, para que se pueda abrir la escotilla frontal.

---

[256] *We thought about it; we will support it. We're go at that time. Over.*

[257] Siglas de *Portable Life Suport System* ("Equipo portátil de supervivencia"). Se trata de la mochila que llevaba adosada a la espalda el traje espacial y que proporcionaba al astronauta los recursos vitales para moverse por la superficie lunar. Tales eran el oxígeno, la humedad, la regulación de la temperatura, la extracción del anhídrido carbónico y otros contaminantes, las comunicaciones por radio, etc.

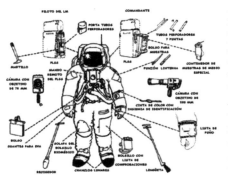

Figura 45. Equipamiento para las EVA. El traje espacial, denominado EMU (*Extravehicular Movility Unit*), era triple (tipo cota de mallas) y estaba confeccionado a la medida. La vestidura externa estaba elaborada con un tejido tubular especial, capaz de absorber los impactos de los micrometeoritos y refrigerada por líquido. El equipo de supervivencia (PLSS) suministraba oxígeno, extraía anhídrido carbónico y estabilizaba la temperatura y la humedad.

Después, con ayuda de Aldrin abre dicha escotilla y se enfrenta al mundo fantasmagórico del exterior. Luego se contorsiona para salir reptando por el estrecho hueco, cuidando de no chocar contra los mamparos, ni rayar su escafandra. Aldrin le indica en todo momento cómo ha de moverse hasta quedar tumbado en el porche. Seguidamente comprueba que puede volver a entrar, recoge la bolsa de los deshechos[258] y a las 109:19 está listo para descender los 3 m de la escalerilla que le harán traspasar el umbral de la Historia.

---

258 Armstrong debía aprovechar este momento para retirar una bolsa con las secreciones fisiológicas acumuladas durante el viaje, que dejará en la superficie lunar para ahorrar peso en el de vuelta. Es deplorable que la primera acción del Hombre al pisar el suelo de otro astro tuviera que ser la de contaminarlo con sus residuos.

Antes de iniciar el descenso despliega una cabria con la que izarán las muestras que recojan y comprueba el funcionamiento de la cámara de TV (b/n) situada sobre el fuselaje, que emitirá las imágenes al radiotelescopio de Parkes. A continuación inicia el descenso sobre la superficie lunar. Al llegar al último peldaño, a un metro sobre ella, se detiene para contemplar el panorama. Observa que a pesar de haber caído desde 1,70 m de altura, que es la longitud de los palpadores que detectaron la presencia del suelo lunar, a cuya indicación se apagó el motor, las nacelas del vehículo apenas se han hundido 5 cm en el finísimo polvo, lo que prueba que la superficie es consistente (foto 53). Ahora, para bajar del elevado escalón al suelo es preciso encoger la pierna derecha y estirar la izquierda un metro. La cámara superior está transmitiendo a toda la Tierra la secuencia.

Por primera vez en su historia, el Hombre va a romper su confinamiento astral y hollar la faz de un astro extraterreno. Ante el pasmo de miles de millones de telespectadores, Armstrong alarga la pierna izquierda (foto 54, p. 292), flexiona la derecha, extien-

Foto 53. En Águila se ha posado. El vehículo lunar se ha posado en la superficie y las nacelas de las patas apenas se han hundido en la regolita. En primer plano, la bolsa de los residuos biológicos que Armstrong tubo que arrojar desde el porche antes de emprender el descenso.

**Foto 54.
Un pequeño paso
para un hombre.**
La cámara de TV
en blanco y negro
(para ahorrar peso
y volumen) estaba
instalada sobre
el fuselaje, en un
brazo plegable.

de la punta del pie y ¡toca la superficie lunar! Al principio tímidamente, como si temiera no alcanzar, luego recelosamente, como si creyera que bajo la capa de polvo pudieran habitar pirañas, finalmente con decisión. Los locutores de todas las cadenas mundiales de TV gritan: "¡y pisa,... pisa!"

A las 109:24:48 ET (21 de julio de 1969 a las 02:56:15 TU) Neil Armstrong baja el pie derecho junto al izquierdo, convirtiéndose en el primer terrestre que invade un astro ajeno (figura 45-14, p. 269). La noticia, vociferada por los locutores de todos los medios de comunicación del mundo, impide a los espectadores escuchar la segunda frase pronunciada por este astronauta, fruto también de mucho sopesar:

– Este es un pequeño paso para un hombre; un gran salto para la Humanidad.[259]

Arriba, junto a la escotilla de su vehículo, a Aldrin se le antoja un siglo el tiempo que transcurre has-

---

[259] *That's one small step for a man; one giant leap for mankind.*

ta que oye a Armstrong pronunciar su frase. El no tiene preparada otra equiparable, pero acierta a improvisar una no menos lapidaria:

> — Ahora voy a entornar la escotilla para no bloquearla sin querer al salir.[260]

A la que Armstrong no puede menos que contestar:

> — ¡Buena idea![261]

UN PANORAMA DE MAGNÍFICA DESOLACIÓN

Los primeros pasos de Armstrong en la Luna son para salir de la sombra negrísima que proyecta su vehículo, a fin de describir a Houston el panorama que divisa y tomar fotografías del entorno y de la *Eagle*, posada en la superficie. Desde la Tierra los científicos le instan a que tome muestras del suelo inmediatamente, por si alguna emergencia le obligara a despegar antes de tiempo. Bien mandado, Armstrong utiliza su pala recogedora para escarbar una piedra, pero a la hora de guardársela en el bolsillo de la pernera necesita la ayuda de Aldrin, desde la *Eagle*, para levantar la solapa y depositar la muestra. En el MCC los científicos respiran aliviados.

Dieciocho minutos después de Armstrong, Aldrin le sigue los pasos (foto 55, p. 294) guiado por él y desciende a la superficie (foto 56, p. 294) donde ambos se reúnen. Al examinar el extraño paisaje gris, cuajado de hoyos, rocas y polvo, todavía asido al pasamanos exclama:

---

260 *Now I want to partially close the hatch, making sure not to lock it on my way out.*
261 *A good thought.*

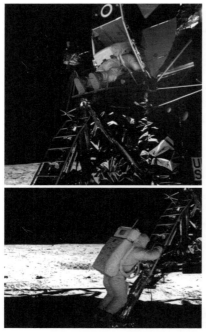

Foto 55. Aldrin inicia el descenso.
Tumbado sobre el porche y deslizándose por la estrecha escotilla con su mochila de supervivencia (PLSS) a la espalda, Aldrin repta para situarse sobre la escalerilla, fotografiado por Armstrong.

Foto 56. Aldrin baja por la escalera. (306) El descenso de Aldrin fue retratado por Armstrong con una cámara Hasselblad, cuyas excelentes fotografías dieron la vuelta al mundo, preferidas por los periodistas a las de la cámara de TV (b/n) y confundidas por algunos "especialistas" como el primer paso del hombre en la Luna.

– ¡Qué grandiosa desolación![262]

Su primera actividad conjunta consiste en descubrir una placa conmemorativa del desembarco, sujeta a una de las patas del vehículo. En ella, una inscripción, situada bajo un mapamundi, asegura que el motivo de la incursión no es soberanista:

---

262 *Magnificent desolation!*

"Aquí, hombres de la Tierra han puesto pie en la Luna por primera vez. Julio de 1969 d.C. Vinimos en paz, en nombre de toda la Humanidad".[263]

El programa de actividades extravehiculares es doble: recoger muestras del suelo lunar y depositar el equipaje científico EASEP[264]. Así que mientras Armstrong dispone las herramientas de recogida (figura 45), Aldrin despliega los instrumentos (foto 57): un sismómetro (PSE, o *Pasive Seismic Experiment*) alimentado por baterías solares y conectado por radio a la Tierra, una lámina de aluminio para atrapar partículas del viento solar (SWE, o *Solar Wind Experiment*) y un espejo reflector para rayos láser (LRRR, o *Laser Ranging Retro Reflector*).

Foto 57.
Despliegue del EASEP.
Aldrin junto al sismómetro pasivo (PSE) depositado en la Luna. En línea recta con la nave *Eagle* se distingue el experimento de partículas solares (SPE) y a la izquierda, el espejo reflector para rayos láser (LRRR).

---

[263] *Here men from the planet Earth first set foot on the Moon. July 1969 A. D.We came in peace for all mankind.* En efecto, también depositaron cinco medallas en honor de las víctimas de la carrera espacial, White, Grissom, Chaffee, Gagarin (fallecido en accidente de aviación) y Komarov.

[264] Siglas de *Early Apollo Scientific Experiment Package* (Paquete de primeros experimentos científicos de *Apollo*).

Seguidamente proceden a examinar las rocas lunares visibles y a recoger aquéllas cuyo aspecto encaja en el cuadro mineralógico que traen aprendido. Para garantizar que la mayoría de las elegidas sea de origen lunar y no meteorítico, utilizan la pala recogedora y la lengüeta para extraer las que están semienterradas en el polvo. En otras ocasiones emplean los tubos perforadores para excavar muestras de debajo de la superficie. Encuentran que si bien la superficie es blanda y las botas imprimen huellas de algunos centímetros de profundidad, el subsuelo es duro y su peso no les ayuda a profundizar más de 20 centímetros. En total recogen 22 Kg de muestras que subirán a la nave por medio de la cabria, convenientemente embaladas.

También efectúan pruebas de movilidad sobre la superficie lunar. Averiguan que deambular con tan voluminosa impedimenta no les resulta difícil. Pero si bien el peso allí es un sexto que en la Tierra, la masa es la misma, por lo que si emprenden una carrera, detenerse cuesta más trabajo, porque el peso no ayuda. Llegan a la conclusión de que la mejor manera de andar es dar saltos de canguro, o sea, hacia arriba.

En un momento de descanso, Armstrong propone iniciar los actos oficiales plantando la bandera de los Estados Unidos junto a la nave *Eagle*. Esta bandera, que va encorsetada para que quede horizontal, presenta la misma dificultad en el momento de clavar el mástil que la vela del experimento del viento solar. La ceremonia termina con los saludos de ordenanza y las fotos para el recuerdo, una de ellas con la Base de la Tranquilidad reflejada en la escafandra de Aldrin (foto 58). Seis minutos después les avisan desde Houston que el Presidente Richard Nixon (1913-1994) se va a dirigir a ellos desde el Despacho Oval de la Casa Blanca:

**Foto 58.
Foto en la Base
de la Tranquilidad.**
De pie sobre un
pequeño hoyo doble
de la superficie lunar,
Aldrin posa ante
Armstrong en la Base
de la Tranquilidad.
La foto, tomada con
la cámara Hasselblad
de 70 mm, muestra
el aspecto de la
Base reflejada en
la escafandra, con
el equipo EASEP
desplegado delante
de la nave Eagle.
Abajo se observa
semienterrado uno
de los palpadores
del vehículo.

– "…Para todos los americanos este día ha de
ser el más orgulloso de nuestras vidas. Y es-
toy seguro de que los pueblos de todo el mundo se unirán al americano en reconocimiento de esta hazaña. Gracias a lo que habéis
hecho, los cielos han pasado a ser parte del
mundo humano. Al hablarnos desde el Mar
de la Tranquilidad nos estimuláis a redoblar
nuestros esfuerzos por llevar la paz y la tranquilidad a la Tierra. Por un momento inapre-
ciable, en toda la Historia del Hombre, todos
los pueblos de este planeta son realmente
uno. Uno en su orgullo por lo que habéis he-

cho y uno en sus plegarias para que regreséis felizmente a la Tierra".[265]

Terminados los actos oficiales, llega el momento de hacer las maletas y volver a casa. Recogen y enrollan la vela solar para guardarla en su estuche, pero antes de recogerse en la nave *Eagle* deciden echar un último vistazo a la zona donde se ha posado. Entonces descubren que una de las varillas de los palpadores ha quedado casi bajo la tobera del motor, lo que revela que el primer contacto se produjo cuando el vehículo no estaba horizontal. ¡Uf …! Finalmente izan las muestras y la vela solar con ayuda de la cabria y se encaraman en el vehículo, donde reciben una sorpresa: desde MCC les informan que el Observatorio de Lick ha conseguido ya un eco de rayos láser del espejo reflector. Son las 111:41 ET, la excursión ha durado 2 horas y 47 minutos.

Soplan aire al habitáculo y ambos astronautas proceden a desembarazarse de sus voluminosas mochilas de supervivencia y de los chanclos lunares, que arrojan sobre la superficie, junto con las bolsas de productos desechables, como la orina y los cartuchos regeneradores de oxígeno[266] ya consumidos. Y viene

---

[265] … *For every American, this has to be the proudest day of our lives, and for people all over the world, I am sure they too join with America in recognizing what an immense feat this is. Because of what you have done, the heavens have become a part of man's world, and as you talk to us from the Sea of Tranquillity it inspires us to redouble our efforts to bring peace and tranquillity to earth. For one priceless moment, in the whole history of man, all the people on this earth are truly one. One in their pride in what you have done, and one in our prayers that you will return safely to Earth.*

[266] Se trataba de cartuchos de hidróxido de litio. El abandono de los efectos ya inútiles debía compensar durante el vuelo de

la segunda sorpresa: ¡el sismómetro ha registrado el impacto de los objetos arrojados!

El "día" ha sido agotador, pero todavía antes de retirarse a dormir deben contestar a un sin fin de preguntas que les dirigen los científicos del MCC sobre cuestiones mineralógicas y petrológicas. Por fin, a las 115:00 ET se tumban a dormir en el escaso espacio que queda en el habitáculo de la nave *Eagle*, abarrotado con las cajas de las muestras de suelo lunar.

LA EXPEDICIÓN *APOLLO*-11 REGRESA A LA TIERRA

Mientras Armstrong y Aldrin tratan de dormir en la Base de la Tranquilidad, desde su nave en órbita Collins, que ha sentido la soledad "como ningún otro ser humano desde Adán", durante los 47 minutos de incomunicación del vuelo translunar de cada una de las 12 revoluciones que ha completado en solitario, ha aliviado su aislamiento oyendo las comunicaciones entre Houston y la *Eagle* y está al tanto de la situación.

Pero ahora las circunstancias van a cambiar porque en Houston el Director del Vuelo está preocupado: el tenso desasosiego vivido durante los últimos minutos del aterrizaje de la *Eagle* ha impedido a los Inspectores de Vuelo determinar con precisión las coordenadas de la Base de la Tranquilidad. Y aunque la conocen con unos cuantos kilómetros de incertidumbre y la exactitud es suficiente para garantizar que podrán conducirla al encuentro con la *Columbia*, los programadores desean refinarla para optimizar su programa de guiado. Para ello solicitan de Collins

---

reencuentro con la nave *Columbia*, el peso de las muestras de suelo lunar que habían recogido.

que trate de divisar la Base desde su órbita, utilizando su sextante y le comunican la posición estimada, algo al Norte del blanco prefijado, y el momento en que pasará más cerca de ella. Pero es inútil, Collins no logra descubrirla. La posición de la Base permanecerá incógnita hasta que las fotografías tomadas por los astronautas al despegue permitan cotejarlas con los mapas. Entonces se averiguará que estaba fuera del campo de visión del sextante de Collins.

En Houston se mira también con inquietud el desarrollo de los acontecimientos. La reserva de oxígeno de la nave *Eagle* hace aconsejable despegar de la Luna al inicio de la órbita número 26 de la nave *Columbia*, para lo que debería establecerse la ventana para el despegue a las 124:22:00 ET. El inconveniente es que a esa hora solo una Estación Espacial, la de Madrid, tendría buena "visibilidad" de los vehículos, pues por una casualidad inoportuna, Goldstone y Honeysckle estarían en "la cara oculta de la Tierra". Pero la maniobra LOR es la más crítica del viaje, por cuanto el módulo de ascenso de la *Eagle* dispone de muy poco propergol para buscar a la *Columbia* y acercársele, mientras que aquélla necesita todo el suyo para remontar el campo gravitatorio lunar y regresar a la Tierra. ¿Qué hacer? Al fin la maniobra LOR, considerada como "delicada", se aprueba, visto de que otras tres estaciones de la Red con platos de 9 m (Ascensión, Canarias y Tananarive), tendrán buena visibilidad de la Luna y brindarán cobertura a Madrid.

Desde Houston se le toca diana a Collins a las 121:00 ET, al empezar su órbita número 24. Es preciso configurar el transpondedor del radar de encuentro para la maniobra LOR. En la Base de la Tranquilidad el sueño dura cuarenta minutos más. Los dos astronautas, que han dormido mal y poco (han sentido frío), se desperezan para desayunar. A las 124:03

comienzan la lista de comprobaciones para el despegue, en la que se ha introducido un cambio: para evitar alarmas de sobrecarga en el ordenador de abordo, se desconectará el radar de encuentro durante el despegue. Se efectúan las últimas pruebas del motor de ascenso y de las comunicaciones con Houston y con la nave *Columbia*. A las 124:20, el módulo de ascenso de la *Eagle* está listo para volar. Aldrin, que ha recibido de Houston los parámetros de vuelo, arma el motor y arranca la cuenta atrás para el despegue, sincronizada con la órbita número 26 de la nave *Columbia*. En la Estación Espacial de Madrid se retiran todas las protecciones de sus equipos y se aumenta la potencia del haz de radio a 10 Kw. También retiran las suyas Canarias, Ascensión y Tananarive.

A las 124:22:00 ET, los mecanismos pirotécnicos de separación de ambas secciones del vehículo detonan, al tiempo que se enciende el motor ascendente (figura 72-15). Su empuje de 1,6 Tm-f comienza a elevar el módulo ascendente sobre el descendente. En Houston, los asesores médicos comprueban que las pulsaciones de Armstrong has subido a 90 por minuto y las de Aldrin a 125. A los dos segundos, cuando se han elevado 10 m, Aldrin aprovecha que Armstrong atiende a las lecturas del ordenador de navegación para levantar los ojos de la pantalla y otear por la ventanilla triangular, a tiempo de ver cómo los gases de las exhaustaciones de su motor han derribado la bandera americana y abrasan la superficie del módulo de descenso, cuyo revestimiento térmico se proyecta por doquier en forma de lluvia de chispas doradas.

A los ocho segundos de la ignición, cuando la elevación sobre el suelo es de 50 m y la velocidad de 45 Km/h, vislumbra un gran cráter por el Oeste, que solo puede ser Sabine. Pero entonces, ¡no se hallaban al Norte del punto prefijado, sino al SE! Dos segundos después, a 75 m de la superficie lunar, el programa guía PGNS[267] dispara los motores de orientación para que la *Eagle* cabecee hacia el Oeste y siga una trayectoria elíptica de 86 x 117 Km, que la situará 24 Km por debajo y 100 Km por detrás de la *Columbia*, que circula a 5700 Km/h. Al volar la nave inclinada los astronautas pueden reconocer los tres cráteres de la US#1, Sabine, Ritter y Schmidt[268]. Definitivamente, la Base de la Tranquilidad se halla al SE de esta tripleta.

El vuelo continúa sin novedad. La voz sosegada del CapCom va recitándoles los datos de navegación, que afortunadamente coinciden con las cifras que ellos leen en la pantalla de su ordenador. En una de las pausas, cuando se hallan a 300 m de altura y los detalles finos de la Luna empiezan a diluirse, Aldrin decide mirar hacia la Tierra. Entonces cree percibir un destello luminoso: ¡el láser del observatorio de Lick!

A 300 m de altura la velocidad del vuelo es de 110 Km/h, 88 Km/h en ascenso y 68 Km/h en avance. A los 7 minutos y 17 segundos del despegue, cuando la velocidad es de 6.640 Km/h y la altura de 18.300 m, apagan el motor, con lo que la nave *Eagle* queda en una órbita elíptica de 86 x 17 Km. En Houston, los Inspectores del grupo FIDO[269] se toman su tiempo para recabar datos de rastreo suficientes para calcular la nueva maniobra de encuentro (LOR) y, como estaba previsto, la ocultación sobreviene sin

---

[267] Siglas de *Primary Guidance and Navigation System* ("Programa principal de guiado y navegación").

[268] Profundo cráter de 11,4 Km de diámetro y paredes de 2.300 m de altura cuyo nombre rememora a tres científicos, dos alemanes, el selenógrafo Johann Schmidt (1825-1844) y el óptico Benhard Schmidt (1891-1956), y uno ruso, el polifacético Otto Schmidt (1891-1956).

[269] Contracción de *Flight Dynamics Offizer* ("oficial de dinámica de vuelo").

que ambos vehículos lleguen a verse. Pero ahora, al pasar por el apolunio (figura 45-AL, p. 269), que queda sobre la cara opuesta, Armstrong enciende el motor por segunda vez con los nuevos parámetros, situando su nave en una órbita circular de 90 x 90 Km y aproximándose a la *Columbia* a 144 Km/h (40 m/s). Por esta razón, ambas naves emergen tras el limbo lunar casi simultáneamente y siguiendo trayectorias idénticas. Ahora el radar de encuentro está conectado al ordenador de navegación y pronto localiza a su blanco. A partir de ahora el acercamiento será automático.

No obstante, la baja velocidad de aproximación hace que el avistamiento vaya a ocurrir muy cerca de la nueva ocultación, que ocurrirá a las 127:28 ET. Muy pocos minutos antes, Collins obtiene una fotografía con la Tierra al fondo (foto 71), muy cerca del horizonte. A tan corta distancia, el gobierno del vuelo en esta fase pasa a ser manual, por los pilotos (figura 45-16, p. 269). En Houston, los Inspectores del

Foto 59. Aproximación del LM al CSM. Muy pocos minutos antes de que la Tierra se oculte tras el horizonte lunar, Collins obtuvo esta foto de la nave Eagle aproximándose a la suya. Nótese la baja elevación de la Tierra sobre el horizonte lunar, que revela el escaso tiempo que falta para que se produzca la ocultación.

Vuelo asisten con ansiedad a las conversaciones entre ellos, que aparentemente han olvidado lo perentorio de la situación. Oyen transmitir a Collins parsimoniosamente sus lecturas del radar:
–Os tengo a 1.100 m y a 9,5 m/s.[270]

Como transcurren los minutos sin que ni una ni otra partes den señales de actividad, el CapCom se ve obligado a intervenir:
–*Eagle* y *Columbia*, Houston está a la espera.[271]

Armstrong, consciente de aquellas comedidas palabras no son sino la tapadera de una olla a presión, trata de tranquilizarle:
–Enterado, estamos tomando posición.[272]

Cuando finalmente la nave *Columbia* atraca con toda suavidad en la *Eagle*, se desata todo un pandemonium inesperado. La ligera diferencia de orientación entre ambas da lugar a que los ordenadores de navegación de una y de otra forcejeen entre sí, disparando los motores de orientación correspondientes para tratar de imponer la suya al otro. El orden se recobra cuando desconectan el ordenador de la *Eagle* y permiten al de la *Columbia* que imponga su criterio. Inmediatamente después se produce la ocultación.

En sus memorias, Collins confiesa que estuvo tentado de besar a Aldrin en la frente, cuando vio asomar su cara sonriente por el túnel que comunicaba a ambas naves. Pero tras los abrazos efusivos se impone una tarea apremiante: hay que transbordar todo el

---

270 *I have 0.7 mile and I got you at 31 feet per second.*
271 *Eagle and Columbia, Houston standing by.*
272 *Roger, we're stationkeeping.*

material científico recogido en la superficie lunar y configurar a la bizarra *Eagle* para su abandono, lo que obligará a repasar otra de las interminables listas de comprobaciones. Después ellos mismos transbordan y cierran la escotilla dejando encendidos todos los equipos de la nave lunar. Finalmente, a las 130:10 ET, mientras vuelan sobre la cara oculta, la *Eagle* es expulsada y queda en órbita lunar (figura 45-17, p. 269). Su destino es triste, cuando los astronautas partan para la Tierra, desde Houston se le enviará una orden de suicidio y ella, obediente, acabará estrellándose contra un punto incierto de la superficie de la Luna. Armstrong y Aldrin la ven alejarse a 2 Km/h llenos de nostalgia.

La trigésima revolución alrededor de la Luna transcurre sin eventos importantes. Pero antes de la desaparición por el limbo occidental, los astronautas reciben aquiescencia de Houston para regresar a casa:

–Apollo-11, Houston listos para TEI.[273]

A135:24 ET, al pasar por el apolunio (AL) por trigésima vez, Armstrong enciende el poderoso motor AJ-10 del vehículo orbital durante 2 minutos y 28 segundos (figura 45-18, P. 269). Sus empuje de 10 Tm-f acelera la nave de 1,62 a 2,63 Km/s, lo que les substraerá de la atracción lunar y les llevará al Punto de Libración para, desde allí, inyectarles en la trayectoria trans-terrestre. A las 139:00 ET después de fotografiar la Luna que se va alejando paulatinamente (foto 60), los astronautas se retiran a descansar.

La llegada al Punto de Libración (figura 45-PN, p. 269) ocurre a las 148:09 ET, cuando la velocidad ha decaído a 300 m/s. La distancia a la Luna es de

---

[273] *Apollo eleven, Houston, yo're go for TEI.* (siglas de *Trans-Earth Injection*, o inyección en trayectoria a la Tierra).

Foto 60. Última foto de la Luna.

Durante el viaje de regreso a la Tierra, cuando la distancia a la Luna era de 19.000 Km, los astronautas efectuaron las últimas fotografías. Aunque parece estar en la fase de plenilunio, desde la Tierra, que estaba situada a la izquierda y arriba, se veía la fase cuarto creciente.

62.600 Km y a la Tierra de 322.200. A partir de este punto inician una espantosa caída hacia la Tierra, contra la que deberán chocar ¡a 40.000 Km/h! Durante este viaje, que transcurrió sin incidentes dignos de mención, solamente hubo necesidad de llevar a cabo la primera corrección de medio curso (figura 45-19, p. 269), que consistió en reducir la velocidad en 1,5 m/s y orientar la trayectoria hacia el "corredor de re-entrada" a la Tierra, de modo que el blanco fuera la cubierta del portaviones *Hornett*.

La fase de reentrada a la Tierra comienza a las 194:50 ET. Collins corta las conexiones entre la cabina de mando y el compartimiento de servicio y activa los dispositivos pirotécnicos de separación. La expulsión del módulo de servicio (figura 45-20, p. 269) deja libre a la cabina de mando para que la tripulación oriente el escudo ablativo hacia la atmósfera, con lo que los astronautas pierden de vista al planeta azul, al tiempo que la distancia disminuye vertiginosamente. Como tan cerca de la Tierra, solo la Estación Espacial de Hawai tiene buena visibilidad, NASA ha destacado a la zona al buque *Huntsville* y media docena de aviones KC-135 (ARIA) para rastrear la re-entrada de la nave *Apollo-11*.

A las 195:03 ET comienzan a sentirse en el interior los tumbos y las trepidaciones que produce el frenado aerodinámico. Cuatro minutos más tarde, a 122 Km de altitud sobre el mar (figura 45-21, p. 269), sobreviene el contacto con las capas densas y dentro de la nave parece desatarse un infierno de sacudidas y vibraciones que amenaza desguazarla. Nuevamente se hacen notar los efectos de la supergravedad, que aplasta a los astronautas contra sus tumbonas. Luego, la elevada temperatura del escudo, que llegará a alcanzar los 2.800° C, produce la ya conocida ionización del aire y las comunicaciones con la cápsula quedan interrumpidas. Ahora solo funcionan los radares de los aviones, pero es imposible conocer lo que ocurre en su interior. A las 195:12 cesan los vibraciones y se oye el silbido del aire en el exterior. Se restablecen las comunicaciones por radio y el escudo frontal es expulsado. Luego un tirón indica que los paracaídas auxiliares han desplegado los dos principales y cápsula desciende con suavidad. A las 195:18:35 ET se zambulle en el agua (figura 45-22, p. 269) y emerge ¡boca abajo! Pero ahora ya está previsto este percance: tres flotadores se hinchan automáticamente en el morro y la nave recobra su estabilidad. Los helicópteros de rescate tardarán un cuarto de hora en llegar. A las 195:48 se abre la escotilla de la cápsula y por ella asoma la singular faz de un hombre rana. *Wellcome home!*

El helicóptero translada a los tres héroes al portaviones, donde les está esperando el presidente Nixon en persona... y un contenedor especial para ponerlos en cuarentena, por si en la Luna hubieran podido existir organismos patógenos a los que los astronautas habrían estado expuestos durante la actividad extravehicular. La recepción apoteósica en Washington, con desfile multitudinario y lanzamiento de millones de octavillas de felicitación por parte de la ciudadanía, fue presidida por los tres astronautas desde el interior de su nuevo habitáculo.

LA UNIÓN SOVIÉTICA NO ACEPTA LA DERROTA

En el capítulo anterior hemos relatado al lector las tribulaciones de Korolev para sacar adelante su proyecto del superlanzador N-1, diseñado para enviar a la Luna una carga útil de 50 Tm. Esta carga iba a ser el vehículo L3, compuesto por la nave LOK[274] (derivada de la *Soyuz*) tripulada por dos cosmonautas (comandante y piloto) y el módulo de aterrizaje LK[275], tripulado por un único piloto, siguiendo el modelo de vuelo EOR (Encuentro en Órbita Terrestre). Una contrariedad para el diseño era la dedicación exclusiva de Glushko a los motores de hipergoles, rechazados por Korolev por su menor empuje específico, su corrosividad y su gran toxicidad, que había obligado a este a emplear los motores NK-15 fabricados por Nikolai Kuznetsov (1911-1995), un industrial con experiencia únicamente en el campo de la aeronáutica, jefe del OKB-276, con sede en Kuibyshev.

El motor NK-15 de Kuznetsov, de 2,7 m de largo por 1,5 m de diámetro y 1,25 Tm de masa, desarrollaba un empuje de 156 Tm-f y tenía de novedoso la doble combustión, ya que contaba con un pre-quemador, cuyos gases movían las turbobombas de alimentación de la cámara principal y luego se mezclaban con

---

[274] Siglas de *Luniy Orbitalniy Korabl* ("Nave Orbital Lunar").
[275] Siglas de *Lunik Korabl* ("Nave Lunar").

el flujo primario de propergol, a 77,5 atmósferas, para mejorar la combustión en dicha cámara principal. No obstante, el reducido empuje de este motor (compárese con las 680 Tm-f del motor F-1 que montaba el lanzador *Saturn*-V) complicaría enormemente el diseño, al ser necesario acoplar ¡30 motores! en la etapa inicial, para producir el empuje total capaz de elevar un lanzador de casi 3.000 Tm de masa.

Como también hemos comentado al lector en la nota 200, el diseño de este lanzador padecía la inexcusable servidumbre de que sus etapas deberían transladarse al cosmódromo por ferrocarril, lo que limitaba su tamaño máximo. Por esta razón, aunque la altura total del cohete N-1 (105 m) y la masa (2735 Tm) eran comparables a las del cohete *Saturn*-V (110,65 m y 2877 Tm, respectivamente), estaría compuesto por cinco etapas (foto 61), en lugar de tres, siendo los tiempos de ignición de las mayores obligadamente breves.

Las tres primeras etapas N-1 constituirían el lanzador básico y tendrían forma de tronco de cono para alojar dos depósitos superpuestos de diferente tamaño, pues el volumen del depósito de LOx sería 1,2 veces mayor que el del depósito de queroseno. Al final de su ignición deberían colocar en órbita baja las dos etapas restantes, junto con el vehículo lunar L3.

La primera etapa, llamada también Bloque A (foto 62), montaría los 30 motores NK-15 en dos grupos: un anillo periférico formado por 24 motores y un anillo interior de otros 6, estos últimos colocados sobre juntas cardan en un círculo de radio mitad. Para mejorar la combustión se aprovecharía que el vuelo de esta etapa sería a baja altura, para formar un esta-

---

Ramjet en inglés. Reactor atmosférico que funciona sin turbina ni compresor, comprimiendo el aire que toma de un difusor por la presión dinámica de su propia velocidad, al hacerlo

Foto 61. El superlanzador soviético N-1.

Altura, 105 m.
Diámetro máx., 17 m.
Envergadura, 23 m.
Masa, 2788 Tm.

Primera etapa
Longitud, 30 m.
Diámetro máx/mín,
17/11 m.
Masa (vacío), 181 Tm.
Motores, 30 x NK15.
Ergoles, queroseno
+ LOx.
Empuje, 4590 Tm-f.
Duración, 113 seg.

Segunda etapa
Longitud, 20,5 m.
Diámetro máx/mín,
10,3/7,6 m.
Masa (vacío), 52,2 Tm.
Motores, 8 x NK-15V.

Ergoles, queroseno + LOx • Empuje, 1432 Tm-f • Duración, 108 seg.

Tercera etapa
Longitud, 11,5 m • Diámetro máx/mín, 7,6/4,4 m.
Masa (vacío), 13,7 Tm • Motores, 4 x NK-19.
Ergoles, queroseno + LOx • Empuje, 164 Tm-f • Duración, 375 seg.

Cuarta etapa
Longitud, 12 m • Diámetro, 4,4 m • Motores, 1 x NK-21.
Ergoles, queroseno + LOx • Empuje, 40,8 Tm-f • Duración, 365 seg.

Quinta etapa
Longitud, 5,5 m • Diámetro, 4,4 m • Motores, 1 x RD-58.
Ergoles, queroseno + LOx • Empuje, 8,7 Tm-f • Duración, 600 seg.

---

circular por un estrechamiento. Este aire caliente produce empuje al arder en la cámara de combustión y expandirse en la tobera de salida.

torreactor[276]. Para ello se abrirían doce tomas difusoras en el fuselaje que inyectarían aire a presión entre los dos anillos, para que reaccionara con las exhaustaciones deliberadamente ricas en combustible sin quemar. Se lograría así un empuje al despegue de 4.620 Tm-f, muy superior a las 3.400 del *Saturn*-V. La segunda etapa, o Bloque B, iría impulsada por 8 motores NK-15V, ligeramente más masivos (1,35 Tm) por sus toberas de gran expansión[277]. La tercera etapa, o Bloque V, llevaría 4 motores NK-19 algo menores (40 Tm-f), al final de cuya ignición se debería alcanzar la órbita de aparcamiento.

El complejo L3 estaría formado por las dos restantes etapas del lanzador N-1, por el vehículo orbital LOK y por el vehículo de aterrizaje LK. Las dos últimas etapas del lanzador N-1 tendrían forma cilíndrica, merced a que el gran depósito de LOx de cada una de ellas se desdoblaría en dos de menor tamaño situados debajo del depósito de queroseno. La cuarta, o Bloque G, debería enviar al vehículo L3 a la Luna, para lo que contaría con un único motor NK-21, cuyo empuje de 40,8 Tm se podría encender durante más de 600 segundos. La quinta etapa, o Bloque D, iría propulsada por un único motor RD-58, de encendido múltiple, fabricado en la planta industrial de Voronezh. El cometido de esta etapa era efectuar las correcciones de medio curso, frenar a la entrada en órbita lunar y frenar nuevamente para el aterrizaje del vehículo LK.

El vehículo orbital LOK sería una versión mejorada y ampliada de las cosmonaves *Soyuz* y *Zond*, a las que se les había substituido los paneles solares por células de combustible. Tendría capacidad para

---

[277] El tamaño de las toberas favorece la expansión y, por tanto, el empuje, pero aumenta la masa.

ALBERTO MARTOS

dos cosmonautas, el comandante de la expedición y el piloto, y se compondría de tres módulos: uno de atraque (SU[278]) en el que no se había previsto la escotilla de paso al vehículo lunar, un compartimiento motor (DOK[279]) provisto de 24 motores de propulsión y de orientación (vernier) para maniobras orbitales y un habitáculo (BO[280]) con capacidad de sustentar la vida de dos cosmonautas durante un mes. Sobre este vehículo iría instalado el cohete de escape (SAS) para emergencia durante el lanzamiento.

El vehículo lunar LK transportaría a un cosmonauta a la superficie. Como no disponía de túnel de intercomunicación con la LOK, el transbordo se efec-

Foto 62. Ensamblaje del lanzador N-1. Las cinco etapas del cohete N-1, más el vehículo lunar L3, se ensamblaban en un taller situado en el cosmódromo de Baikonur. Obsérvense los 30 motores del Bloque A dispuestos en dos círculos concéntricos de 24 y 6 unidades, así como los conductos de aire que componen el estatorreactor.

[278] Siglas de *Stikovochniy Uzel* (mecanismo de atraque).
[279] Siglas de *Dvigateliy Orbitalniy Kompleks* (grupo de motores orbitales).
[280] Siglas de *Bitovoy Otsek* (compartimiento habitable).

tuaría como paseo espacial. El desacoplo con las naves LOK se efectuaría por medio del último disparo del motor de encendido múltiple del Bloque D. Seguidamente aterrizaría en la Luna por sus propios medios y su único cosmonauta, el comandante[281], izaría la bandera soviética, efectuaría una labor de reconocimiento y toma de muestras y regresaría a su nave para despegar y acoplarse a la nodriza LOK. Una vez efectuado el transbordo mediante un segundo paseo espacial, la cosmonave LOK encendería su motor de propulsión y su empuje de 90 Tm-f los devolvería a la Tierra[282].

El tendón de Aquiles de este, por lo demás formidable lanzador, era doble: la dificultad para ajustar el funcionamiento de la complicada red de tuberías que alimentaban los treinta motores de la primera etapa y la falta de rigidez propia de una estructura multimodular, que tendría propensión a oscilar longitudinalmente durante las sacudidas propias del lanzamiento. Si a estos riesgos se les añade

---

[281] Desaparecidos Komarov y Gagarin, se esperaba que el primer hombre que pisara el suelo lunar fuera Alexei Leonov.

[282] Es claro que el viaje planeado por los soviéticos era una combinación de los métodos EOR y LOR que hemos descrito en el capítulo anterior. El lector que nos haya seguido hasta aquí estará en condiciones de comprender que la maniobra LOR habría requerido una tecnología de la que carecía la URSS en aquella época, en la que sus comunicaciones espaciales por radio eran analógicas. A nuestro modesto entender, el riesgo de no encontrar a su nave nodriza al despegar, que hubiera corrido el osado cosmonauta que hubiera puesto pie en la Luna, habría sido demasiado alto. Esta es la razón por la que creemos que los asesores del Presidente Kennedy le aconsejaron poner un hombre en la Luna como "algo que los rusos no pudieran hacer".

la penuria económica para realizar pruebas en que se desarrolló todo el Proyecto N1-L3 y las prisas de los dirigentes políticos para adelantarse al Proyecto *Apollo*, uno puede predecir cuál sería el resultado final.

La cortedad económica dio al traste con el propósito de celebrar el cincuentenario de la Revolución Marxista con el lanzamiento del primer N1, en octubre de 1967. Pero el accidente de la expedición Apollo-1, ocurrido en Febrero de ese año, y el retraso de 18 meses en la reanudación de los lanzamientos, hasta corregir los defectos de la nave *Apollo*, dieron un respiro a los ingenieros soviéticos para mantener la esperanza de adelantarse a la expedición *Apollo*-11. Aun así, los inconvenientes y los accidentes que hemos venido relatando al lector retardaron la primera prueba de viaje lunar no tripulado hasta el 29 de febrero de 1969, cuando ya la expedición *Apollo*-8 había circunvolado la Luna y regresado felizmente a casa dos meses antes.

Con la excitación comprensible, pues se aprovechaba el último día de la ventana de lanzamiento, la cuenta atrás debía llegar al despegue a las 12:18:07 TL. En prevención de otro accidente se había evacuado las viviendas de trabajadores más próximas, bajo la máxima (curiosa) de que "A quien se cuida Dios le cuida[283]". A la hora exacta, los 30 motores del Bloque A entraron en ignición y sus achicharrantes exhaustaciones volatilizaron algunos centímetros del pavimento de la plataforma. El gigante se elevó vomitando un penacho de fuego dos veces más largo que su fuselaje… pero inmediatamente comenzaron las oscilaciones. A los 68 segundos se rompió una de las tuberías de propergol, con lo que

---

[283] *Berezhnogo Bog berezhet.*

7 décimas más tarde surgió una llamarada transversal y el sistema de seguridad lo hizo estallar a los 70 segundos de vuelo, cuando había alcanzado 12.200 m de altitud. Sus restos cayeron a 52 Km de Baikonur, pero el cohete de escape funcionó perfectamente, salvando la nave lunar. La pesadumbre se apoderó de todo el personal técnico.

No obstante, todavía disponían de un segundo cohete, instalado en la segunda plataforma, por lo que quedaban esperanzas. Mientras se aceleraban las pruebas y los retoques, a primeros de marzo voló la expedición *Apollo*-10. El vuelo definitivo, *Apollo*-11, era inminente. A toda prisa se preparó el lanzamiento del N-1 para el día 3 de julio, dos semanas antes de que despegaran Armstrong, Aldrin y Collins. En esta ocasión, la falta de ensayos jugó la baza nefasta: a los 20 segundos del despegue, un enorme tornillo suelto fue a parar a una de las bombas de inyección, obstruyéndola. Al detectar el fallo de la bomba, el sistema automático de control apagó 29 de los 30 motores del Bloque A, dejando al coloso sin empuje y este se precipitó sobre la rampa de lanzamiento destruyéndola y destruyéndose a sí mismo, en "la mayor explosión que registra la historia de la astronáutica".

Pero la Unión Soviética aún tenía una carta que jugar en esta carrera a la Luna. El lector recordará que los astronautas de la expedición *Apollo*-11 fueron informados desde Houston de que por delante de ellos, volaba rumbo al Mar de las Crisis la nave cósmica *Luna*-15, lanzada el 13 de julio, tres días antes de que despegaran ellos. Y que, bajo solicitud del astronauta Francis Borman (comisionado al respecto) para evitar interferencias en las comunicaciones por radio, la URSS había aceptado aplazar las operaciones de esta nave hasta que los astronautas yanquis abandonaran el teatro lunar.

Pues bien, dos horas antes del despegue de la *Eagle*, la URSS anunció que reanudaba las actividades con la sonda *Luna*-15. Era la primera vez que los soviéticos intentaban el aterrizaje desde órbita lunar, pues todos los anteriores habían sido por vuelo directo y en los Estados Unidos todo el mundo se preguntaba porqué precisamente ahora.

El Centro Director de Vuelos de la URSS envió una orden a la nave, cuando iniciaba su órbita número 52. Como resultado, esta encendió el motor de frenado e inició una trayectoria espiral descendente sobre su blanco, muy lejos del Mar de la Tranquilidad. Pero por nueva desgracia, algo funcionó mal y el contacto con la nave se perdió a los cuatro minutos de iniciar el descenso. Probablemente se estrelló contra los abruptos alrededores del Mar de las Crisis.

La explicación que se ha conocido después es que la sonda *Luna*-15 debía adelantarse a los yanquis en la recogida y traída a la Tierra de muestras lunares, mediante un proyecto miles de veces más barato que el *Apollo* y que no implicaba riesgo de vidas humanas. Así, los soviéticos jugaban una nueva carta en la carrera espacial, tratando de desempeñar un cometido decoroso que les condujera a obtener resultados equiparables a los de sus rivales, si bien desprovistos de los oropeles que suponían el desembarco humano en nuestro satélite. Desgraciadamente, el resultado les fue adverso también en esta ocasión.

Tablas cronológicas

Vuelos tripulados Apollo

Nombre	Fecha	Tripulación	Dura-ción	Lanza-dera	Órbita lunar	Superf./ EVA	Objetvo
Apollo-1	21-Feb-1967	V. Grissom E. White R. Chaffee	00d 00h	Saturn-1B	00h	00h 00h	Accidente mortal durante la prueba de funcionamiento de la cabina.
Apollo-7	11-Oct-1968	W. Schirra D. Eisele R. Cunningham	10d 20h	Saturn-1B	00h	0h 0h	Prueba orbital de la nueva Cabina de Mando (CM), cuya puerta se abría ahora hacia fuera.
Apollo-8	21-Dic-1968	F. Borman J. Lovell W. Anders	06d 03h	Saturn-V	20h 10m	0h 0h	Primer vuelo del CSM (sin LM) en órbita lunar. Prueba de regreso (TEI) y reentrada desde la Luna.
Apollo-9	03-Mar-1969	C. Conrad D. Scott R. Schweickart	10d 01h	Saturn-V	00h	0h 0h	Prueba de los dos vehículos CSM y LM en órbita terrestre. No se ensayó el encuentro entre ambos.
Apollo-10	18-May-1969	E. Cernan J. Young T. Stafford	08d 00h	Saturn-V	02d 13,5h	0h 0h	Ensayar maniobras de desatraque, descenso (sin aterrizaje), ascenso, encuentro y atraque en órbita lunar.
Apollo-11	16-Jul-1969	N. Armstrong M. Collins E. Aldrin	08d 03h	Saturn-V	02d 11,5h	21h 31m 02h 36m	Primer aterrizaje. Mar de la Tranquilidad. Recogida de 20 Kg de rocas lunares. Despliegue de EASEP.
Apollo-12	14-Nov-1969	C. Conrad R. Gordon A. Bean	10d 04,5h	Saturn-V	03d 17h	01d 07,5h 07h 45m	Aterrizaje en el Mar Conocido junto al Lunar Surveyor 3. Recogida de la cámara y de 31 Kg de rocas lunares. Despliegue de ALSEP-1.
Apollo-13	11-Abr-1970	J. Lovell J. Swigert F. Haise	05d 23h	Saturn-V	00h 00m	00h 00m 00h 00m	Aterrizaje suprimido debido a una explosión abordo durante la trayectoria translunar. Regreso feliz.

VUELOS TRIPULADOS *APOLLO (Cont.)*

NOMBRE	FECHA	TRIPULACIÓN	DURA-CIÓN	LANZADOR	ÓRBITA LUNAR	SUPERF./ EVA	OBJETIVO
Apollo-14	31-Ene-1971	A. Shepard S. Roosa E. Mitchell	09d 00h	*Saturn*-V	02d 18,5h	01d 9,5h 09h 22,5m	Aterrizaje en Fra Mauro. Uso de la carretilla lunar. Recogida de 42 Kg de rocas. Despliegue de ALSEP-2.
Apollo-15	26-Jul-1971	D. Scott A. Worden J. Irwin	12d 07h	*Saturn*-V	06d 01h	02d 19h 18h 35m	Aterrizaje en el Valle Hadley. Uso del primer automóvil lunar (28 Km). Recogida de 76 Kg de rocas lunares (Génesis). Despliegue de ALSEP-3. Lanzamiento del subsatélite-1.
Apollo-16	16-Abr-1972	J. Young K. Mattingly C. Duke	11d 02h	*Saturn*-V	05d 06h	02d 23h 20h 14m	Aterrizaje en Descartes. Depósito de la primera cámara-espectrógrafo UV. Segundo automóvil lunar (11,4 Km). Despliegue de ALSEP-4. Recogida de 96 Kg de rocas. Lanzamiento del subsatélite-2.
Apollo-17	07-Dic-1972	E. Cernan R. Evans H. Schmitt	12d 14h	*Saturn*-V	06d 04h	03d 03h 22h 04m	Aterrizaje en Taurus-Littrow. Primer científico en la Luna (Schmitt). Tercer automóvil lunar (30,5 Km). Recogida de 110 Kg de rocas. Despliegue de ALSEP-5.

ACTIVIDAD SOVIÉTICA RELACIONADA CON LA LUNA

NOMBRE	FECHA	TRIPULACIÓN	DURACIÓN	LANZA-DERA	OBJETIVO
Soyuz-1	23-Abr-1067	V. Komarov	01d 02h 48m	Soyuz	Encuentro y atraque con Soyuz-2. La tarea fue abortada por el mal funcionamiento de la nave. El paracaídas falló y se estrelló al aterrizar. El piloto pereció en el accidente.
Luna-14	07-Abr-1968	No tripulada	—	Molniya	Estudio de la Luna y su entorno desde órbita.
Zond-5	15-Sep-1968	No tripulada	07d		Vuelo circunlunar, toma de fotos, estudio orbital, regreso y aterrizaje.
Soyuz-2	25-Oct-1968	No tripulada	02d 22h 51m	Soyuz	Lanzada sin tripulación como blanco de encuentro y atraque.
Soyuz-3	26-Oct-1968	G. Beregovoi	03d 2h 51m	Soyuz	Encuentro y atraque con Soyuz-2. El encuentro tuvo éxito pero el acoplamiento falló. Se culpó a Beregovoi por este fracaso.
Zond-6	10-Nov-1968	No tripulada	05d 19h 00m	Proton	Segundo vuelo circunlunar portando seres vivos, toma de fotos, regreso y aterrizaje. La cabina se despresurizó a la reentrada, muriendo todos los especímenes biológicos. Los paracaídas fallaron y la nave se estrelló.
Soyuz-4	14-Ene-1969	V. Shalatov A. Eliseev E. Jrunov	02d 23h 21m	Soyuz	Pilotada solamente por Shalatov al lanzamiento. Encuentro y atraque con Soyuz-5. Transferencia de dos cosmonautas, Eliseev y Jrunov, y descenso.
Soyuz-5	15-Ene-1969	B. Volynov A. Eliseev E. Jrunov	03d 00h 54m	Soyuz	Encuentro y atraque con Soyuz-4. Transferencia de dos cosmonautas, Eliseev y Jrunov, y descenso solo con Volynov.
N-1	21-Feb-1969	No tripulado	00h 01m 09s	—	Primer lanzamiento de prueba. Rotura de un conducto de gas debido a vibraciones. Hubo que hacerlo estallar a 12 m del suelo.
Luna-15	13-Jul-1969	No tripulada	08d	Molniya	Aterrizaje en la Luna (antes que Apollo11). Toma de muestras y traída a la Tierra. Se estrelló en el Mar de las Crisis.

ACTIVIDAD SOVIÉTICA RELACIONADA CON LA LUNA *(Cont.)*

Nombre	Fecha	Tripulación	Duración	Lanza-dera	Objetivo
N-1	03-Jul-1969	No tripulado	00h 00m 29s	—	Segundo lanzamiento de prueba. Fallo de la bomba de propergol y parada de 29 de los 30 motores. El cohete cayó sobre la torre de lanzamiento y explotó destrozándola.
Zond-7	07-Ago-1969	No tripulada	07d	Satélite nodriza	Tercer vuelo circunlunar, toma de fotos, estudio orbital, regreso y aterrizaje. Sin incidentes.
Soyuz-6	11-Oct-1969	G. Shonin V. Kubasov	04d 22h 43m	Soyuz	Filmar y fotografiar el encuentro y atraque de las cosmonaves *Soyuz-7* y *Soyuz-8*. Fallo el mecanismo de atraque, comprometiendo el programa de desembarco en la Luna.
Soyuz-7	12-Oct-1969	A. Filipchenko V. Volkov V. Gorbatko	04d 22m 40s	Soyuz	Encuentro y atraque con *Soyuz-8*. Fallo del mecanismo de atraque, comprometiendo el programa de desembarco en la Luna.
Soyuz-8	13-Oct-1969	V. Shalatov A. Eliseev	04d 22h 51m	Soyuz	Encuentro y atraque con *Soyuz-7*. Fallo del mecanismo de atraque, perjudicando el programa de desembarco en la Luna.
Luna-16	12-Sep-1970	No tripulada	12d	Proton	Primera sonda en aterrizar en la Luna, tomar muestras del suelo (del Mar de la Fertilidad) y regresar con ellas a la Tierra.
Zond-8	20-Oct-1970	No tripulada	07d	Satélite nodriza	Cuarto vuelo circunlunar, toma de fotos, estudio orbital, regreso y aterrizaje. Sin incidentes.
Luna-17	10-Nov-1970	No tripulada	322d	Proton	Aterrizaje en la Luna. Primer robot automóvil, *Lunojod-1*, equipado para explorar y analizar la superficie (del Mar de las Lluvias).
N-1	27-Jun-1971	No tripulado	00h 00m 51s	—	Tercer lanzamiento de prueba. Giro incontrolable al despegue y explosión a 1.000 m de altura.

ACTIVIDAD SOVIÉTICA RELACIONADA CON LA LUNA (*Cont.*)

NOMBRE	FECHA	TRIPULACIÓN	DURACIÓN	LANZA-DERA	OBJETVO
Luna-18	02-Sep-1971	No tripulada	09d	*Proton*	Aterrizaje en la Luna para tomar muestras y traerlas a la Tierra. Se estrelló en el Mar de la Fertilidad.
Luna-19	28-Sep-1971	No tripulada	388d	*Proton*	Estudio de la Luna y su entorno desde órbita.
Luna-20	14-Feb-1972	No tripulada	11d	*Proton*	Segunda sonda en aterrizar en la Luna, tomar muestras del suelo (del Mar de la Fertilidad) y regresar con ellas a la Tierra.
N-1	23-Nov-1972	No tripulado	00h 01m 47s	—	Cuarto y último lanzamiento de prueba. Oscilaciones longitudinales que cortaron el encendido a 40 Km de altura. Explosión del motor número 4. El cohete se desintegró.
Luna-21	08-Ene-1973	No tripulada	146d	*Proton*	Aterrizaje en la Luna. Segundo robot automóvil, *Lunojod-2*, equipado para explorar y analizar la superficie (del circo Le Monier).
Luna-22	02-Jun-1974	No tripulada	521d	*Proton*	Estudio de la Luna y su entorno desde órbita.
Luna-23	28-Oct-1974	No tripulada	12d	*Proton*	Aterrizaje en la Luna para tomar muestras del suelo (del Mar de la Fertilidad) y regresar con ellas a la Tierra. Durante el aterrizaje resultó dañado el mecanismo excavador y no pudo haber toma de muestras.
Luna-24	14-Ago-1976	No tripulada	13d	*Proton*	Tercera sonda que aterrizó en la Luna, tomó muestras del suelo (del Mar de las Crisis) y regresó con ellas a la Tierra.
Soyuz-9	01-Jun-1970	A. Nikolaev V. Sebastyanov	17d 06h 59m	*Soyuz*	Vuelo de larga duración en preparación para la Estación Espacial *Salyut*.
Soyuz-10	23-Abr-1971	V. Shalatov A. Eliseev N. Rukavishnikov	01d 23h 45m	*Soyuz*	Intento de atraque en la Estación Espacial Salyut. El fallo del mecanismo impidió que los cosmonautas abordaran la Estación.
Soyuz-11	06-Jun-1971	G. Dobrovolski V. Volkov V. Patsaev	23d 18h 22m	*Soyuz*	Primera cosmonave que consigue atracar en la Estación Espacial *Salyut*. Al regreso, el fallo de la escotilla produjo la muerte de la tripulación por embolia.

Glosario

Acelerómetro.- Instrumento de navegación capaz de detectar cambios de velocidad, tanto en magnitud como en dirección. El acelerómetro más sencillo es un péndulo.

Acreción.- Agregación de cuerpos menores para formar cuerpos mayores. Referente al Sistema Solar significa agregación de planetésimos para formar planetas.

Afelio.- Punto de una órbita planetaria más lejano del Sol.

Aleta de tobera.- Aletas orientables que se colocan delante de la tobera de salida para desviar el chorro de gases y alterar con ello la trayectoria de un vehículo espacial cuando viaja por la alta atmósfera o por encima de la atmósfera. Cumplen el mismo cometido que la aleta del timón en los aviones.

Ángulo de navegación.- Cada uno de los tres grados de libertad que posee un vehículo volador: cabeceo, balanceo y deriva.

Anomalía verdadera.- Ángulo que forma el radio vector de un astro con el radio vector que une el foco primario y el periastro.

Apoastro.- Punto de una órbita elíptica más lejano del astro primario.

Balanceo.- Movimiento de rotación alrededor del eje longitudinal de un vehículo volador.

Bomba atómica.- Proyectil que utiliza la energía intraató-
mica de los elementos radiactivos pesados, merced a una reacción en cadena no controlada en la que los neutrones que
produce la fisión de un átomo de uranio o plutonio provocan
la escisión de otros átomos colindantes y así sucesivamente.
La gran energía liberada se obtiene de la diferencia de masa
entre los átomos radiactivos originales y los productos de la
reacción, multiplicada por cuadrado de la velocidad de la luz.
Los residuos resultantes son altamente radiactivos.

Bomba termonuclear.- Proyectil que emplea la energía de
fusión de cuatro átomos de hidrógeno (protones) al producir
helio. La enorme energía que desarrolla se obtiene de la diferencia de masa entre los cuatro átomos de hidrógeno intervinientes y la masa del átomo de helio sintetizado (más dos
protones resultantes), multiplicada por el cuadrado de la velocidad de la luz. Inicialmente es preciso aportar una gran
cantidad de energía en forma de calor (y de ahí la denomina-
ción termonuclear) para aproximar y hacer reaccionar a los
protones entre sí, por lo que se suele utilizar como cebador
una bomba atómica de fisión.

Cabeceo.- Movimiento de rotación alrededor del eje transversal de un vehículo volador.

Calendario lunar.- Calendario de origen egipcio que se regía por las fases de la Luna en lugar de hacerlo por los movimientos del Sol. Constaba de doce meses de treinta días,
por lo que resultaba cinco días más corto que el año solar.
Este inconveniente se eliminó añadiendo cinco días intercalares al año lunar. Reminiscencias del antiguo calendario lunar son la semana y la Pascua.

Calendario lunisolar.- Antiguo calendario de origen babilónico que se regía por las fases de la Luna (semanas), sobre
la base de que la lunación dura 29,5 días. El año se dividía
así en doce meses lunares de 29 y 30 días, por lo que resultaba corto en 11 días con respecto al año solar. Para corregir
esta diferencia, se utilizaban ciclos de tres años en los que se
añadía un mes intercalar. Otros ciclos más exactos utilizaban
bases de ocho y diecinueve años.

Calendario solar.- Calendario que utiliza el movimiento aparente del Sol alrededor de la Tierra para efectuar el cómputo del tiempo. Nuestro año trópico gregoriano se define como el tiempo que invierte el Sol en pasar dos veces consecutivas por el mismo equinoccio y conserva la estructura semanal del calendario lunar, con meses "artificiales" de 30 y 31 días, menos febrero, que posee 27 salvo los años bisiestos, en los que se le añade un día intercalar.

Cavitación.- Fenómeno fluidodinámico que surge cuando un sólido se mueve a gran velocidad por el seno de un fluido. Si la velocidad del móvil con respecto al fluido (o del fluido con respecto al móvil) es muy alta, o la viscosidad del fluido muy elevada, este no tiene tiempo para rellenar el hueco que deja el móvil al desplazarse y forma una cavidad temporal (burbuja) que tiende a decelerar el movimiento del móvil por succión.

Cohete.- Vehículo propulsado por un motor de reacción.

Cohete estratosférico.- Cohete provisto de su propio combustible y comburente para volar por la estratosfera, o por el espacio exterior.

Conjunción planetaria.- Posición de dos astros cuando se hallan a su distancia angular mínima vistos desde un tercer astro, generalmente la Tierra. Un planeta interior está en conjunción inferior con el Sol, cuando se halla exactamente entre la Tierra y el Sol. Un planeta está en conjunción superior cuando el Sol se halla situado exactamente entre el planeta y la Tierra. Los planetas exteriores solamente pueden situarse en conjunción superior.

Cosmogonía.- Rama de la cosmología que estudia el origen del Universo.

Cosmología.- Rama de la astronomía que estudia el Universo y las leyes que lo rigen.

Declinación.- Coordenada celeste equivalente a la latitud geográfica en la Tierra (distancia al ecuador celeste medida en grados de meridiano celeste).

Delta v (Δv).- Corrección del vector velocidad (es decir, de su magnitud y dirección) de un vehículo espacial.

Deriva.- Movimiento de rotación alrededor del eje vertical de un vehículo volador.

Distancia angular.- Arco de círculo máximo que subtienden dos astros, vistos desde la Tierra.

Eclíptica.- Trayectoria anual aparente del Sol alrededor de la Tierra, por el zodíaco. Realmente es la trayectoria de la Tierra alrededor del Sol.

Elipse.- Lugar geométrico de los puntos del plano cuya suma de distancias a otros dos fijos y coplanarios, llamados focos, es constante.

Empuje.- Esfuerzo que producen los gases de salida de un motor de reacción sobre el cohete que los expulsa, según el principio de acción y reacción (3ª ley de Newton).

Ergol.- Substancia homogénea que se utiliza junto con otras para producir energía calorífica mediante reacción química exotérmica, generalmente de oxidación. La substancia oxidante se denomina comburente y la oxidada, combustible.

g.- Valor de la gravedad en la superficie de la Tierra (al nivel del mar), 9,8 m/s^2.

Giroscopio.- Instrumento de navegación capaz de mantener fija la orientación de su eje, gracias a la conservación del momento angular de un tambor que gira a alta velocidad. Montado con un grado de libertad (en balancín), responde a las alteraciones externas del eje de giro mediante precesión del mismo en un plano perpendicular (leyes 2 y 3 de Newton). Este movimiento sirve para detectar y medir los cambios de rumbo de un vehículo.

Hard landing.- Aterrizaje en la superficie de la Luna o de otro planeta mediante percusión, lo que conlleva la destrucción del vehículo (p. e., *Lunik* o *Ranger*). La parte útil de estos vuelos queda restringida a la de aproximación, por lo que solamente se utilizaron en los primeros vuelos de exploración, debido a que esta trayectoria es la más sencilla de ejecutar, porque requiere menos maniobras. Véase también *Soft Landing*.

Hipérbola.- Lugar geométrico de los puntos del plano cuya diferencia de distancias a dos puntos fijos de dicho plano, llamados focos, es constante.

ICBM.- Siglas de *Intercontinental Ballistic Missile* (misil balístico intercontinental).

Joystick.- O palanca de mando. Palanca articulada mediante una rótula universal que le permite dos grados de libertad (adelante-atrás e izquierda-derecha), con la que se puede mantener instintivamente el equilibrio de una aeronave.

Kg-f.- Kilogramo-fuerza. Fuerza que aplicada a una masa de un Kg-m produce una aceleración de 1 m/s^2. Es la unidad en que se mide el empuje de un motor de reacción.

Kg-m.- Kilogramo-masa. Masa de un objeto que pesa un Kg. Se usa en astronáutica en lugar del peso, en favor de los casos de ingravidez y de gravedad distinta de la terrestre.

Lazo retrógrado.- Fenómeno idéntico al que contempla un automovilista que circula por el carril rápido de una autopista de varios carriles y ve moverse hacia atrás a todos los vehículos que adelanta. Cuando la Tierra, en su periplo alrededor del Sol, alcanza y rebasa a un planeta exterior que se mueve (más despacio que ella) de Oeste a Este con respecto a las estrellas, dicho planeta parece moverse en sentido contrario (de Este a Oeste).

Mach.- Número que indica la razón entre la velocidad de un vehículo que se mueve en el seno de un fluido y la del sonido en ese mismo fluido e idénticas condiciones físicas.

Maniobra de medio camino (MCC).- Corrección de velocidad (Δv) que se ejerce durante un viaje interplanetario para refinar la trayectoria con respecto a la posición del blanco. Se lleva a cabo orientando el vehículo con los motores de maniobra en la dirección conveniente y encendiendo el motor principal durante un tiempo breve para modificar así ligeramente la velocidad en magnitud (acelerando o frenando) y dirección (ajustando el apogeo).

Maniobra de orientación.- La que se efectúa con los motores de orientación, sin alterar la velocidad del vehículo.

Maniobra espacial.- Cambio que se efectúa en la velocidad (maniobra tipo Δv) o en la orientación (maniobra de orientación) de un vehículo espacial.

Misil.- Cohete portador de cargas militares, con capacidad de auto-orientarse y auto-guiarse, generalmente por medio de sistemas inerciales, sin necesidad de información desde el exterior. Véase también ICBM.

Motor vernier.- Motor de menor tamaño que los principales que impulsan a un vehículo espacial, montado sobre un balancín (cardan), cuya misión consiste en mantener la orientación de un vehículo durante el lanzamiento.

Motores de maniobra.- Motores de bajo empuje que actúan sobre grupos de toberas orientadas según los ejes de un vehículo, que funcionan emparejados y en sentidos opuestos para producir un par de fuerzas que obliga al vehículo a girar en torno a uno de dichos ejes, sin afectar a su movimiento de translación.

Navegación inercial.- Método de gobierno de un vehículo cualquiera que no precisa información del exterior, sino que es capaz de calcular su posición integrando medidas de aceleración en tres ejes (navegación aérea y espacial), o en dos ejes (navegación terrestre y marítima). Requiere el uso de acelerómetros (que midan los cambios del vector velocidad), giroscopios (que midan los cambios de orientación del vehículo), un calculador (para integrar las aceleraciones medidas a lo largo del tiempo de vuelo) y sistemas actuadores (volantes de inercia y motores de maniobra) que corrijan las perturbaciones del vuelo.

Nebulosa primordial.- Nube de polvo y gases producida por una explosión de supernova, a partir de la cual se formó el Sistema Solar, primeramente por condensación en los planetésimos y finalmente, hace 4600 millones de años, por acreción de los mismos.

Oposición planetaria.- Posición de un planeta exterior cuando la Tierra se halla interpuesta exactamente entre este y el Sol. Coincide con el punto de distancia mínima a la Tierra. Obviamente, los planetas interiores no pueden pasar por oposición.

Órbita circular.- Aquélla cuyos puntos están a la misma distancia del centro de masa del astro primario. En el caso de la Tierra, es aquélla cuyos puntos están a la misma altitud sobre el nivel medio del mar. Al no haber variaciones de altura, la órbita circular es la de energía mínima a la altitud considerada, a la que se equilibra la atracción gravitatoria con la aceleración circular. Véase también velocidad circular.

Órbita ecuatorial.- Aquélla cuya inclinación con respecto al ecuador del astro primario es de 0°, o muy próxima a este valor, de modo que el vehículo sobrevuela la línea ecuatorial de dicho astro.

Órbita elíptica.- Trayectoria cerrada en forma de elipse que sigue un vehículo espacial alrededor de su astro primario, situado en uno de los focos, cuando su velocidad es mayor que la velocidad circular, pero inferior a la velocidad de escape. Se separa de él en el apoastro y se aproxima a él en el periastro, sin llegar a escapar nunca. Es así mismo la trayectoria que siguen todos los cuerpos del Sistema Solar en su movimiento alrededor del Sol, que ocupa uno de los focos. Véase también velocidad elíptica.

Órbita geoestacionaria.- Órbita ecuatorial circular para la que la velocidad angular es idéntica a la de rotación de la Tierra.

Órbita hiperbólica.- Es la trayectoria abierta que sigue un vehículo espacial que se mueve a velocidad superior a la velocidad parabólica. Véase también velocidad hiperbólica.

Órbita parabólica.- Es la trayectoria abierta que sigue un vehículo espacial que se mueve a la velocidad de escape de su astro primario. Se trata de un caso particular de la órbita elíptica, en el que el foco vacío se encuentra en el infinito. Ver también velocidad parabólica.

Órbita polar.- Aquélla cuya inclinación con respecto al ecuador del astro primario es de aproximadamente 90°, de modo que el vehículo sobrevuela ambos polos en cada revolución.

Parábola.- Lugar geométrico de los puntos del plano que equidistan de otro punto fijo coplanario, llamado foco, y de una recta también coplanaria llamada directriz.

Periastro.- Punto de una órbita elíptica más próximo al astro primario. Ej., perihelio (al Sol), perigeo (a la Tierra).

Periodo sidéreo.- Tiempo que invierte un planeta en completar una revolución por el zodíaco.

Periodo sinódico.- Tiempo que invierte un planeta en pasar dos veces consecutivas por su distancia mínima a la Tierra. En el caso de un planeta interior es el tiempo que invierte en pasar dos veces consecutivas por su conjunción inferior. En el caso de un planeta exterior es el tiempo que tarda en pasar dos veces consecutivas por su oposición.

Planetésimos.- Pequeños cuerpos de roca y hielo formados por las partículas en que se condensó la nebulosa primordial. Sirvieron como material de acreción a los planetas.

Propergol.- Conjunto de ergoles combustible y comburente.

Propulsión por chorro.- Método de propulsión mediante el cual se impulsa un vehículo hacia delante, como reacción a la eyección de masa material fluida hacia atrás.

Punto neutro.- Punto situado entre dos astros, en el que se equilibran las fuerzas gravitatorias respectivas.

Puntos de Lagrange.- Cada uno de los cinco puntos que existen en un sistema de dos astros, donde las fuerzas gravitatorias se equilibran con las del movimiento orbital, por lo que en ellos un satélite artificial puede permanecer estacionario con respecto a los dos astros mayores.

Radio vector.- Línea imaginaria que une un astro con el foco principal de su órbita.

Reacción exotérmica.- Aquélla que desprende energía, generalmente por oxidación de un combustible en atmósfera comburente (oxidante).

Sistema de guiado.- Dispositivo que permite a un vehículo mantener la trayectoria prefijada. Consta de elementos sensores (acelerómetros y giroscopios), unidad de proceso (ordenador) y actuadores (motores de maniobra y volantes de inercia). Durante la fase de vuelo propulsado (el lanzamiento) los actuadores actúan directamente sobre el motor principal (regulador de inyección y aletas de tobera).

Sistema de navegación inercial.- Equipo para navegar por el espacio sin necesidad de información del exterior. Consta de elementos sensores (acelerómetros y giroscopios), unidad de proceso (ordenador) y actuadores (volantes de inercia y motores de maniobra).

Regolita.- Capa poco compacta de hasta 12 m de espesor y formada por materiales triturados y revueltos por el bombardeo meteorítico, que cubre la superficie lunar.

Regulador de inyección.- Válvula que regula el flujo de cada ergol a la cámara de combustión, para equilibrar el empuje de los distintos motores de un lanzador.

Retrocohete.- Motor de reacción que impulsa en sentido contrario a la marcha. Se suele utilizar para reducir la velocidad y para aterrizar.

Soft Landing.- Aterrizaje en la Luna u otro planeta mediante descenso gobernado y toma de tierra sin choque destructivo. En los planetas dotados de atmósfera, la técnica de deceleración puede completarse con aerofrenado y paracaídas. En la Luna únicamente se puede efectuar mediante retrocohetes.

Tiempo Universal (T.U.).- Es la hora solar en el meridiano 0° (de Greenwich).

Tobera.- Conducto de salida de los gases de la cámara de combustión de un motor de reacción. Arranca de una espita de salida de la cámara de sección pequeña, para permitir que se eleve la presión de los gases y continúa en sección creciente para permitir la expansión de los gases sin que se produzca régimen turbulento.

Trayectoria de Transferencia de Hohmann.- Trayectoria más económica que puede seguir un vehículo espacial para pasar de una órbita a otra cualesquiera. Consiste en una elipse que tiene el periastro en la órbita inferior y el apoastro en la órbita superior.

Velocidad circular.- Es aquélla que es menester conferir a un vehículo en sentido tangencial, para que la aceleración centrífuga circular equilibre exactamente a la aceleración de la gravedad a la altitud considerada, en todos los puntos de la trayectoria. En la Tierra, para una altitud de 300 Km la velocidad circular vale 7,91 Km/s. Véase también órbita circular.

Velocidad de escape.- Es aquélla que necesita un vehículo para escapar del campo gravitatorio terrestre y convertirse en planeta artificial, en órbita circular (a la velocidad mínima) alrededor del Sol. Su valor desde una órbita de 300 Km de radio alrededor de la Tierra es de 11,2 Km/. Se la conoce también como **velocidad parabólica** y se calcula multiplicando el valor de la velocidad circular por la raíz cuadrada de dos.

Velocidad elíptica.- Es aquélla que lleva un vehículo espacial superior a la velocidad circular e inferior a la velocidad parabólica. Véase órbita elíptica.

Velocidad hiperbólica.- Se llama así a cualquier velocidad superior a la de escape del astro primario. Véase órbita hiperbólica.

Velocidad parabólica.- Véase velocidad de escape.

Ventana de lanzamiento.- Periodo de tiempo durante el cual se puede efectuar el lanzamiento de un vehículo espacial, para que llegue a su destino en el momento adecuado para cumplir su cometido.

Bibliografía

ARISTÓTELES. *Física. Científicos Griegos*. Tomo I. Editorial Aguilar.

---. *Metafísca. Colección Austral*. Volumen 393. Editorial Espasa Calpe.

BERGUA, J. B. *El Corán. Colección El Tesoro Literario*. Vol. 22. Ediciones Ibéricas.

---. *Mitología Egipcia. Mitología Universal*. Vol. 2. Ediciones Ibéricas.

CAIDIN, M. *La Luna: un nuevo mundo para el hombre*. Ed. Toray.

CHAIKIN, Andrew. *A man on the Moon*. Penguin Books.

Cicerón, Marco Tulio. *Sobre la República*. Colección B. C. G., vol. 72. Editorial Gredos.

COPÉRNICO, Nicolás. *Sobre las Revoluciones del los Orbes Celestes*. Traducido por C. Mínguez y D. Testal. Vol. 13. Editora Nacional.

CORTRIGHT, E. M. (editor). *Apollo expeditions to the Moon*. NASA SP-350.

DREYER, J. L. E. *A History of Astronomy from Thales to Kepler*. Editorial Dover.

ELENA, Alberto. *Las Quimeras de los Cielos*. Editorial Siglo XXI.

FALQUE, Jean Claude; Humber-Droz Swezey, Annie. *Gran Atlas del Espacio*. Editorial EBRISA.

FERNÁNDEZ DE CASTRO, Telmo. *Historias del Universo*. Editorial Espasa Calpe.

GALILEI, Galileo. *Consideraciones y demostraciones matemáticas sobre dos nuevas ciencias*. Col. U. Vol. 10. Editora Nacional.

GAMOW, G. *Biografía de la Física*. Vol. 11. Biblioteca General Salvat.

GATLAND, Kenneth. *Enciclopedia Ilustrada de la Exploración del Espacio*. Edit. Quarto.

HAN, M. Y. *La vida secreta de los cuantos*. Colección Divulgación Científica. Edit. McGraw Hill.

HEATH, Thomas L. *Greek Astronomy*. Editorial Dover.

HERNÁNDEZ, Jesús. *Breve Historia de la Segunda Guerra Mundial*. Ediciones Nowtilus.

KOESTLER, Arthur. *Los Sonámbulos*. Vol. 51, 52. Biblioteca Científica Salvat.

LANDAU, L.; Rumer, Y. *Qué es la Teoría de la Relatividad*. Edit. Ricardo Aguilera.

LARA PEINADO, Federico (Traductor). *El Poema Babilónico de la Creación*. Editora Nacional.

LLAUGÉ, Félix. *Astronáutica Soviética*. Edit. Picazo.

MARTOS, Alberto. *La conquista de la Luna como signo de los nuevos tiempos*. Vol 12. Gran Historia Universal del Club Internacional del Libro.

PAPP, Desiderio. *Historia de la Física, desde la antigüedad hasta los umbrales del siglo XX*. Espasa Calpe.

PÉREZ SEDEÑO, Eulalia. *El Rumor de las Estrellas*. Editorial Siglo XXI.

---. Ptolomeo. *Las Hipótesis de los Planetas*. Colección AU Ciencias. Vol. 498. Alianza Editorial.

PLATÓN. *Obras*. Colección Los Clásicos. Editorial EDAF.

HANSON, Norwood. *Constelaciones y Conjeturas*. Vol. 203. Alianza Universidad.

SIDDIQI, Asif Azzam. *Sputnik and the Soviet Space Challenge*. University Press of Florida.

TATON, René. *Historia de las Ciencias*. Editorial Orbis.

VERNE, Julio. *De la Tierra a la Luna*. Biblioteca Juvenil. Editorial Edaf.

VV.AA. *El Programa Espacial Soviético*. Editorial Progreso, Moscú.

VV.AA. *Los Presocráticos I, II y III. Colección Biblioteca Clásica Gredos*. Vols. 12, 24 y 28. Editorial Gredos.

VV.AA. *Historia de la Astronáutica*. Editorial Riego S.A.

Webs

Christianson, Gale E. Kepler's Somnium: science fiction and the renaissance scientist.
http://www.depauw.
edu/sfs/backissues/8/christianson8art.htm
Astronomy from its origins.
http://turnbull.mcs.st-and.ac.uk/history/BiogIndex.html
The life of Konstantin Eduardovitch Tsiolkovsky.
http://www.informatics.org/museum/tsiol.html
Konstantin E. Tsiolkovsky Scientific Biography.
http://www.informatics.org/museum/tsilbio.html
NASA. Dr. Robert H. Goddard, American Rocketry Pioneer.
http://www.nasa.gov/centers/goddard/about/dr_
goddard.html
NASA Facts.
http://www.gsfc.nasa.gov/gsfc/service/
gallery/fact_sheets/general/goddard/goddard.htm
Russian Space web.
http://www.russianspaceweb.com/ index.html
Encyclopedia Astronautica.
http://www.astronautix.com
NASA Langley Research Center.
http://www.nasa.gov/ centers/langley/news/factsheets/Apollo.html

Apéndice

I.- LAS LEYES DE LA MECÁNICA DE NEWTON

1ª) Todo cuerpo sometido a una fuerza experimenta una aceleración directamente proporcional a dicha fuerza, aplicada en el sentido en que esta actúa, e inversamente proporcional a su masa inerte.

2ª) Todo cuerpo permanece en su estado de reposo, o de movimiento uniforme y rectilíneo, si no actúa sobre él una causa exterior capaz de modificar dicho estado.

3ª) A toda acción sucede una reacción igual y de sentido contrario.

II.- LEY DE LA GRAVITACIÓN UNIVERSAL

Toda partícula de materia del Universo atrae a cualquier otra partícula con una fuerza que es directamente proporcional al producto de las masas de ambas partículas e inversamente proporcional al cuadrado de la distancia que las separa.

III.- LAS LEYES DE KEPLER

1ª) La órbita de un astro es una elipse, en uno de cuyos focos se encuentra el centro del astro primario;

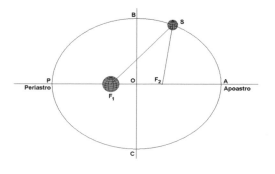

$$F_1S + F_2S = PF_1 + PF_2 = AF_1 + AF_2 = \text{constante}$$
$$\text{Eje Mayor} = PA = PF_1 + AF_1$$
$$\text{Eje Menor} = BC$$
$$\text{Excentricidad} = F_1F_2 / PA = OF_1 / OP = OF_2 / OA$$
$$PF_1 = \text{Distancia Mínima}$$
$$AF_1 = \text{Distancia máxima}$$

2ª) Al moverse un astro, el radio vector que determina dicho astro con el foco primario barre áreas iguales en tiempos iguales.

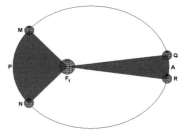

$$\text{Área } MNF_1 = \text{Área } QRF_1$$

Tiempo para orbitar   =   Tiempo para orbitar
de M a N   de R a Q
V_P = Velocidad máxima V_A = Velocidad mínima

3ª) El cuadrado del periodo de revolución (también llamado periodo orbital) de un astro es directamente proporcional al cubo del semieje mayor de la elipse que describe.

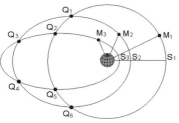

Ejemplo: tres satélites, S_1, S_2 y S_3 pasan simultáneamente por el perigeo. S_1 en órbita circular, S_2 en órbita elíptica de excentricidad moderada y S_3 en órbita elíptica de gran excentricidad. Por tanto, S_1 circula con velocidad constante V_1 y S_2 y S_3 con velocidades variables respectivas V_2 y V_3. Al cabo de un tiempo T ocupan las posiciones M_1, M_2 y M_3, respectivamente. Si los ejes mayores de las tres órbitas son iguales, los periodos de revolución de los tres satélites son también iguales y pasan por el apogeo y por el perigeo a la vez.

Además, en los puntos (Q) de cruce, donde se igualan los radios vectores de una de las parejas de satélites, las velocidades circulares correspondientes se igualan también:

En Q_1 y Q_6, se da $V_1 = V_2$
En Q_2 y Q_5, se da $V_2 = V_3$
En Q_3 y Q_4, se da $V_2 = V_3$

IV.- Puntos de Lagrange

También conocidos como Puntos de Libración, son puntos del espacio de un sistema de dos cuerpos (p.e., la Tierra y la Luna) donde las fuerzas de gravedad se equilibran con las del movimiento orbital. Por tanto, un tercer cuerpo de masa despreciable con respecto a los otros dos (un satélite artificial) se encontraría en equilibrio gravitatorio y orbitaría con el mismo periodo que los otros dos. Existen 5 puntos de Lagrange, dos estables y tres inestables.

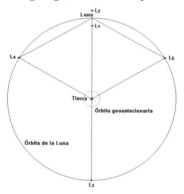

Los puntos L_1, L_2 y L_3 son los inestables y se hallan sobre la recta imaginaria que une ambos astros. El punto L_1 está situado entre dichos astros, el punto L_2 al otro lado del astro menor y el punto L_3 al otro lado del astro mayor.

Los puntos estables L_4 y L_5 se hallan sobre la órbita del astro menor, a 60 grados por delante y por detrás.

En el caso del Sistema Tierra-Luna, el punto L_1, también llamado Punto Neutro, se halla a 327.000 Km del centro de la Tierra y a 57.000 Km del centro de la Luna.

NOTA: No confundir el Punto Neutro con el centro de masas del Sistema Tierra-Luna, cuya distancia al centro de la Tierra es de 345.000 Km y al centro de la Luna de 38.400.

V.- ROTACIONES EN TRES EJES: CABECEO, DERIVA Y BALANCEO

En el espacio, donde existen tres grados de libertad, la orientación de un vehículo se gobierna mediante rotaciones alrededor de un sistema de tres ejes ortogonales: longitudinal, transversal y vertical. Estas rotaciones se denominan cabeceo, deriva (o guiñada) y balanceo.

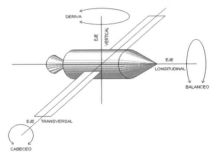

Cabeceo es la rotación alrededor del eje transversal.
Balanceo es la rotación alrededor del eje longitudinal.
Deriva es la rotación alrededor del eje vertical.

Cualquier otro movimiento de giro se puede descomponer en tres movimientos componentes sobre cada uno de estos ejes.

VI.- NAVEGACIÓN INERCIAL

Es un método de gobierno de un vehículo que no precisa información del exterior, sino que es capaz de calcular su posición a partir de unas coordenadas iniciales, integrando medidas de aceleración en tres ejes ortogonales. Un dispositivo de navegación inercial requiere elementos rastreadores para orientación, sensores capaces de detectar perturbaciones, un procesador digital de datos y elementos actuadores para corregir las desviaciones del vuelo.

Elementos rastreadores: rastreador de estrellas y sensor de Sol.

Elementos sensores: giroscopios y acelerómetros.

Procesador digital: ordenador de navegación.

Elementos actuadores: volantes de inercia, motores de maniobra y motor para Δv.

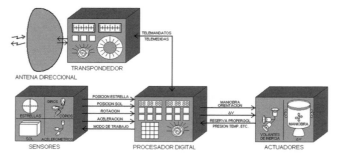

El flujo de la información es como sigue: el procesador digital recibe de la unidad de sensores dos tipos de información: de la orientación del vehículo en el espacio, tomada de los elementos rastreadores, el rastreador de estrellas y el sensor de Sol y del curso del vuelo, tomada de los giroscopios y acelerómetros. Esta información es también enviada a tierra con la corriente de telemedidas.

El procesador digital compara la información de la orientación del vehículo con los datos del modelo numérico de la trayectoria que reside en memoria y genera las señales de error correspondientes, que envía a la unidad de actuadores y a tierra con las telemedidas.

La unidad de actuadores corrige los errores de orientación mediante los motores de maniobra o las ruedas de inercia.

Las correcciones tipo Δv (MCC) requieren la concurrencia del Centro de Control de tierra, cuyos ordenadores computan la corrección del vector velocidad (magnitud y dirección) que es necesaria, de acuerdo con los datos de rastreo de las Estaciones Espaciales. Estos datos se transmiten como telemandatos al ordenador de navegación, que los procesa y envía los resultados a la unidad de actuadores para orientar la nave en la dirección en que se debe producir el Δv. Una vez comprobada la orientación, se enciende el motor principal durante el tiempo calculado por los ordenadores de tierra (RTCC). En el caso de los vuelos tripulados son los tripulantes quienes supervisan toda la maniobra.

Rastreador de estrellas

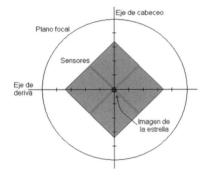

Un rastreador estelar es un dispositivo diseñado para detectar la posición de una estrella de referencia. Consiste en un telescopio convencional, cuyo plano focal está dividido en cuatro campos por otros tantos sensores electrónicos, acoplados a los ejes de cabeceo y deriva del vehículo espacial que lo porta. Cuando la imagen de la estrella de referencia está en el centro del retículo, ilumina por igual a los cuatro sensores y no se produce señal de error. Si la estrella se desvía, entonces se rompe el equilibrio y el rastreador produce una señal de error en el eje correspondiente, de acuerdo con el sensor que recibe más luz.

Sensor de Sol

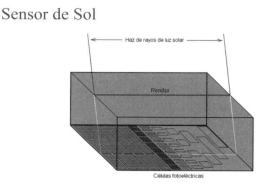

Un sensor de Sol es un dispositivo de orientación capaz de medir la inclinación de los rayos solares con respecto a los ejes de cabeceo o balanceo de un vehículo espacial. Consta de una cámara obscura en la que un haz de rayos solares penetra por una rendija e ilumina una disposición de células fotovoltaicas, dispuestas componiendo códigos digitales.

Giroscopio

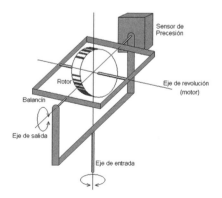

Un giroscopio es un dispositivo capaz de detectar y medir cambios de dirección de movimiento, o rotaciones. Está compuesto por un rotor masivo que gira muy rápidamente montado en un balancín con un grado de libertad, que tiene la propiedad de mantener la posición de su eje de giro. Uno de los otros ejes ortogonales, llamado eje de entrada, va solidario con uno de los tres ejes ortogonales del vehículo. Cuando este experimenta una desviación (rotación), el segundo eje del giroscopio, llamado eje de salida, entra en precesión debido a la conservación del momento angular (leyes 1 y 2 de Newton) y su desviación es proporcional a la rotación del eje de entrada. En la navegación inercial se los utiliza en tríos acoplados a los tres ejes ortogonales, para medir el ángulo de rotación del vehículo espacial.

Acelerómetro

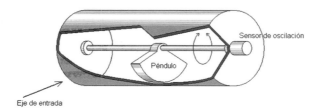

Un acelerómetro es un dispositivo capaz de detectar y medir cambios de velocidad, mediante la oscilación de una masa pendular. Como los giroscopios, los acelerómetros se montan acoplados a los ejes ortogonales del vehículo espacial, de modo que la oscilación del péndulo se produzca en dirección perpendicular al eje correspondiente.

Volante de inercia

Los volantes de inercia son ruedas de gran masa concentrada en la periferia que giran con velocidad constante movidas por un motor eléctrico cuyo eje está acoplado con uno de

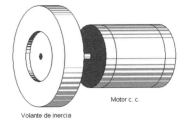

Motor c. c.

Volante de inercia

los ejes ortogonales de un vehículo espacial. Cuando se las acelera ejercen reacción en sentido contrario sobre el vehículo, de modo que pueden corregir desviaciones muy finas. Se las emplea en grupos de tres, con los ejes formando un triedro trirrectángulo.

Motores de maniobra

Los motores de maniobra de orientación suelen emplear hipergoles (hidracina) y funcionan emparejados utilizando toberas opuestas dispuestas sobre el fuselaje, acopladas a los ejes ortogonales del vehículo para producir movimientos de rotación sin afectar a la translación. Las toberas van montadas generalmente en grupos (de a cuatro) alimentadas por un mismo motor y orientadas de modo que puedan ejercer pares de fuerzas.

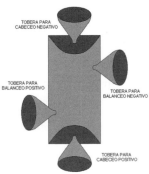

TOBERA PARA CABECEO NEGATIVO

TOBERA PARA BALANCEO POSITIVO

TOBERA PARA BALANCEO NEGATIVO

TOBERA PARA CABECEO POSITIVO

Motor para Δv

El motor de propulsión se emplea para cambios y correcciones orbitales. Entendemos por cambios la inyección en alguna trayectoria interplanetaria (p.e., TLI o TEI), para la inserción en órbita planetaria (p.e., LOI o EOI) o para correcciones de medio camino (MCC). Todas ellas imponen variación de velocidad, por lo que se las denomina genéricamente Δv.

TOBERA DEL MOTOR J-2

Maniobras Δv en órbita circular:

Un Δv positivo convierte la órbita circular en elíptica (aumenta la excentricidad) con el periastro en el punto donde se apaga el motor (p.e., maniobra de inyección).

Un Δv negativo convierte la órbita circular en elíptica (aumenta la excentricidad) con el apoastro en el punto donde se apaga el motor (p.e., maniobra de aterrizaje).

Maniobra Δv en una órbita elíptica:

Un Δv positivo aumenta la excentricidad alargando el eje mayor y alejando el apoastro. También puede afectar al eje menor si el impulso se produce en una dirección distinta de la dirección del vector velocidad (p.e., MCC).

Un Δv negativo disminuye la excentricidad acortando el eje mayor y acercando el apoastro. También puede afectar al eje menor si el impulso se produce en una dirección distinta de la dirección del vector velocidad (p.e., MCC).

Maniobras Δv en el periastro de una órbita elíptica:

Un Δv positivo aumenta la excentricidad, alargando el eje mayor y alejando el apoastro.

Un Δv negativo disminuye la excentricidad, acortando el eje mayor y acercando el apoastro. Es una maniobra típica de circularización orbital (LOC).

Maniobras Δv en el apoastro de una órbita elíptica

Un Δv positivo disminuye la excentricidad aumentando el eje mayor y elevando el periastro.

Un Δv negativo aumenta la excentricidad acortando el eje menor y bajando el periastro.

VII.- EL RASTREO POR RADIO

Los datos de posición y velocidad de un vehículo espacial se pueden conocer desde la Tierra, incluso aunque no se disponga de comunicación directa con el mismo, mediante los datos de rastreo que aportan las Estaciones Espaciales. Estos datos contienen fecha, hora, ángulos de orientación de la antena, distancia al blanco (solamente los de una Estación) y velocidad radial (es decir, respecto de la antena receptora).

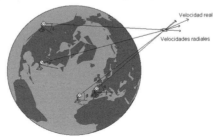

En el Centro Director del Vuelo se puede computar la posición y la distancia al centro de la Tierra a partir de las medidas recibidas de cada Estación, cuyas coordenadas geográficas han de estar perfectamente determinadas. De esta forma, los diferentes ángulos de acimut y elevación (p. e., α, β, γ y δ) de las antenas proporcionan un método alternativo para conocer dicha distancia al vehículo.

En cualquier caso, la mejor medida se obtiene cronometrando el tiempo del viaje de ida y vuelta de un tren de impulsos de radio emitidos por una de las Estaciones. El vector velocidad real se computa a partir de las velocidades radiales que mide cada una de las Estaciones mediante el efecto Doppler-Fizeau.

Efecto Doppler-Fizeau

Si un foco emisor de vibraciones (acústicas o radioeléctricas) se mueve con respecto a un observador (o a un receptor), la frecuencia que éste percibe depende de la velocidad con que se mueve el emisor, siendo mayor si se acerca y menor si se aleja.

Sea un foco F que emite vibraciones de una frecuencia fija (f_0). Si se halla en reposo con respecto a dos observadores A y B, estos perciben la misma frecuencia (f_0) que emite F.

Si F se mueve acercándose a B y alejándose de A, B percibe una frecuencia más elevada (f_1) y A percibe una frecuencia más baja (f_2). La desviación de frecuencia (Δf) que perciben A y B depende de la velocidad radial (V_R) con que se mueve F.

La velocidad radial del blanco (V_R) se puede determinar a partir de la frecuencia (f_0) de la onda emitida, de la velocidad de propagación de dicha onda (V_0) y de la desviación de frecuencia (Δf) recibida por el receptor. La fórmula es:

$$V_R = V_0 \frac{\Delta f}{f_0}$$

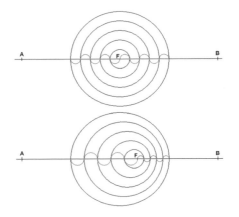

Transpondedor y enlace coherente

La exactitud de las medidas de distancia y velocidad que efectúan las Estaciones Espaciales mediante rastreo por radio depende de la coherencia del enlace herciano, es decir, de la estabilidad en frecuencia y fase de la onda portadora. La estabilidad óptima se consigue sintetizando la frecuencia de dicha onda en un reloj atómico de cesio. De este modo, el haz ascendente (*up link*) conserva la misma estabilidad que ofrece el reloj atómico.

Para mantener la coherencia del haz descendente (*down link*), abordo del vehículo espacial se utiliza un transpondedor, en lugar de un transmisor convencional. Este aparato consiste en un receptor y un transmisor integrados, de modo que la frecuencia de la onda portadora del transmisor se sintetiza a partir de la onda portadora del haz ascendente que llega al receptor (modificada por el efecto Doppler-Fizeau). Se consigue así que la estabilidad de frecuencia del haz descendente sea la misma que la del haz ascendente, o sea, la del reloj atómico. Por esta razón, la coherencia se mantiene también entre ambos haces, lo que proporciona una excelente exactitud en las medidas.